S0-BJY-422

АЛЕКСАНДР
ГАРРОС
НЕПЕРЕВОДИМАЯ
ИГРА
СЛОВ

Александр Гаррос

Непереводимая игра слов

издательство
АСТ
Москва

УДК 821.161.1-31
ББК 84(2Рос=Рус)6-44
П76

Оформление переплёта и макет — Андрей Бондаренко

Гаррос, Александр Петрович
П76 Непереводимая игра слов / Александр Гаррос. — Москва : Издательство АСТ : Редакция Елены Шубиной, 2016. — 543, [1] с. — (Уроки чтения).

ISBN 978-5-17-099015-3

Александр Гаррос — модный публицист, постоянный автор журналов “Сноб” и “GQ”, и при этом — серьёзный прозаик, в соавторстве с Алексеем Евдокимовым выпустивший громко прозвучавшие романы “Головоломка”, “Фактор фуры”, “Чучхе”; лауреат премии “Нацбест”.
“Непереводимая игра слов” — это увлекательное путешествие: потаённая Россия в деревне на Керженце у Захара Прилепина — и Россия Михаила Шишкина, увиденная из Швейцарии; медленно текущее, словно вечность, время Алексея Германа — и взрывающееся событиями время Сергея Бодрова-старшего; Франция-как-дом Максима Кантора — и Франция как остановка в вечном странствии по миру Олега Радзинского; музыка Гидона Кремера и Теодора Курентзиса, волшебство клоуна Славы Полунина, осмысление успеха Александра Роднянского и Веры Полозковой…

УДК 821.161.1-31
ББК 84(2Рос=Рус)6-44

ISBN 978-5-17-099015-3

Содержание

Хроникер эпохи
Дмитрий Быков об Александре Гарросе 9
Такая, какая
От автора 13

НАШ ПИДЖАК ЗАШИТ, А ТУЛУП ПРОКОЛОТ

Молодой хозяин
Утопия Захара Прилепина: великая глушь 19
Время Германа
Утопия Алексея Германа: игра в Бога на поражение 42
Баталист
Утопия Александра Роднянского: малой кровью, на любой земле 72
Без команды
Оставленные: Ярославль, полгода после гибели "Локомотива" 101
Код обмана
Без следа: почему гибель СССР — факт истории, но не факт искусства 122

Чем Гитлер хуже Сталина?
Проклятие эффективности: как работает русская матрица 142
Чужая игра
Потому что мы — не банда: кем на Руси быть плохо 162
Красный Кокаин
Пудель: модель для сборки (и разборки) 168
В окрестностях смерти
Тест Летова: последний знак качества 176

НАМ НЕ НРАВИТСЯ ВРЕМЯ, НО ЧАЩЕ — МЕСТО

Остров Кантор
Утопия Максима Кантора: режущий край Европы 185
Счастье и Слава
Утопия Славы Полунина: мельницы нирваны мелют медленно 213
Форс-мажор
Утопия Теодора Курентзиса: пермские боги перемен 247
Виды на жительство
Утопия Марии Амели: из войны в варяги 278
Культура тела сегодня в ударе
Пустая рука: судьба карате в России 306
Непереводимая игра слов
Продать Родину: почему русские больше не пишут бестселлеров 315
У меня есть нож
Пять лет спустя: глобальный урка 339

Джетлаг

Часовой пояс верности: что прочнее железного занавеса 347

Бложная повестка

Русский спор: бессмысленный, беспощадный, бесплодный 362

Русские совы

Хоррор как рутина: наш Твин Пикс — то, чем кажется 370

Человек отовсюду

Паспорт негражданина: декларация независимости 377

МЫ ПОЛЮБИМ ВСЕХ, И В ОТВЕТ — ОНИ НАС

Роман в Ницце

Утопия Олега Радзинского: буки, веди, вуду 385

Бездомный Гидон

Утопия Гидона Кремера: перемещенное лицо музыки 421

Карта Бодрова

Утопия Сергея Бодрова: глобальный советский 449

Мир делится на магглов и волшебников

Утопия Веры Полозковой: зарифмуй это 474

Писательский курс

Утопия Михаила Шишкина: другой посол Другой России 489

В когтях у сказки

Маленькая вера: что у нас вместо религии и чем это кончится 503

Индустрия отвлечений

Вранье столетия: честная бедность как спецоперация богатых 519

Бремя белого

Зима далеко: непокоренная Арктика 525

Фея и я

Вместо послесловия 539

ХРОНИКЕР ЭПОХИ

Дмитрий Быков
об Александре Гарросе

...Про Гарроса и Евдокимова никто ничего не знал. Не было даже толком понятно, один это человек или двое, и многим вспоминался анекдот "Слава КПСС вообще не человек". На обложках они так и писались без имен: Гаррос-Евдокимов. После сенсационного присуждения премии "Национальный бестселлер" роману "[голово]ломка" стало по крайней мере понятно, что их двое: один длинный и красивый, второй поменьше и очень брутальный.

Меня, впрочем, не обманывали тарантиновские приметы их прозы — страшное количество разбитых голов, мата и циничных сентенций. Я-то знал, что оба они — интеллигентные русские журналисты из Риги, большие ценители артхаусного кино и хорошего виски, очень деликатные люди, хотя говорили, что Гаррос владеет боевыми искусствами, а Евдокимов не только весь, абсолютно весь покрыт татуировками, но и брутально водит мотоцикл. Наверное, так и должен выглядеть современный гуманист в чуждой ему среде.

Потом Гаррос и Евдокимов написали еще два романа — "Серую слизь" и "Фактор фуры", — а также лучшее, как мне кажется, свое произведение: киноповесть "Чучхе", в которой высказана очень важная правда о нашем времени, о деле Ходорковского и о новом поколении постсоветских интеллектуалов. Гаррос и Евдокимов точно предсказали появление новых людей, а заодно рассказали о рисках, которым эти новые "гадкие лебеди" будут подвержены. Думаю, что из учеников и продолжателей Стругацких никто не зашел так далеко и не научился у них столь многому: вообще трудно подраждать Стругацким в одиночку, они писали в диалоге, и в этом непрерывном разговоре их мысль разгонялась до сверхчеловеческих скоростей. Мне представлялось, что вакантное до сих пор место Стругацких как раз и будет занято этим рижским тандемом, потому что они владели главным секретом Больших Братьев: умели писать так, что не оторвешься. То есть и злишься, и ругаешься, и споришь, но — не оторвешься. И это штука целительная — и для читателя, и для литературы в целом.

Но потом Гаррос женился на Анне Старобинец, что делает честь его литературному и художественному вкусу, переехал в Москву, и стал работать в соавторстве уже с женой: писать сериалы с элементами фантастики и мистики. Я всегда понимал, что у Гарроса исключительное чутье и занимается он только теми жанрами, у которых есть богатые перспективы. И тут, видимо, он в какой-то момент понял, что проблематика и методы большой литературы переместились в телесериал — теперь это главный жанр искусства, синкретический, по-умному говоря. А еще он понял, что большая литература "ушла" в глянец — и стал публиковаться в "Снобе", "GQ" и других интеллектуально-глянцевых журналах. Там печатались его очерки, интервью и, не побоюсь этого слова, статьи по теории литературы — потому что он очень хорошо разбирается в этой теории и задолго до большинства современников чувствует, к чему идет дело.

Его заметки представляют собой не стилистические экзерсисы (в наше время, чтобы слыть стилистом, достаточно научиться кидать понты на ровном месте), а точные, скупые зарисовки исторических эпизодов и литературных нравов, или увлекательные разговоры с неоднозначными людьми, или репортажи из Европы, про которую он, со своим рижским опытом, знает много плохого и хорошего. Гаррос точно соответствует формуле Анатолия Аграновского: "Хорошо пишет тот, кто хорошо думает, а «хорошо пишет» — это само собой разумеется". Его эссе — это не записки у изголовья от нечего делать, а приключения мысли. Я думаю, он это писал не только и не столько ради заработка, хотя журналистика для писателя как раз и есть единственно возможное подспорье, когда не пишется или мало платят за написанное. Просто однажды эссеистика и журналистика показались ему интересней прозы, — и это важный тренд момента. Был период резкого изменения, перестановки акцентов: стало понятно про народ и про всех нас что-то, чего мы до сих пор не знали. И Гаррос выступил точным хроникером этой эпохи, — а художественное мы про нее напишем, когда она закончится.

...Я очень люблю Сашу Гарроса. Это один из самых дорогих для меня людей. Он умный, честный, добрый и при этом хорошо пишет, что практически несочетаемо. Я даже не знаю, в чем Гаррос ущербен: хороший, плюс хорошо пишет, плюс боевые искусства... обязательно должен быть какой-нибудь скелет в шкафу. Один человек, который вообще никого не любит и даже, более того, всех ненавидит, хотя при этом далеко не дурак, — проскрипел ему вслед: "К-какой м-милый малый". Это он не заикался (он не заикается), а чисто от злобы.

Вот! Гаррос вызывает ужасную злобу у плохих людей. И эта его книга, к которой я пишу предисловие, тоже многих взбесит. Утешить всех этих людей я могу только тем, что таких, как Гаррос, очень мало.

Дмитрий Быков

ТАКАЯ, КАКАЯ

От автора

Сборник журналистских текстов всегда есть фрукт чуточку противоестественный. С поля экспериментов доброго доктора Франкенштейна.

Штука журналистики — как бы хрестоматийная рок-звезда, но как бы до изобретения звукозаписи: живет быстро, умирает молодой, забывается на счет "раз" и более не звучит. Срок полноценной, достойной жизни газетной статьи и в прошлую-то, великую бумажную эпоху исчислялся максимум днями; журнальной — в лучшем случае неделями. Интернет разгоняет медийный метаболизм до нечеловеческих скоростей и вносит мизантропические правки: рыдай, газетчик, — теперь твоя *заметка* (так говорят москвичи) или *байка* (так говорили у нас в Риге) сплошь и рядом мертва еще до того, как ее вообще хоть кто-то прочтет. Иногда — прежде, чем ее хоть кто-то напишет.

Тем экзотичней — и, см. выше, противоестественней, — кажется компендиум текстов, опубликованных не часы или дни, но годы назад. Собрание беспокойных покойников, временно оживленных издательской магией. Причем едва ли эти небоевые зомби внушают кому-то страх — скорее жалость, а то и стыд: слишком уж много прошедшие годы не-жизни оставили на них неоспоримых и неприятных отметин, свидетельств авторской наивности, ограниченности, близорукости, дурновкусия (некогда оно казалось праведным пафосом) и глупоговорения (в прошлой жизни оно было блестящей аналитикой).

И тем не менее: любая возможность дать дорогим покойникам (которых пускай ты один, но всё же — помнишь, иногда — любишь; в которых, если ты не холодный халтурщик, вложено было не так уж мало и времени, и физических сил, и даже, не бейте меня, умственных усилий!) второй шанс, — это подарок. Цену жизни спроси у мертвого.

Да и уже само то, что беспощадное время проделывает даже с тщательными (хотелось же так думать) попытками медийного трезвомыслия, — хороший урок. Урок смирения — автору. Но, быть может, не только ему. И еще, разумеется, слепок реальности — той, своей. Слепок, ценный именно честным несовершенством, принципиальной незавершенностью: жизнь, как всегда, пошла дальше — а он, сделанный с живой, пластичной натуры и застывший, остался. Бери, сравнивай, колупай ногтем, шарахай об пол; делай выводы.

Поэтому, когда эта книга готовилась к изданию, я подавил в себе позывы что-то подправить и поменять, на худой конец — снабдить часть текстов развернутым комментарием, потешить свой крепкий задний ум, явить искрометное остроумие на лестнице. Что было — то было. Хотя я отлично понимаю, что какие-то тексты я написал бы теперь совершенно иначе, какие-то — не стал бы писать вовсе.

Ну да, мне, например, хотелось думать лет пять назад, что мой добрый приятель Захар Прилепин — это человек-мост, один из тех, кто соединяет собою такие взаимно непримиримые, но такие зеркально схожие, такие живущие на разрыв, но такие нерасчленимые, сиамские берега — берега русских "либералов" и "патриотов"; а Прилепин с тех пор не только выбрал свой берег из двух, но и многое сделал для того, чтобы берега эти отодвинулись друг от друга на максимальное расстояние.

Ну да, я всерьез задавался, скажем, вопросом, почему русские писатели — вроде бы часть глобального мира со своим уникальным опытом? — не пишут больше мировых бестселлеров и что с этим делать; а теперь понятно, что делать с этим ничего не надо — теперь русские писатели, как и вообще русские, уже не вполне часть глобального мира, и именно поэтому они напишут мировые бестселлеры, — скоро, скоро, вот только сначала придется до конца пройти по той тропке через трясину, на которую мы свернули. Получить еще немного уникального опыта.

И так далее.

Но все-таки — пусть уж тут просто будет, что было. Как было. Как есть.

А я — я тоже буду просто благодарен.

Вам — за то, что вы сейчас читаете эту книгу (и, может быть, продолжите читать дальше).

Елене Шубиной, моему издателю, — за то, что эта книга вообще появилась.

Алексею Портнову, моему редактору, — за то, что эта книга такая, какая есть (а могла бы быть куда хуже).

Андрею Бондаренко, моему художнику, — за то, что эта книга выглядит так хорошо.

Диме Быкову, моему другу, — за то, что у этой книги есть прекрасное предисловие; за то, что Быков думает обо мне много лучше, чем я заслуживаю.

Моей жене Ане Старобинец, — за то, что у этой книги всё еще есть автор (а могло бы быть и совсем по-другому).

Моим друзьям — за то же самое... да они все знают, за что.

Моим детям, Барсуку и Пингвину, за то, что жизнь точно имеет смысл, даже если бессмысленна.

И жизни — за то, что она интересная. За то, что она просто есть.

Такая, какая.

лето 2016

НАШ ПИДЖАК ЗАШИТ, А ТУЛУП ПРОКОЛОТ

МОЛОДОЙ ХОЗЯИН

Утопия Захара Прилепина: великая глушь (2011)

Жизнь Захара Прилепина, кажется, состоит из нескольких разных жизней, протекающих параллельно, не пересекающихся ни в чем. Он успешный писатель, который в 2011 году получил "Супернацбест"[1], попал на первые строчки топов продаж с романом "Черная обезьяна", стал "писателем года" по версии "GQ". Он же — человек с репутацией маргинала и радикала, с прошлым омоновца, в девяностые воевавшего в Чечне, и член запрещенной партии национал-большевиков. Он дружит с завзятыми либералами — и общается с Сурковым и ходит на чай к Путину. Его рвет на части телевидение, он мелькает на светских раутах. Но его идеал — жизнь в глуши, патриархат и многодетность.

— Знаешь, чего там?

Он тычет дымящейся "честерфилдиной" в распахнутое окно. За окном, метрах в пяти, по другую сторону длинного узкого двора, — красная стена блеклого малокровного оттенка.

[1] А в 2014-м — премию "Большая книга" за роман "Обитель".

— Там СИЗО. У меня когда два уголовных дела на газете висели, я думал: если что, недалеко переезжать. А иногда менты под окном садятся, жизнь обсуждают, а я подслушиваю. Интеллектуальный уровень убийственный. Я всегда своих пацанов в ОМОНе вспоминаю — вот с ними вполне нормально можно было практически на любые темы разговаривать...

Мы курим в кабинете генерального директора нижегородского издания "Новой газеты" — Захар Прилепин и есть этот генеральный директор. Кабинет мал и обшарпан. В нем царит творческий бардак. Горизонтальные поверхности, в том числе подоконник, оккупированы стопками книжек, включая прилепинские. На стене — самодельные плакаты с саркастическими слоганами и распечатки с абсурдными цитатами и идиотскими оговорками. Весь антураж отчетливо напоминает девяностые, когда пишущая журналистика еще не переселилась в стерильные ньюсрумы. Ощущаю вялый ток ностальгии.

И еще чувствую легкую вибрацию дежавю.

Ровно так, вполоборота друг к другу и с запаленными сигаретами, мы стояли в прошлую нашу встречу на балконе моей съемной квартиры на Второй Фрунзенской, и Прилепин, свешиваясь через перила, так же тыкал светящимся в сумерках угольком наружу и вниз: показывал дорогу к "бункеру" национал-большевиков, а также скамейку, на которой в его романе "Санькя" сидели герои Саша и Яна, юные члены списанного с Национал-большевистской партии "Союза созидающих", в начале своей короткой любовной связи. Скоро Саша поедет в Ригу убивать латышского судью, впаявшего "союзникам" пятнадцатилетние сроки, а Яна залепит тортом в лицо президенту РФ — и даст старт короткой, отчаянной и обреченной революции молодых маргинал-патриотов. Это в романе, а в жизни мы оба вполне себе сыты и пьяны, и Прилепин рассказывает мне о памятной скамейке за несколько дней до своего знаменитого чаепития с Путиным, во время которого он спросит о Тимченко и "Гунворе", но тортами швыряться не станет.

В позапрошлую нашу встречу мы стояли так же, в зеркально-кафельном полумраке обширного сортира гостиницы "Украина". Очевидно поддатый, слегка расхристанный Прилепин плескал себе в лицо ледяной водой из-под крана, а на плиточном полу возле его ног валялась сумка с металлической бляхой "Высший арбитражный суд Российской Федерации" снаружи и ста тысячами долларов США внутри. Сумку только что выдало Прилепину как лучшему писателю за десять лет существования премии "Национальный бестселлер" жюри под председательством помощника президента Аркадия Дворковича. В холле бродил бомонд, сверкали блицы и моргали индикаторами телекамеры. А Прилепин, доплескавшись, объявил репортерам, что часть ста тысяч у.е. потратит на помощь нацболам-заключенным, а остаток станет хорошей прибавкой к материнскому капиталу для его многодетного семейства. К себе в Нижний он вернется на верхней полке плацкартного вагона (билет взят заранее, не менять же на СВ!) и, канув в свою деревенскую захоронку на речке Керженец, на некоторое время выпадет из зоны покрытия сотовой связи.

Сейчас моему дежавю чего-то не хватает, какой-то сущностно важной детали мизансцены. Прилепин — вот она, писательская чуткость, необходимое слагаемое успеха, — загибаем палец! — лезет куда-то в бумажные завалы и возвращается с ополовиненным пузырем водки. Внутренне содрогаюсь, вспомнив вчерашнюю бутылку самогона на сладком керженецком воздухе и в ароматно натопленной бане, но киваю. Водка распределяется. Сам Прилепин аттестует себя как "человека серьезно пьющего". Но это скорее имеет отношение к гусарскому ухарству, нежели к суровому русскому алкоголизму: по-настоящему пьяным, с ущербом для двигательных и речевых функций, я не видел его никогда.

— ...А как ты думаешь, можно по песням выучить английский? — интересуется Прилепин. — Мне мои издатель и агент говорят: надо английский учить. Но у меня времени нет, а песни я в машине всё время слушаю.

В салоне сначала бормочет Eminem, потом бурчит 50 cent. Рэп — главное нынешнее музыкальное увлечение Прилепина, нерусский и русский тоже: о русском — Ноггано, 25/17, Гуф и так далее — он говорит, что это и есть единственные духовные наследники сдувшегося советского рока, его бодрой и злой протестной энергии.

— Наверное, можно и выучить, — говорю я. — Но это будет довольно странный английский.

— Да, слово "мазафака" я и так знаю.

Черный "паджерик" галопирует по изъеденной оспинами асфальтовой двухполоске: стрелку спидометра Прилепин стабильно держит за сотней. Баранку контролирует небрежно, но хватко, поза вальяжно-уверенная, на груди, в просвете модной курточки, православный крест, на бритой башке — вполне себе гарлемская спортивная шапочка. Мимо, подпрыгивая, проносится глухая посконная Русь: березняк, сосняк, ельник, редкие грибники в цветастых дождевиках (говорят, белые поперли, вот и прилепинское семейство намедни насобирало 59 элитных, лишенных изъяна грибов).

После деревни Керженец (сельпо, живописный колодезь с журавлем, обтерханные домики, квартал горелых бараков, в котором тлеет какая-то смурная жизнь) о человеке, проходящем как хозяин, и вовсе легко забыть. Исчезает и асфальт, сменяясь петляющим через буераки, болота и овражки бугристым песчаным проселком, — и становится понятно, что джип здесь не пацанское пижонство, а насущная необходимость. Прилепин рассказывает, что при СССР в этих местах были большие торфяные разработки, а значит, и рабочие места, функционировала узкоколейка; потом разработки умерли, узкоколейку, невзирая на пикеты местных мужиков, разобрали, всё заглохло. Теперь тут не только зайцы и лоси выходят на дорогу, но и волки пошаливают. Зимой подобрались прямо к прилепинскому дому, и жена Маша пыталась их отогнать, швыряясь банками консервов из окна, а сенбернара приходится ночами запирать, потому что он, добрейший элитный переросток, супротив волков никакой не боец, а просто сотня кило сладкого мяса.

“Мы выходим по приборам на великую глушь!..” — шаманит в усилителях Гребенщиков. И скоро действительно выходим: “паджерик” выпрыгивает под серое небо из древесной гущи, и открывается деревня Ярки, место, которое, уверяет Прилепин, он завсегда предпочтет и Европам, и Москве, и даже практически родному Нижнему Новгороду, лежащему почти в двух часах гонки и тряски отсюда.

Деревня — и то громко сказано: с полсотни изб, выстроившихся в несколько разнонаправленных колонн по одному. Треть из них вовсе заброшена, треть заселяется только в дачный сезон; эти, дачные, красуются ухоженными бревнами поверх белокирпичных фундаментов, сине-фиолетовыми резными наличниками, новенькими кровлями, на одной даже спутниковая антенна. Сейчас, в октябре, полное безлюдье: никого на изрытой колесами проплешине, знаменующей улицу, ни единого человека. Магазина нет, автобус не пройдет, интернет не дотянулся, мобильный телефон не ловит — индикатор сети лишь изредка выдает жалкую одну черточку, достаточную разве чтоб отправить короткую паническую эсэмэску.

Мимо всего этого протекает речка Керженец, ленивая и идиллическая: высокий берег напротив с песчаным сколом и серо-зелеными разлапистыми соснами, пологий — со стороны деревни. Неширокая лента медленной воды — впрочем, в паводок Керженец раздувается и доходит почти до стен прилепинского дома, стоящего на отшибе. И сам дом, в два этажа, серо-зелен и разлапист, выставлен, как положено в опасных землях фронтира, грамотным каре: жилая часть, хозпостройки, забор и баня замыкают в себя небольшой двор. Не вилла олигарха, прямо скажем, но и это всё постепенно достроено за несколько лет, бревенчатая внешняя стена изначального здания, совсем уж крохотного, стала внутренней стеной гостиной-столовой. "Это Машиного дедушки домик. Он был полковником КГБ, вот и построился в этой глуши, чтобы не лезть согражданам в глаза со своим «неимоверным достатком». Такие вот раньше были полковники КГБ, ага..." — комментирует Прилепин. В ванной сверкает красным лаком и хромовыми форсунками похожая на пожарную машину новенькая душевая кабинка, но сортир всё еще во дворе.

Через час мы с фотографом Женей уже представлены всем: добряку-сенбернару, трем котам (двое беспородных васек-мурок, один неземной сфинкс), детям — двухмесячная младшенькая Лиля излучает позитив из своего мехового конвертика, средние, шестилетняя серьезная красавица Кира и семилетний Игнат, улыбчивая мини-копия папы, прибегают взглянуть на гостей и уносятся по своим важным детским делам. Мы разгромно проигрываем старшему, тринадцатилетнему Глебу, в настольный футбол. Мы объедаемся аутентичным керженецким ризотто с белыми грибами, которое приготовила жена Захара, Маша. Мы теряем боевой дух: хочется бродить, сидеть, лежать, дышать, подливать себе вина, перебрасываться довольными междометиями, а вовсе не выпытывать у писателя Прилепина, как же он сделался самым востребованным сочинителем земли русской. Мяч в игру возвращает сам Прилепин, когда я спрашиваю у него, а как, собственно, он со своим кочевым, опасным омоновско-нацбольским бэкграундом пришел к этому вот наглядному идеалу оседлой, крепкой, семейной, многодетной жизни.

— Никогда у меня не было культа многодетной семьи, — говорит он. — Вон, нас с сестрой у родителей было всего двое… Просто почему-то у меня с каждым новым ребенком, и вообще с каждым новым живым существом в семье количество счастья увеличивалось в разы. Сначала просто Бог давал детей. А вот после третьего наступило четкое понимание, что каждый новый ребенок — это такое счастье, про которое пошло говорят, что в нем купаешься. Так что идеал складывался случайно, стихийно — мы не то чтобы к этому стремились, мы же были бедные. Когда первый ребенок появился, мы были вообще нищие. Когда второй — тоже… Но странным образом с каждым ребенком как-то прибывал и достаток. Вот Лилька родилась — и у меня вообще какой-то год необычайный вышел. Все премии заработал, списки книжных продаж возглавил — никогда не ожидал себя там увидеть, среди

Улицкой и Мураками! И я это, грешным образом, связываю с детьми, с семьей. Может быть, конечно, мне потом за эту уверенность свыше влепят по голове — чтобы не упрощал бытие и его законы. Но это не означает, конечно, что я тут же начну ребенка за ребенком штамповать, чтобы счет в банке пополнить. И вообще, это же огромная ответственность! …У меня этот вот счастливый год начинался совершенно чудовищным образом: я вдруг понял, что на мне висят долги в несколько десятков тысяч долларов, что я теряю работу, газетный свой бизнес, что все книги, которые написал, я уже издал и мгновенно растратил все деньги на выплату долгов, — в общем, швах. Но к середине года всё вывернулось ровно противоположным образом. Я спас свой бизнес, ко мне вернулись деньги, и вот — Лилечка родилась, выдернула меня из этой ситуации обратно в жизнь и мир. Я не верю, что без нее всё это получилось бы.

Получилось — что да, то да. Как-то так вышло, что в 2011-м Прилепин сделался по сумме показателей русским писателем номер один. Есть, разумеется, авторы уважаемые и куда более многотиражные — Акунин, Улицкая, не говоря о менее уважаемых, но еще более тиражных, от Донцовой до Бушкова. Есть идеологические гранды и рыночные бренды вроде Сорокина и Пелевина. Есть практически живые классики, мэтры, от Битова до Стругацкого. Есть Быков с его дополняющей талант феноменальной работоспособностью, есть Рубанов, тоже талант, трудяга и молодец, есть Юзефович, стреляющий редко, но снайперски, есть Алексей Иванов...

Много кто еще есть. Но когда вектор русской словесности пересекается с вектором русской общественной актуальности, в точке пересечения в последнее время оказывается именно Захар Прилепин. И вот у него наперебой берут интервью и комментарии по любому поводу, его тащат на встречи с читателями и рвут на части телеканалы (временами не пуская получившееся в эфир), ему дают литературные премии и включают в рейтинги общественных авторитетов, в любви к его прозе признаются самые неожиданные персонажи (поди найди второго такого автора, чтоб за его творчеством внимательно следили разом и Хакамада, и Лимонов, и Сурков — далее везде), и даже сборник рассказов каких-нибудь безвестных молодых авторов, осененный его составительским именем, начинает продаваться как горячие пирожки.

Глупо полагать, что это случилось вдруг, за один день или даже один год. На радарах, фиксирующих живые движения русской литературы, Прилепин высветился лет семь назад, но высветился сразу ярко. Советский разночинец-провинциал, сын папы-учителя и мамы-медика, красивый, обаятельный, резкий, с ухватками и повадками мачо. Окончил нижегородский филфак, сменил несколько промежуточных профессий — от разнорабочего до охранника, служил в ОМОНе, командир отделения, дважды — в 1996-м и 1999-м — мотался в командировки в Чечню: до второй, стало быть, путинской кампании, во времена зыбкого междувластия, то и дело вскипающего кровавой резней. Оттуда и вывез опыт для дебютного романа "Патологии" — первого и, наверное, при всех дебютантских огрехах, до сих пор самого яркого литературного обращения к страшному чеченскому "материалу".

Попутно выяснилось, что Прилепин еще и нацбол. И тоже с 1996-го. И весь этот опыт маргинальности и жертвенности, тупого и грубого прессинга со стороны власти, митингов, побоев, побегов, подполья, сомнительных идеологий и несомненного ощущения собственной правоты (просто потому, что "мы" любим свою родину и готовы жертвовать собой, а "они" любят только себя и вовсю жертвуют родиной), — всё это стало содержанием его второго романа "Санькя", главного, пожалуй, литературного события 2006 года.

Потом были несколько книг рассказов (в том числе дважды нацбестовский триумфатор "Грех"), вал публицистики, непрекращающаяся оппозиционная деятельность, милицейские задержания вперемежку с кремлевскими заигрываниями. Серьезная и вдумчивая биография Леонида Леонова в серии "ЖЗЛ". Успешная инсценировка "Саньки" Кириллом Серебренниковым (спектакль "Отморозки"). Несколько нереализованных пока кинопроектов по книгам. И уже в 2011-м — третий роман, "Черная обезьяна". Болезненная, неровная проза, где жутковатую историю о детях-убийцах не то расследует, не то придумывает разрывающийся между женой, детьми и любовницей герой-журналист, прилепинское альтер эго: не столько слепок с себя, сколько альтернативная версия, низведенный до внутренней обезьяны есенинский "черный человек".

И — рвануло. Открылись некие шлюзы. Зашкалил спрос. Прилепин в топах продаж, Прилепин у Путина, Прилепин на радио и ТВ, в газетах и на форумах, на "Супернацбесте", в шорт-листах, на вручении премии журнала "GQ", где Прилепина объявили "человеком года", бип-бип, память переполнена, срочно удалите ненужные объекты, и вообще — да почему, почему именно он?..

Эта его всевостребованность, вездесущность и всепроникаемость многих раздражает. Да что там, она и меня, кажется, иногда раздражает — даром что я Прилепина люблю и дорожу его дружбой. Но не перебор ли — звучать из каждого подключенного к розетке электроприбора, вечно оказываться в нужном месте в нужное время? Вот только тут следует помнить, что на пути к нынешнему своему статусу он оказывался в Чечне и в НБП. Если Прилепин и занимается осознанным выстраиванием своего медийного имиджа, то строит он его все-таки на реальных основаниях.

Еще многие корят Прилепина за poshlost, выражаясь набоковски: что сказать, он и к этому дает поводы, часто балансируя на грани дурного вкуса, а иногда и переступая ее. Свое пристрастие к уменьшительно-ласкательным суффиксам в лирических сценах (поделом кусали его критики за все эти "животики" и "трусики") он, пожалуй, изжил. Но по-прежнему охотно рифмует кровь с любовью, а родню с родиной: беспроигрышный вариант в стране, где каждый второй готов к насилию (равно в роли жертвы или агрессора), но страдает от недостатка любви, а ощущение тотальной безотцовщины рождено разом и распадом семейных связей, и предательской подлостью государства.

Правы, конечно, те, кто замечает: Прилепин — сентиментальный писатель. Брутальный натуралист, боец социального фронта — он на деле, если приподнять верхний слой его броской и резкой прозы, ничуть не менее, а то и более "про лубоф" или "про пацанскую дружбу", чем про войну и баррикаду… Вот только тут следует заметить, что Прилепин — прежде всего отличный рассказчик, увлекательный и убедительный; он иногда лажает, но гораздо чаще — точно и живо рисует картинку и кроит сюжет. И если кто недоволен, пусть предложит что-то лучшее обществу, страдающему от хронического отсутствия в зеркале такого отражения, чтобы было похоже — но можно было дальше жить, чтобы пусть коряво и мерзко — но не безнадежно; чтобы был тот спасительный зазор между реальным и возможным, который люди, даже не умея сформулировать запрос, и ищут в искусстве.

А еще многие полагают, что Прилепин — "карманная оппозиция". Что "там" Прилепина привечают для демонстрации широты собственных взглядов, а он и сам не против такого расклада, вполне уютно себя в нем чувствует.

— Мой недавний разговор с Путиным, — говорит Прилепин, когда мы забираемся в его “кабинет” на втором этаже (туго упакованные в крошечную комнатку письменный стол, офисный стул и кушетка), — породил безумное количество конспирологических идей, потому что люди просто не могут взять в толк, что можно элементарно прийти и задать нацлидеру, возможно, один из самых неприятных для него вопросов, по поводу господина Тимченко и “Гунвора” — с ними ведь ситуация достаточно прозрачная: личный друг Путина и гражданин другого государства, Финляндии, возглавляет фирму, через которую экспортируется огромная часть русской нефти (такой ситуации в другой стране хватило бы для импичмента президента или отставки премьера). Но люди не верят. Как же я этот вопрос задал? Само собой, либо я родственник Суркова, либо меня специально туда вызвали, чтобы я его задал, а Путин так уж убедительно поставил меня на место, так уж четко, так уж метко мне ответил!.. Хотя он, мягко говоря, сильно слукавил.

Но невозможно же в это поверить, правда? Точнее всех об этом сказал как-то Дмитрий Быков. Я его спросил: вот почему все эти люди — блогеры, псевдонезависимые журналисты и так далее — так себя ведут? А он ответил: для самоуважения. Ну ведь невыносимо же чувствовать себя напуганным мудаком — а значит, надо, чтобы вокруг все были такие же мудаки, как ты, или еще хуже. У людей всегда есть возможность объяснить окружающим и себе свое поведение. Вот когда я был молод и занимался этой самой маргинально-революционной деятельностью в составе НБП, мне часто люди из числа элит, культурных и всяких прочих, говорили: Захар, ты молодец, но ты сам пойми — ты молодой парень, тебе терять нечего, ты нищий, а у нас-то всё совершенно иначе, сложней гораздо, у нас такие обязательства! Теперь, когда ситуация изменилась и я занял немножко другое положение, мне другие люди говорят: ну, тебе же проще, тебя же вся страна знает, ты известный писатель, с тобой же ничего не произойдет, конечно! То же самое — с этими встречами с Путиным. Приходишь к Путину, что-то говоришь — кричат: не надо к нему ходить, чего ты ведешь себя, как ничтожество?! Не приходишь — как ты мог не пойти, ты что, струсил, тебе нечего сказать ему в глаза?! И вот эта аберрация восприятия, оценочная неадекватность — она в России не на уровне мелких казусов, она в России реальная болезнь.

— Ну вот ты сходил, сказал, — говорю я. — И что, у тебя всё еще есть ощущение, что в этих встречах есть какой-то смысл, кроме легкого медийного всплеска, который, ну да, еще и привлекает к тебе внимание?

— Слушай, не пойти туда — это тоже привлечет ко мне внимание. Я бы пропиарился не меньше. Это же третий раз уже, когда меня позвали. И в прошлый раз я не пошел — тоже, знаешь, ничего себе пиар получился. А в первый раз ходил, у меня была четкая цель: попросить амнистировать нескольких политзаключенных. Никого не амнистировали, но вышел неприятный закулисный скандал, там даже были проблемы у людей, которые организовывали эту встречу. А сейчас... У меня книжки и так уже были на первых местах в топах продаж, они не могут подняться выше первого места! Меня просили близкие мне люди из общественных структур: сходи, если ты не пойдешь и ничего не скажешь, то это будет легитимизация Владимира Владимировича. Все просто будут его ласкать. Я купился на это. И не думаю, что напрасно. Я дал людям маленькую возможность посмотреть, как человек, который послезавтра станет их президентом, отвечает на неприятные вопросы. Потому что он ведь так и будет вами управлять, как он себя сейчас ведет! Мне хотелось это сделать — и я это сделал.

— И в этом есть реальный смысл?

— Ни в чем никогда не будет сразу никакого реального смысла! — вскидывается Прилепин. — Столыпина убивали, губернаторов и министров взрывали, черт знает что делали — и то ничего сразу не происходило! Ничего не бывает сразу, но бывает какое-то накопление смыслов. Мне кажется, в этом и есть течение Истории. Какие-то белинские переписываются с какими-то гоголями, какие-то достоевские из-за чтения их писем в кружке чуть не отправляются на виселицу, какие-то огаревы пишут каким-то герценам, роман "Мать" какой-то выходит с чумазыми пролетариями. А потом, какое-то время спустя, вся планета вдруг начинает идти другими путями, и История меняет течение свое в результате всей этой ерунды и нелепостей!

— Да ладно, — говорю я примирительно. — Я не думаю, что есть что-то ужасное в том, чтобы выпить чаю с Путиным. Вопрос только в том, превышает ли вес заданного острого вопроса вред для твоей личной, так сказать, кармы от соприкосновения с властью. Потому что есть ощущение, что сегодня в России власть — это такой Мидас наоборот: всё, к чему она прикасается, начинает быстро превращаться в дерьмо...

— А я не считаю, что моя карма очень сильно зависит от всего этого, — откликается Прилепин. — Я думаю — скажу пошло, — что мои отношения с детьми для моей кармы, моего самоощущения и присутствия в Господнем мире значат куда больше. В моем понимании то, что я туда, к ним, пошел, и сказанное матерное слово или дурная мысль в моей голове, — примерно эквивалентны. Я не чувствую, что я как-то себя неправильно повел или что-то не то сделал, имея дело с властями. Не чувствую, что это было важно. Мне кажется, слишком эмоциональное отношение к власти, такая колоссальная степень неприятия и ненависти — это обратная сторона любви к власти и заискивания перед ней. Что так, что эдак — выходит приписывание власти огромного мистического смысла, особой и мощной магии. А я не чувствую этой магии и мистики. Когда я задаю этим людям вопросы, мне всё равно. Я ничего не испытываю. Противостояние "Поэт и Царь" меня не волнует и кажется смешным. Я и себя-то Поэтом в том, классическом смысле не ощущаю... Я не Поэт, он не Царь — чего тут раздувать-то?!

...С пригорка я наблюдаю за тем, как внизу, на пологом берегу Керженца, писатель Прилепин выполняет указания фотографа. Явно без энтузиазма, но четко и точно. Встань так, повернись сюда, присядь — Прилепин послушно присаживается на перевернутую лодку с плоским ржавым дном, на заду стильных джинсов остается обширное рыжее пятно. Я курю и думаю, что, пожалуй, вполне верю в искренность этого “чего раздувать-то?!”. Но в современном мире тотальной информационной перенасыщенности, в мире, где имиджи, бренды, тренды, “стоп-аи”, “хуки” ведут свирепую дарвинистскую войну за место в человечьих мозгах, только это “раздувание” и есть универсальный множитель, равно возгоняющий до успеха что бездарность, что талант. И Прилепин слишком удачно играет в эту игру, чтобы списать всё на одно лишь везение; острый ли вопрос премьеру, эпатажная ли шуточка на гламурном рауте в “GQ”, амплуа патриота, бунтаря, многодетного отца с едва ли не домостроевским настроем — молодцу всё к лицу. Всё рикошетит по интернету, повышает рейтинг. Ну вот и ключ к его триумфам — последовательное имиджмейкерство, упорный самопиар, “уж мы-то понимаем!”. От разговоров этих Прилепин отмахивается весело, хотя и видно, что они его все-таки достали.

— Слушай, — говорит он, — ну вот на “GQ”, когда я вышел поддатый и всем вроде как нахамил, в этом не было расчета. Я был очень искренний и очень раздраженный. Я чувствовал там себя дикарем, мне там всё казалось немыслимым позерством, мне было противно, я раздражение испытывал и классовую ненависть: кто, блядь, вам сказал, что вы лучшие люди России?!

Это всё элементы моей внутренней эмоциональности, которая кому-то кажется отвратительной — а кому-то и обаятельной. И последних оказывается довольно много!..

И вообще, я ж не виноват, что папа и мама меня таким родили. У меня вот быстрая и невнятная речь, но почему-то меня всё время зовут на телевидение, а многих других литераторов не зовут. А если их позовут — я всё равно вижу, что они выглядят плохо, менее выигрышно, чем я. Это же всё просто так сложилось, ну, у меня голова бритая, ну, лицо симпатичное, но я в этом не виноват, я не мог это просчитать, я не могу вечно приносить за это всем извинения!

— Но ведь ты сам-то, наверное, рефлексируешь иногда на тему “почему у меня получилось, а у других, тоже талантливых, нет”? Отвечаешь что-то себе на этот вопрос?

— Как ни отвечай, — усмехается фирменной кривоватой усмешкой, — все варианты ответа кокетливые. Но иногда, конечно, чего греха таить, я об этом задумываюсь. Как писал об этом Лимонов — о том моменте, когда его стали издавать, брать у него интервью: “Я ходил по городу с ощущением, что я всех наебал”. Я, в общем, пишу хорошие тексты, я не самый глупый человек в стране, я люблю литературу и понимаю, как она делается…

Но ощущение, что “я всех наебал”, — оно тоже есть...

— Емкий ответ... но все-таки не единственный, наверное?

— Я думаю, что в России есть колоссальный тайный запрос на возвращение элементарных вещей и смыслов. И желательно, чтобы их возвращал какой-нибудь мало-мальски пристойный человек. И чтобы он делал это в более или менее эстетически приятной форме. Чтобы он сообщал — напоминал, — что есть Родина, есть мужество, есть честь, есть последовательность поступков, есть соответствие человека тому, что он произносит. Что есть нормальность. Нормальность стала дефицитным, востребованным товаром, понимаешь? Причем я сам далеко не самый нормальный, если даже судить по моим романам, первый из которых называется “Патологии”, а третий — “Черная обезьяна”. Но даже моя сомнительная степень нормальности, даже она оказалась штучной и востребованной. Даже ее не могут, как выясняется, дать читателю ведущие люди из мира современной русской литературы, многие из которых, я охотно допускаю, куда большие писатели, чем я.

Я киваю; тут я с ним согласен на все сто. Если пытаться сформулировать главное свойство русской реальности образца нулевых-десятых, то вот оно: это пространство, где обрушены все системы координат. Мир мечты сумасшедшего постмодерниста: всё равно всему и всё не всерьез, каждый сам по себе и против всех. Мир, пронизанный жестким излучением цинизма, в котором из всех ценностей, как после ядерного взрыва, выживают лишь простейшие, бактериальные, замешанные на крови или бабле. Но человек плохо сводится к простейшему — даже если сам изо всех сил старается; неудивительно, что подспудная тоска по нормальности продолжает жить и бродить в нем.

— Знаешь, — задумчиво говорит Прилепин, — я отдаю себе отчет в том, что на каком-то уровне принят и в среде, что называется, правых фашиствующих молодчиков, и в среде либеральной, и в других всяких средах. Я это осознавать стал уже по факту. Когда это стало происходить с разницей в несколько часов. Вот я на Рублевке, общаюсь с какими-то людьми, которым ничего хорошего в жизни не делал и вообще могу за столом наговорить грубостей, — видимо, в этом тоже есть тонкий расчет? А потом я еду к людям в наколках со свастиками и с ними тоже нормально общаюсь и тоже могу вести себя каким угодно образом. В силу каких-то причин я званый и там, и там. Я ничего специально для этого не делал и делать не буду. Я не знаю, почему так, почему я могу общаться и с национал-патриотами, и с ультралибералами, и во всех станах чувствовать себя нормально. Но, с другой стороны, я ведь и приходил в литературу с ощущением, что старые оппозиции — “правые-левые, западники-патриоты” — устарели, что они не работают больше, что я не буду прибиваться к какому-то кружку и в нем сидеть. Что это всё — мое пространство, моя родина, и я в ней буду себя чувствовать как молодой хозяин.

...Утром Прилепин выкатывает "паджерик" из гаража, мы быстро курим на дорожку посреди ватного керженецкого покоя.

Сегодня у Прилепина рабочий день в "Новой", потом ночной поезд в Москву, там какие-то встречи, записи, эфиры, цейтнот, и следующей ночью обратно в Нижний. Он по-прежнему в джинсах с пятном ржавчины в ползадницы.

— Так и поедешь? — киваю.

— А чего? — кривит угол рта, в голосе капелька яду-с. — Всё равно скажут, что это я специально. Работаю на имидж.

Загружаемся в джип, тряско разгоняемся, мимо несутся березы, ели, грибники в дождевиках, буераки, бараки. Гребенщиков поет, что тайный узбек уже здесь и что Вавилон играет твоей головой, Вис Виталис — что на всякого мудреца найдется девять грамм свинца и что твою страну у тебя же украли. Прилепин роется в специальной камуфляжной барсетке, добывает диск песен на стихи Есенина. Могучий баритон принимается сахарно выводить про калитки, тальянки, старомодный ветхий шушун и под-сердце-финский-нож. Мы вяло доигрываем вчерашний разговор, скроенный по классической русской формуле: в бане — под самогон — о судьбах родины. "Русь моя, иль ты приснилась мне?" — баритон выходит на максимальную мощность, и мы влетаем на горб моста, и с этой точки огромный пейзаж распаковывается на все стороны: щедрая Волга, просторная Ока, бурый граненый камень Нижегородского кремля в строгой оправе купеческого города позапрошлого века, бесконечная серая накипь панельной застройки и промышленных районов во все стороны. “Индустриальные хляби Руси”, как формулировал не слишком любимый писателем Прилепиным писатель Аксенов.

— И что, молодой хозяин, — говорю я. — Ты действительно думаешь, что тут всё можно изменить? Знаешь, как это сделать?

— Не-а, — говорит Прилепин меланхолично. — Нельзя и не знаю.

— И что остается?

— Остается, — говорит он с удовольствием, — русская традиционная категория, которая называется “чудо”. И какой-то перестык... — В этот момент он шустро подрезает кого-то. — ...произойдет... Если мы еще не надоели Богу.

ВРЕМЯ ГЕРМАНА

Утопия Алексея Германа: игра в Бога на поражение

(2010)

Режиссер Алексей Юрьевич Герман делает свой последний фильм десять лет. За эти годы одни актеры порывались уйти из фильма, а другие ушли из жизни. Заканчиваются и снова появляются деньги. Фестивали год за годом переносят уже почти намеченные премьеры. Зрители перестают верить, что когда-нибудь увидят этот фильм. А сам Герман словно бы никуда не торопится. Словно бы, наоборот, нарочно медлит.

— Про меня, — сообщает мне автор “Проверки на дорогах”, “Лапшина” и “Хрусталёва”, режиссер Герман, великий и ужасный, — про меня легенду такую придумали, что я дико долго снимаю!

Он сообщает это возмущенно, по-бычьи наклонив голову, и мне на мгновение чудится в его глазах мутноватый блеск боевого амока, как у самых настоящих корридных торро. На долю секунды, не более.

— Да я уж не говорю о том, что великие западные режиссеры снимают по десять лет! Уж не говорю, что автор этой легенды про меня, Никита Сергеич Михалков, сам снимает свою картину шесть лет или семь, хотя он оснащен всем так, как я никогда не был оснащен ничем, и мне вообще иногда не давали денег, а отбирали уже данное!

Он даже фыркает слегка. И вбивает, как гвозди:

— А я. На самом деле. Снимаю. Быстро!

Я вспоминаю невольно, что семидесятидвухлетний Алексей Юрьевич Герман занимался в юности боксом, всерьез — и очень, говорят, небезуспешно.

* * *

Свои пояса чемпиона-супертяжа Герман получал уже не в боксе: в искусстве. Но репутация всё равно образовалась соответствующая, двусмысленная. Как у Майка Тайсона от кинематографа. Репутация "священного чудовища".

Говорят, что у него невыносимый характер, что он мнителен, злопамятен, угрюм, что он умеет впадать в приступы берсеркерской ярости, что он тиран, что он способен довести до слез, до истерики, до нервного срыва, до больничной койки и съемочную группу, и себя. Говорят, что он жестоко измывается над актерами ради достижения результата. Говорят, что в работе он виртуозный матерщинник и эпический хам, что Леонид Ярмольник, играющий главную роль в его нынешнем фильме, еще на пробах услышал от него: "Ах, ты звезда?! Я слышал, звёзды играть умеют, а тебе только коробки с телевизорами выносить!" — после чего были утверждены и Ярмольник — на роль, и стилистика дальнейших рабочих отношений — на годы вперед. Говорят, что для него кино — это война: с всамделишными жертвами, с выжженной землей. Говорят, что знаменитый германовский перфекционизм — болезненный, клинический. Говорят, что он переснимает сцены десятки раз; что в предыдущем своем фильме, трехчасовом "Хрусталёв, машину!", он делал многоканальную озвучку покадрово — по кадру в день. Говорят, что его кино — несмотрибельное, мрачное, запутанное до полной непонятности, тяжелое настолько, что пролетает в любом прокате, продавливает своей трансурановой массой рассчитанные вроде бы на любой авторский вес фестивальные сети и ухает прямиком куда-то в недоступные простому человеческому восприятию глуби, надо полагать, в вечность.

И — да, говорят также, что он делает свои фильмы годами, десятилетиями, изматывая самых преданных и стойких. Что он делает так нарочно. Что он боится заканчивать свои фильмы, что он специально затягивает процесс, что у него "комплекс Фишера" — по имени гениального шахматиста и великого скандалиста Бобби, придумавшего замечательный способ оставаться вовек непобежденным чемпионом: просто не играть, под любыми предлогами отказываться от матчей.

И вот на это он фыркает, и бодает воздух, и взблескивает яростным бойцовским глазом, и принимается с точностью до недели и дня называть сроки — вполне скромные, комильфотные сроки! — в которые был снят каждый из его фильмов, и приводит тысячу причин — чиновники, цензоры, продюсеры, деньги! — по которым от одного быстро снятого фильма до другого проходило много лет.

И я верю, что все эти сроки и все эти причины — чистейшая правда. Но совершенно ничего не могу поделать с другой правдой, тупой, календарной, хронологической, — согласно которой не просто на каждый фильм у Германа уходят годы, но в последних двух лентах хронометраж этот ощутимо возрастает. И предпоследний фильм Германа, тот самый "Хрусталёв, машину!", делался восемь лет. А нынешняя картина — "История арканарской резни", экранизация повести братьев Стругацких "Трудно быть богом", Самый Последний Фильм Германа — так сказал он сам, — этот фильм делается уже десять лет.

Десять, ага.

И он, на минуточку, еще не закончен.

Вообще-то так не бывает.

Вообще-то такие сроки противны физической природе кино — которое, конечно, не всегда бизнес, но всегда (и особенно если речь, как у Германа, идет о масштабном постановочном проекте), абсолютно всегда индустрия. С большими — и строптивыми — коллективами, с большими — и чужими — деньгами, с головоломным менеджментом на стыке множества ресурсов и амбиций.

За десять лет рушатся империи, сменяются поколения, творятся технологические революции;

а кино снимается не десять лет — максимум десять месяцев.

Снимать кино, как снимает его Герман, — это практически в ста случаях из ста то ли Гоголь, то ли Кафка, то ли скверный анекдот, то ли грустный диагноз, часто — всё это разом.

И что же Герман с его Самым Последним Фильмом: досадное попадание в этот счет от одного до ста — или уникальный сто первый случай, оправдывающий нарушение любых законов, включая физические? И правы ли те, кто продолжает упорно менять календарные листки — "премьера ожидается в начале 2007-го... 2008-го... 2009-го..." — и полагать "Историю арканарской резни" событием как минимум десятилетия? Или те, кто пожимает плечами и говорит: "Герман устал, старик исснимался, это бесконечная история", "это творческий распад, он разрушает и себя, и всё вокруг", "комплекс Фишера, этот фильм так никогда и не будет закончен"? Или тут спрятана какая-то другая, разом всё объясняющая правота?

Я очень хочу это понять — осенью 2010 года, близ города Санкт-Петербурга, на втором этаже дачи в поселке Репино, сидя напротив Алексея Юрьевича Германа, режиссера со священной чудовищной репутацией.

2010

Я очень хочу это понять, и потому задаю Герману один из двух вопросов, про которые железно решил, что я их задавать не буду — ведь страшно вообразить, сколько раз Герман отвечал на них за эти десять лет. Я спрашиваю: Алексей Юрьевич, ну и когда же мы увидим ваш фильм?

Он смотрит на меня с трудноопределимым выражением. Но уж точно не с благодарностью за своевременно поднятую тему.

— Я, — говорит он ровно, — картину снял, смонтировал, сложил и даже показал. И даже рецензии были.

Это тоже чистейшая правда: "История арканарской резни" смонтирована ужс пару лет назад, не готов только звук; но и в таком виде фильм показывали избранной кинопрессе аж дважды. И кинопресса пришла в дружный восторг, поминая то Брейгеля, то Босха. И лейбл "самый ожидаемый фильм нулевых" был заменен на лейбл "главный фильм нулевых".

— А дальше, — продолжает Герман спокойно, — я стал задыхаться. Я не понимал, что происходит. Вот машина меня подвозит к дверям студии — и надо немножко пройти. И я стал высчитывать: вот нужно преодолеть три ступеньки... Дышать нечем, понимаешь? Потом оказалось, что я умирал реально. И почти умер. Оказалось, что это сердце всё. Сейчас я прилично себя чувствую — после того как меня латали в сердечной клинике в Берлине... и вот через месяц опять туда же... Но очень боюсь, что я стану сейчас работать — и опять всё начнется.

Он откидывается в кресле.

— Сейчас остались вроде бы пустяки, — говорит он. — Озвучание. Для которого уже почти всё сделано... но делали это мои ученики. Я не выдерживал. Я сидел два-три часа и уходил. Задыхаясь. И вот надо картину озвучить и перезаписать. И даже звуки уже готовы... Но я не знаю, как всё пойдет. Потому что — ну кто за меня это сделает? Там, в этой картине, снова ведь немножко другой киноязык. Кто за меня сделает то, что я придумал?

Это риторический вопрос.

— И потом, — говорит Герман, — у меня же много артистов умерло.

Лицо его становится задумчивым. А я вспоминаю, что в процессе съемок "Истории арканарской резни" умер еще и замечательный оператор Владимир Ильин. И заканчивал фильм другой замечательный оператор, Юрий Клименко.

— На "Хрусталёве", — сообщает Герман, — тоже много артистов умерло, но там вот какая штука: там же пятьдесят третий год, репрессии, мрак — и я приглашал артистов с печатью смерти на лице. Я это чувствовал. Всегда это чувствовал.

Он даже кивает сам себе.

— Допустим, — говорит он, — у меня когда-то, когда запускали "Мой друг Иван Лапшин", пробовался на Лапшина прекрасный артист Губенко, прекрасный артист Юра Кузнецов... и Андрей Болтнев, наименее мощный из них. Но у него было лицо... лицо животного, занесенного в Красную книгу. И было понятно, что играть нужно ему, что такой герой — не доживет, не выживет. Не выпутается в тридцать седьмом году... И когда я время спустя стоял с повязочкой на рукаве у гроба Болтнева на прощании в театре — я думал: как я точно увидел эту неприспособленность к жизни...

Я молчу. Я понимаю, что он уже не отвечает на мой вопрос. Он отвечает не мне, и ответ его звучит почти неприлично — потому что регламентом у гроба коллеги и товарища предписано думать о милосердной вечности, о невосполнимой утрате... — уж никак не о точности собственного режиссерского глаза. Впрочем, отношения искусства со смертью регулирует другой регламент; он не то чтобы превыше похоронного — просто он с ним не пересекается.

— И тут, на картине, — продолжает Герман, — у меня тоже поумирало много людей, потрясающих артистов. И теперь им ведь тоже надо подобрать голоса — чтобы не разрывался голос с человеком. Мои ученики всё это делали, пока я в больнице был. Где-то хорошо делали, а где-то неважно. Так что сейчас мне придется что-то оставлять, а что-то переделывать заново. Они очень талантливые люди, мои ученики, да. Но они — не я. Есть замечательная английская поговорка: привидение не увидишь вдвоем. У каждого — свое привидение.

У каждого свое привидение, и привидение Германа — чрезвычайно авторитарная, видимо, персона. Любящая сразу показать, по чьим тут играют правилам.

Еще когда я под нудным нанодождем ищу в Репине нужную дачу и не нахожу ее, и Светлана Кармалита, жена, соратник и бессменный сценарный соавтор Германа, маленькая, остроумная женщина с большим черным зонтом, выходит меня встречать на Приморское шоссе, и во дворе я опасливо знакомлюсь с доброжелательным собачьим тандемом из Пупика (здоровенный молодой восточноевропейский овчар) и Медведева (седенький космополит неясного роду-племени; нет-нет, так его звали задолго до появления у России нового президента!), — еще в какой-то из этих моментов у меня останавливаются часы. Приходится принимать подачу — услужливо подсунутую недорогую метафору, прозрачный намек. Хочешь увидеть привидение Германа — изволь смотреть на него долго и не отвлекаясь. Изволь плюнуть на прочие планы и дела. Изволь остановить стрелки.

Штука в том, что в меню окружающего мира, тем более мира современного кино, нет такой опции. Его стрелки не останавливаются никогда. В силу неустранимого этого противоречия германовский "долгострой" — всегда еще и драма, почти трагедия. Даже если суеверно вынести за скобки все фатальные исходы.

Но сначала-то казалось, что на Самом Последнем Фильме Герман сам толкнул стрелки пальцем, и они завертелись, и очень даже бодро — по германовским-то меркам прямо блицкриг.

1999

Герман и Кармалита быстро написали сценарий, названный тогда "Что сказал табачник". Быстро нашлись деньги. Быстро выбрали артиста на главную роль Антона-Руматы, земного ученого-разведчика на отсталой планете, в королевстве Арканар: Александр Лыков, “Казанова” из сериала “Улицы разбитых фонарей”, помните такого? Быстро сменили артиста, когда громовержец Герман выяснил, что Лыков успел заключить несколько телевизионных контрактов. Руматой стал Леонид Ярмольник. Герман на голубом глазу говорил, что понятия не имел, какой там Ярмольник известный артист, — а просто вот увидел этого парня по TV, он там какие-то призы раздавал, ну и подумал: вон какой у него нос хороший, и лицо такое, средневековое, и вообще обаятельный... чем не Румата? К тому же, говорил Герман, Ярмольник и впрямь лучше всех сыграл пробу, неожиданно хорошо: глазами сыграл, а не телом. Ярмольник, снимавшийся в десятках фильмов, в том числе очень недурных, народная звезда, телеведущий, шоумен и бизнесмен, терпел безропотно. Он-то хорошо понимал, что главная роль у Германа — это входной билет в зал славы, в ВИП-зону истории кинематографа; он готов был платить за этот билет дорого, очень дорого.

Он только не понимал, насколько дорого на самом деле.

Потому что потом начались съемки — в Питере, под Питером, в чешском замке Точник. И стрелки остановились.

В Точнике грузовики возили тонны и тонны грязи, сваливали под крепостные стены, грязь размывала вода из поливальных установок, превращая в маркую мерзкую жижу: в Арканаре всегда дождь и грязно. Над съемочной площадкой летали молнии и гремел германовский виртуозный мат. О том, как примерно шли съемки, хорошо рассказывал Петр Вайль, ныне покойный замечательный эссеист, друживший с Германом довольно коротко: вот обсуждают снятый накануне эпизод на десять секунд экранного времени, говорят полтора часа, решают, что вон тот мальчишка руки пусть складывает, как складывал, но поднимает сантиметров на пять выше, и отправляются переснимать. Или еще: как-то Вайль, две недели назад приезжавший на съемки, набирает номер Ярмольника; на вопрос "как дела?" тот отвечает не без иронии — так же, там же, снимаем тот же фильм. Трубку отбирает Герман, иезуитски уточняет: "И ту же сцену!".

Ярмольник держался почти четыре года, ссорился, мирился, отстаивал свое или подчинялся мастеру — и всё это время, кстати, работал бесплатно. Потом сломался и хлопнул дверью. Хлопок вышел громкий: Ярмольник интервью не давал, но в частных разговорах на все расспросы о Германе натурально хватался за голову, Герман давал интервью и метал молнии на большую дистанцию, нашел вместо Ярмольника двойника-дублера, но всерьез подумывал переснять картину так, чтобы всё было — глазами героя, а героя-то и не видно, вот, получите.

Потом всё вроде как-то наладилось.

— Как у вас сейчас-то отношения с Ярмольником? — спрашиваю.

— С Леней? Прекрасные отношения! — откликается Герман бодро. — Мы сейчас дружим. Правда дружим, по-настоящему.

Съемки длились семь лет. Собственно съемки: доработка, монтаж, озвучание — всё было еще впереди.

Всё продолжается до сих пор.

1998

Вообще, конечно, история с “Арканарской резней”, беспрецедентная даже по меркам Германа, беспрецедентна все-таки не на сто процентов.

Можно сказать, что у истории этой была своя репетиция. “Хрусталёв, машину!”, от старта до премьеры которого прошло восемь лет.

Можно даже понадеяться, будучи оптимистом: это репетиция не только того, что происходит теперь — до премьеры, но и репетиция того, что будет после.

Тогда, в 98-м, трехчасовой страшный сон Германа о собственном детстве и излете сталинской эры взяли в каннский конкурс, практически не видя фильма (редкостный для переборчивых Канн факт), по умолчанию произвели в негласные фавориты… и — не дали вообще ни единого приза; председатель жюри — на минуточку, Мартин Скорсезе! — честно признался, что ни черта в этом фильме не понял, а французская пресса погребла Германа под грудой уничижительных рецензий; полный провал. После чего, практически без паузы, начался откат в обратную сторону, не менее гротескный. Выглядело всё так, словно Германа крышует некая невидимая мафия рюсс, и каждому из его обидчиков по очереди наносит визит вежливости крестный отец в сопровождении дюжины громил. Три десятка изданий, помещавших разгромные статьи с заголовками вроде "Гора родила мышь", поместили восторженные — с оборотами вроде "черный алмаз", "северный Феллини", "Эйзенштейн и Кафка со сверхдозой Достоевского"; некоторые газеты, натурально, извинились за близорукость и скудоумие; "Хрусталёва" включили в перечень пятидесяти лучших фильмов в истории кино, Герману пропели хоровую осанну — и окончательно утвердили за ним репутацию "режиссера – черной дыры", в окрестностях которой искажаются физические законы и все привычные процессы принимаются течь иначе, непредсказуемо.

И чуть позже, в 2000-м, общаясь с Германом в Риге, — он привозил "Хрусталёва" на фестиваль — я видел его не до провала, а после триумфа. Французы уже посыпали головы пеплом — но сатисфакция, видать, не была принята. Потому что у Алексея Юрьевича Германа был отчетливый вид человека, которому всё это надоело. Который от всего этого смертельно устал.

Сейчас он старше на десять лет, а вид у него такой же.

2010

На кого он меньше всего сейчас похож — так это на расчетливого манипулятора, специально что-то там затягивающего и усложняющего. На энергетического вампира, питающегося токами неопределенности и энергией конфликта.

Он похож на человека, которому тяжело, муторно, не хочется говорить о фильме — Самом Последнем Фильме! — которому отданы десять лет своей и чужой жизни. Он явно предпочитает говорить о чем угодно другом. Об истории своей семьи, которая сложным пунктиром прошила историю этих плоских угро-финских земель, давно проглоченных, но так до конца и не переваренных Империей. О своем папе, статусном советском писателе Юрии Германе, любимце Сталина, ходившем, как все любимцы Сталина, по тонкому-тонкому лезвию непредсказуемой остроты. О том, как папа, тогда еще не муж, а тайный любовник мамы, чуть не порвал с ней, когда она в постельном разговоре сказала, что Сталин будет в аду грызть свои кости. О том, как после пятьдесят третьего пошли в дом освобожденные из лагерей друзья, знакомцы и знакомцы знакомцев, как они садились вдоль стены на корточки, потому что такая выработалась в лагерях привычка отдыхать, и как родители бегали не за водкой — за портвейном, потому что разбавленный спирт водился и в неволе, а вот портвейн казался пришельцам из зоны истинным напитком аристократов и богов. О том, как он сам, Алексей Юрьевич Герман, видел несколько раз за последнее время во сне Иосифа Виссарионыча, и усатый вождь очень доброжелательно с ним о чем-то разговаривал, и что бы это значило?.. О своих недоумениях касательно общественного устройства, в конце концов. С этого Герман — да, разумеется, все-таки манипулятор, все-таки режиссер, потому что у него в рукаве всегда есть сценарий, пускай даже и просто сценарий разговора с журналистом, — и вовсе начинает, стоит мне только нажать на диктофоне кнопку записи.

— Знаешь, — сообщает он мне, — вообще-то я сейчас практически никому не даю интервью. То, что я отвечаю на твои вопросы, — это такое стечение обстоятельств.

В переводе это: я готов сказать какие-то вещи, и почему бы не тебе?

И он говорит. Он говорит про своего приятеля, хорошего артиста, который зарабатывает деньги на корпоративах — тем, что встает, когда все уже достаточно пьяны, и пронзительным голосом — "чтоб за три квартала слышно" — поет: "Я влюбле-е-ен в тебя, Росси-и-и-ия!". Он говорит, что появилась и окрепла идеология фальшивого, показного патриотизма, патриотизма как пропуска-в-элиты, и что с этой фальшью надо бороться. Он говорит: "Знаешь, я давно заметил: если мужчина женщине декламирует что-то любовно-сюсюкающее, причем долго и при всех, — то этот брак распадается очень быстро. Так мы все устроены. В слова не надо переводить то, что есть у тебя в душе". Он читает с экрана ноутбука, иногда сбиваясь и близоруко щуря глаза, стихотворение Вадима Шефнера — в пятьдесят шестом году написанное: “Но слова всем словам в языке нашем есть: Слава, Родина, Верность, Свобода и Честь. Повторять их не смею на каждом шагу — как знамена в чехле, их в душе берегу. Кто их часто твердит — я не верю тому, позабудет о них он в огне и дыму”. Он говорит, что никогда не занимался и даже не особо интересовался политикой. Что он совсем не политик, нет. Что он просто не понимает логики, не понимает — зачем. Зачем надо запрещать людям собираться в Москве на Триумфальной площади? Зачем надо их бить и разгонять? Зачем? Дичь какая-то, говорит он.

Я слушаю его и испытываю странное ощущение. Невнятное и неуютное, как дежавю. Одновременно нежность, досаду и неловкость. Поскольку всё, что сейчас говорит мне режиссер Герман — что он считает действительно нужным сказать, — верно на сто процентов, довольно наивно и вполне банально. И, пожалуй, те люди, которые с интересом или нетерпением ждут слов режиссера Германа, — скорее лучшие, нежели наоборот, люди моей страны, — всё это, а то и побольше, неплохо понимают и без него. Пожалуй, они предпочли бы услышать от режиссера Германа, титана и стоика, священного чудовища и черной дыры, что-нибудь другое. Например, что́ им с этим своим пониманием надлежит делать.

— Мне кажется, — говорит на это Герман твердо, — что прежде всего надо вернуть людям чувство собственного достоинства. На это и должен быть направлен современный агитпроп: медведевский, путинский, властный, какой угодно! Без этого ничего не произойдет. Ведь это же очевидно, это же в лицах отражается! Вот смотри: есть же какие-то лица, просто лица человеческие, свойственные каждой эпохе. Когда мы занимались "Лапшиным", мы пересмотрели множество архивных фотографий, съемок, много времени провели в тюрьме и в Музее уголовного розыска. И вот года до 35–36-го в милиции были одни лица: достаточно хорошие, нормальные, интеллигентные. Ну вот как у тебя, скажем. А потом — стали другие. Появились и всё заполнили люди с рожами свиноматок. И вот сейчас я смотрю на ту же милицию, на начальников мелких... — может, и не так много, как когда-то было, но тоже начали появляться люди с рожами свиноматок! А поскольку я сторонник теории Ломброзо, то по глазам и по щекам я вижу в них жуликов.

— По щекам? — переспрашиваю я.

— По щекам! — он торжествующе обхватывает обе щеки ладонями, растягивает в стороны и вверх.

— Вот такие щеки, — говорит невнятно, — вот они у жуликов.

Он отпускает щеки, они с облегчением возвращаются на природное место.

— А от меня лично, — говорит он печально, но в глазах проскакивает неопознанная искра, — тут ничего особенно не зависит. От меня зависит —

постараться сейчас сделать картину хорошую. И, так сказать, полезную населению.

Я ловлю взглядом эту быструю искру и вдруг понимаю, что не испытываю больше ни неловкости, ни досады. Потому что именно здесь есть какой-то важный ключ. И к тому, что он говорит. И к тому, что он делает. Ко всем его правильным тривиальностям. Ко всем его мучительным долгостроям. В конце концов, все истории, которые снимает или придумывает режиссер Герман, можно описывать по-разному — а можно описать одинаково: это всегда трудные и страшные истории про людей, для которых в какой-то момент чувство собственного достоинства оказывается ключевым. Это касается "Проверки на дорогах", и "Лапшина", и "Хрусталёва", и сценария "Гибель Отрара", который поставил за Германа режиссер Амиркулов, и сценария по стивенсоновской "Черной стреле", который не поставил никто. И уж конечно, это касается "Трудно быть богом", то бишь "Истории арканарской резни". Благо можно без особой натяжки сказать, что эту историю Герман придумывал и снимал всегда — если только уравнять желаемое с действительным.

Ведь я оттого и не задаю ему второго запретного, наверняка успевшего за десять лет засесть в печенках вопроса — "Почему вы все-таки решили делать фильм по Стругацким?" — что и так в курсе: Самый Последний Фильм режиссера Германа должен был стать его самым первым фильмом.

1968

Повесть Стругацких "Трудно быть богом", написанная больше четырех десятков лет назад, сразу же стала, в теперешних терминах, "культовой", и остается таковой до сих пор. Фабула у нее, если кто не помнит, очень простая. Земные резиденты-прогрессоры, сотрудники Института Экспериментальной Истории, работают "под прикрытием" на далекой неназванной планете, где средневековье, кровь, грязь, боль. У прогрессоров — строгий наказ: не убивать — и не вмешиваться напрямую в течение Истории. И герой, прогрессор Антон, он же благородный дон Румата Эсторский, внедренный в королевство Арканар, наказ старается выполнять. Хотя и чувствует, что происходящее в Арканаре подозрительно смахивает на крепнущий фашизм — с ненавистью к любой инакости, с прицельным истреблением интеллигентов-книгочеев, с "серыми штурмовиками", самодовольным пивным быдлом, которому всесильным министром доном Рэбой дарована власть карать и миловать. Но дон Румата держится из последних сил, и не проливает крови, и тайком спасает немногих книгочеев, до которых успевает дотянуться раньше серых штурмовичков. Пока однажды потенциальный фашизм не взрывается реальным и место "серых" не занимают "черные" — боевой монашеский орден. И по всему Арканару пылают костры, и возлюбленную Руматы, чистую и добрую девочку Киру (в германовском фильме ее зовут Ари), убивают арбалетной стрелой. И тогда Румата берется за мечи и идет убивать в ответ.

По канонам советских шестидесятых трагедия обязана была оставаться оптимистической — и в "Трудно быть богом" имелся эпилог, а в эпилоге имелся Антон-Румата, вернувшийся в свой утопический рай, сильный и добрый, и алым его руки пачкала не кровь — земляничный сок. Эпилог этот и тогда казался вынужденным. Стругацкие написали удивительно внятный манифест интеллигенции, сделав книгочеев единственными носителями искры разума в "мире, где правит серость и к власти обязательно приходят черные". Стругацкие написали удивительно точную притчу о природе фашизма, раньше многих догадавшись — да эта мысль и сейчас не то чтобы всеобщее достояние, — что фашизм не порождение конкретных места и времени, не вирус, которым можно переболеть — и чувствовать себя спокойно, не урод-мутант, которого можно пригвоздить осиновым колом — и пойти выпивать квантум сатис; что фашизм — вариант развития, имманентно свойственный хомо сапиенсу, если хомо не слишком сапиенс, если животная составляющая человека не подавлена и не облагорожена гуманистической культурой.

Это была удивительно трезвая и лакомая история, и в первый раз молодой тридцатилетний режиссер Герман затеял ее экранизацию в 1968 году.

Уже был написан сценарий — вместе с Борисом Стругацким, с которым ленинградец Герман дружил. В августе предвкушающий съемки Герман прилетел в Крым. В Крыму плакал на скамейке писатель Аксенов, а прочий цвет творческой интеллигенции вместо купаний в Эвксинском Понте прощался с Оттепелью и отчаянно пытался поймать по радио Би-би-си, добыть хоть немного бесцензурной информации. Советские войска вошли в Прагу. Про “Трудно быть богом” с его Черным орденом, который высаживается в Арканаре и наводит жуткий порядок, можно было забыть.

Впрочем, там, в Крыму, в горьком августе шестьдесят восьмого молодой режиссер Герман встретил московскую девушку Свету Кармалиту.

1989

Во второй раз режиссер Герман, уже не такой молодой, зато прошедший все бои с советской цензурой, обласканный перестроечной властью, свежеиспеченный лауреат Госпремии и заслуженный деятель культуры РСФСР, не считая прочей мелочовки, подступился к повести Стругацких в 1989-м. Когда узнал, что его заветную идею на свой лад реализует какой-то немец по фамилии Фляйшман, получивший согласие Госкино. Герман взорвался, немедля получил от советских кинобоссов карт-бланш, а также уверения, что никакого Фляйшмана они знать не желают, — и рванул в Киев, где шли съемки: отбирать у немца-перца-колбасы бразды правления.

— Я приехал туда, — говорит он мне, — и был потрясен: там стоит декорация величиной с Летний сад — средневековый город из какого-то сногсшибательного пластика... Я тогда не представлял даже, что эдакое можно отгрохать. И вот я хожу там — а вся группа меня ненавидит: кругом-то жрать нечего, а они все булькают немецким пивом, и тут является какой-то хуй с горы, который хочет у них всё это валютное счастье отобрать! А я им говорю: ребята, я вас предупреждаю — мне что вы, что не вы, и будет десант ленинградских кинематографистов, потому что страна-то одна, и приказ министра, так что лучше вы изобразите на лице глубокую и искреннюю ко мне любовь! А рядом ходит какой-то маленький человечек, и подходит ко мне, и говорит с акцентом: ви Альексей Гьерман? А йя Фляйшман. Я ему — как, вы ж шпион, вас же на границе арестовали и вот-вот расстреляют! Он удивляется: кто это вам сказал? Я ему: мне это министр кинематографии сказал! Посмеялся: хо-хо, да ваше министерство сюда ни копейки не вложило, это всё мои деньги, как они меня отстранять собрались?.. А потом он мне говорит: слушайте, я вас умоляю, я вас нанимаю, я буду вам платить в три раза больше — только возьмитесь! Я не могу здесь, я здесь повешусь! Я говорю: вы что, у вас такое всё, такая декорация, чего вам вешаться?! Он говорит: Алексей, откройте глаза! Декорация... а здесь может, по-вашему, развернуться всадник? Я смотрю — вроде нет. Он: а теперь посмотрите, на какой высоте второй этаж! Смотрю: на высоте пупка нормального человека. Он говорит:

Алексей! Они всё украли!!! Словом, я говорю: конечно, я возьмусь. Только надо сценарий переписать. Он тут же сник: а вот это нельзя, я за каждый кадр по договору отвечаю перед банком... Так и разошлись. Я поехал обратно к министру: говорю, так и так, Фляйшман не расстрелян, наоборот, грозится вас расстрелять, ничего не будет, баста. Хорошо, говорит министр, мы тебе даем деньги — будешь снимать параллельно, очень даже интересно выйдет: русская школа, немецкая школа... Ну да, говорю я, у него на это дело шестьсот миллионов, а у меня шесть! Бери, говорит, талантом. Ладно. Сели мы со Светкой писать сценарий. А вокруг перестройка, митинги, полный Горбачев, всё бушует, бурлит... И я думаю: нахуя всё это надо?! Доны Рэбы какие-то, бароны... почему не снимать всё нормально и среди нормальных людей? У нас же через четыре месяца будет демократия, через шесть месяцев — магазины как в Финляндии, всю нечисть нахер попрут, а мы что, вслед будем снимать про то, как у нас было плохо? Как в анекдоте — Бож-ж-же мой, как я хотел пить?.. И я плюнул. И мы со Светкой вернули аванс. И стали делать "Хрусталёва".

У симпатичного немца Фляйшмана, между прочим, фильм вышел-таки. Плохой фильм, бездарный. Впрочем, справедливости ради, артист Филиппенко в роли интригана и подлеца дона Рэбы там дивно хорош.

А Герман снова вернулся к "Трудно быть богом" десять лет спустя, после "Хрусталёва", в самом конце девяностых.

2010

— “Трудно быть богом”, — говорит мне Герман, — это же всегда было социальное произведение, и сейчас тоже социальное, и насколько всё это в точку, пугает меня самого. Это же не “Айвенго”, не рыцарский роман. Мы и снимали про то, как через замочную скважину можно увидеть Средние века. Только эта замочная скважина находится в твоей квартире.

Это очередной ответ на незаданный дурацкий вопрос “почему все-таки Стругацкие?”. Но есть еще один ответ, кажется мне, главный; и я уверен, что Герман его отлично знает, пусть и не формулирует вслух.

У Стругацких во всех лучших (да вообще почти во всех) вещах есть одна ключевая тема. Эту тему они назвали сами в повести “За миллиард лет до конца света”: “человек под давлением”. Стругацкие ставят героев перед выбором не просто так, но — столкнув их с заведомо и неизмеримо превосходящей силой.

Псевдонимов у этой силы много, а имя, в сущности, всегда одно: Господствующий Порядок Вещей. Глупо бодаться с Порядком Вещей — еще глупее, чем теленку с дубом. Тут попросту нет победных стратегий — “человек под давлением” на деле обречен делать выбор между стратегиями поражения. Книги Стругацких — не “романы воспитания” или даже “романы испытания”, но “романы поведения”; отсутствие шансов на выигрыш не снимает, а, напротив, предельно обостряет вопрос — как в этой ситуации себя вести; и начинаешь понимать, что этот вопрос, похоже, вообще в любой ситуации главный.

Сдается мне, именно поэтому в русские девяностые многие решили, что время Стругацких ушло: показалось, что человек чудесно вышел из-под давления, что выигрышные стратегии очевидны, что голосуй — и не проиграешь, что шевелись — и переменится всё.

Сдается мне, именно поэтому в русские нулевые многие поняли, что время Стругацких никуда не уходило: оказалось, что давление не исчезает, а просто меняет формат, что выигрышных стратегий не существует, что ты всё так же один на один с Порядком Вещей, и из всех выборов тебе по-прежнему доступен единственный и главнейший — выбор между разными поражениями. Выбор линии поведения, в которой можно потерять всё — но реально сохранить чувство собственного достоинства.

Сдается мне, именно поэтому на пороге девяностых Герман забросил экранизацию "Трудно быть богом", чтобы погрузиться в "Хрусталёва".

А на пороге нулевых — вернулся к ней, чтобы сделать ее своим Самым Последним Фильмом. И делает: весь этот нереальный, ничем вроде бы — со всеми поправками на препоны, срывы и хвори — не объяснимый срок, десять долгих лет. Заставляя подозревать себя то в хитроумном расчете, то в старческой усталости, то в творческой исчерпанности, то в сложносочиненном комплексе имени великого шахматиста Бобби.

Чтобы понять, на что режиссер Герман потратил это десятилетие, нужно немало, но и не так уж много. Нужно увидеть еще не доделанную, но уже все-таки снятую “Историю арканарской резни”.

* * *

...Лица, лица, лица — жуткие, озверевшие, человеческие, узнаваемые; неожиданные прямые взгляды в объектив — вроде как в глаза герою, вроде как в твои глаза; тела, и части тел, руки, ноги, зады, туши, стены, латы, утварь, пыточные станки, грязь, кровь, боль; тахикардия камеры, клаустрофобия экрана. Брейгель, Босх? — да назови как хочешь.

— ...Мы в картине пытались что-то новое делать с точки зрения языка, восприятия, — говорит мне Герман. — Пытались давать картинку как бы глазами героя... Знаешь, нам со Светкой когда-то давно рассказывал Товстоногов, человек, которому мы вообще бесконечно многим обязаны... Он был в Китае, видел традиционный китайский театр. Там декораций практически нет. И чтобы показать, что герой заходит в дверь, актер должен повернуться вокруг своей оси. И вот однажды Товстоногов слышит в зале свист, вопли, улюлюканье. Что случилось? А это актер забыл повернуться. Прошел, значит, через закрытую дверь. Понимаешь? Так же условно стало и всё наше кино. И любой пацан знает, что если вот я сейчас покажу тебя, потом барышню, потом снова тебя и снова барышню — то это значит, что у вас будет любовь и всё такое. А ведь на самом деле это ни-че-го абсолютно не значит! Вот эту условность мы и старались одолеть...

В Самом Последнем Фильме Германа условности, считай, нет. Есть — безукоризненно выверенное и выстроенное, неимоверное, невыносимое сгущение тварного и вещного мира. Есть — предельная, предельно узнаваемая, нашатырно продирающая жуть повседневности, увиденной без привычного гипноза, без единой иллюзии. Есть — безвоздушность, пробуждающая острую тоску по глотку кислорода. Есть — финальная безвыходность, заставляющая яростно искать возможность выхода.

В этом финале, какого у Стругацких не было, порубивший весь Черный орден в капусту, смывший с себя чужую кровь, навсегда оставшийся в Арканаре благородный дон Румата Эсторский теряется со своим маленьким отрядом-обозом в огромном, засыпанном свежим снегом поверх привычной грязи пространстве.

В этом финале столько отчаяния, что странно сознавать: а ведь бестселлер Стругацких, по идее, мог бы быть материалом и для абсолютно развлекательного кино, массово-кассового, вот что твой "Аватар". Даже сюжеты слегка похожи. Там — земной разведчик, маскирующийся под синекожих туземцев и в итоге выходящий на бой против своих. Тут — земной разведчик, маскирующийся под средневековых гуманоидов и в итоге выходящий на бой против всех. Так ли много различий, а?

Довольно и одного, главного: там, где Кэмерон идет наружу — к двухмиллиардным сборам, к завораживающей реальности ирреального, к расширению кино во фронтирные области небывалых технологий, — Герман идет внутрь. К трудно-переносимому — и смотреть невозможно, и оторваться, — шедевру, к черно-белой картинке. К изобретению кино заново — в очередной раз. К запредельной достоверности, к беспощадному совершенству каждого кадра.

И я думаю, что понимаю наконец, почему он туда идет. И почему делает это так бесконечно долго, возвращаясь к одному и тому же сюжету, мучаясь сам и мучая других.

* * *

Как-то великого барселонца Гауди спросили: почему он так медленно возводит свой собор Святого Семейства (дело было почти сто лет назад, Саграда Фамилия строится до сих пор)? Гауди спокойно ответил: “Мой клиент никуда не торопится”.

Будь Герман аскетом и ревностным католиком — наверное, тоже мог бы сказать такую фразу. Но на деле в ней всё равно только половина правды. Что Гауди, что Герман смиренно работают, конечно, на этого единственного заказчика; но еще они — возможно, сами того не сознавая, — почти кощунственно пытаются с ним сравняться. Один — годами, десятилетиями растя свои ни на что не похожие дома. Другой — годами, десятилетиями выращивая свои ни на что не похожие фильмы.

Мне кажется, зря Герману приписывают "комплекс Фишера". Мне кажется, что дело вовсе не в страхе чужого суда или публичного провала. Мне кажется, что "комплекс Германа", если он вообще есть, — другой. Что это в самом простом и прямом смысле — комплекс Бога.

Что Герман до последнего (а значит — долго, очень долго, отсюда и всякий раз растущие, ни в какие ворота не лезущие сроки родов очередного его фильма) пытается сделать пространство экрана равновеликим пространству жизни, превратить мимолетное отражение мира — в сам мир, наполнив его бесконечным множеством предметов и сущностей. Просто предметов и просто сущностей, а не метафор и не символов. В живой жизни ведь нету ни символов, ни метафор. Только бесконечное множество простых вещей — но находящихся друг с другом в бесконечно сложной взаимосвязи.

Вытащить, вытянуть на экран всю эту цепь бесконечностей, думаю я, потягаться с Творцом на его поле: какая благородная и какая безнадежная задача. С неизбежным поражением, записанным в конце учебника.

Но ведь бывают поражения, которые важнее иной победы. Или, может быть, важнее всякой победы. Может быть, только великие поражения по-настоящему и важны.

И вот тут между благородным доном, прогрессором Руматой Эсторским, и благородным доном, кинорежиссером Алексеем Германом, нету, мне кажется, особенной разницы. Им найдется о чем помолчать вдвоем, сойдись они посреди бескрайнего, безлюдного поля. В неотменимой для каждого, будь он прогрессор, книгочей или простолюдин, пустыне человеческого одиночества. На неверном, непрочным камуфляжем накрывшем всю нашу грязь, кровь и боль, белом, слишком белом снегу.

Напоследок, уже собираясь уезжать, я спрашиваю его:

— Алексей Юрьевич, вы-то сами как думаете: когда Румата убивает, когда нарушает все свои принципы, инструкции и заветы — это неверный выбор, окончательное поражение? Или все-таки единственно возможный и оттого правильный поступок? Потому что иногда приходится перестать быть богом, чтобы остаться человеком? А?

— Румата, — говорит режиссер Герман после паузы медленно, как-то неохотно и словно бы не про то, — когда убивают эту его дурочку Ари... и он берет в руки мечи и тоже идет убивать... он ведь просит: Господи, если Ты есть, останови меня.

Медлит еще немного. И тихо, почти шепотом добавляет:

— Но его никто не останавливает.

БАТАЛИСТ

Утопия Александра Роднянского: малой кровью, на любой земле

(2012)

Александр Роднянский — советский документалист, украинский телемагнат, реформатор канала "СТС", соавтор "9 роты" и "Обитаемого острова" — в последние годы резко расширил свое присутствие на территории мирового кинематографа: он продюсирует новые фильмы Звягинцева и Роберта Родригеса, скупает дистрибьюторские сети в Европе и вкладывается в авторские проекты в Америке, а под Питером снимает с Федором Бондарчуком фронтовой боевик "Сталинград" с вызывающим оторопь бюджетом. Александр Гаррос отправился в поселок Саперный, чтобы понять, сможет ли Роднянский переломить судьбу современного русского кино.

— Кто-нибудь уберет наконец этот красный флаг? — говорит Роднянский. — Какого черта они вообще его там воткнули? Не могут себе представить Сталинград без красного флага?!

Александр Ефимович Роднянский, пятидесятилетний кинематографист в четвертом поколении, советский документалист, международный кинodelец, продюсер приблизительно половины главных русских блокбастеров последних лет, акула теле- и вообще медиабизнеса, владелец фестиваля “Кинотавр”, двукратный оскаровский номинант (не сам, конечно, номинировался — но спродюсированные им картины), член жюри “Берлинале”, лауреат всяческих премий и т.д. и т.п., стоит в белой рубашке с закатанными рукавами, широко и крепко расставив ноги, на краю траншеи. За спиной у Роднянского уткнулся носом в землю фашистский самолет, кажется, “хейнкель”, а может, “юнкерс” или “дорнье”, поди теперь разбери: крылья подрезаны в падении по самые моторные гондолы, фонарь пробит; впрочем, судя по эмблеме — красный грифон, — должен быть “хейнкель 111”, эскадра люфтваффе “Гриф”, она в Сталинграде вроде и впрямь воевала. Возле правого ботинка Роднянского валяется в пыли (пыль тут вездесуща) пожелтевшая страничка из натурального довоенного пособия по гражданской обороне с картинкой, на которой один схематичный физкультурник делает другому искусственное дыхание рот в рот. На носу у Роднянского задымленные очки, и сквозь них он с непатриотичным скепсисом смотрит на красное знамя, киногенично бьющееся над крышей раздолбанного, с вывороченным нутром и полуобрушенными перекрытиями здания этажей в четыре-пять. Скептичен Роднянский оттого, что эта часть города вообще-то до сих пор в немецко-фашистских лапах, оперативный штаб вермахта в сотне метров, и алому стягу, значит, делать тут решительно нечего.

Продюсер Сергей Мелькумов, партнер по бизнесу и соратник по проекту, машет рукой группе загорелых парней, обстоятельно возящихся с какими-то конструкциями у выщербленной снарядами и пулями стены. Один из парней лезет за флагом. От крыши его отделяет несколько лестничных пролетов. Проблема в том, что пролеты отсутствуют. Но парень, кажется, считает себя Тарзаном. Цепляется за какие-то выбоины, ошметки арматуры. И, судя по всему, намерен прыгать через пролом метра в три шириной. Роднянский, Мелькумов и я смотрим на его эволюции с возрастающей оторопью.

— Убьется же сейчас, — констатирует Роднянский очевидное.

— Саша, ну его к черту, слезай! — кричит Мелькумов.

Загорелый Саша еще несколько секунд всерьез примеривается к суициду, но потом все-таки слезает. Кричит:

— Мы сейчас стремянку принесем!

— Другое дело, — бурчит Роднянский. Он задумчиво ворошит носком ботинка палую гражданскую оборону. Сообщает: — У нас на “Обитаемом острове” два человека погибли. Один парень, молодой совсем, от инсульта. И ассистентка из окна выпала. А еще несколько с ума сошли.

— В прямом смысле? — не верю я.

— Прямее некуда. Тяжелый вышел проект. Не рассчитали мы, да...

Загорелые волокут стремянку, и через несколько минут историческая несправедливость восстановлена. Эта часть Сталинграда снова не наша. За исключением единственного дома по соседству с лишенной алого стяга руиной — там засела пришедшая с другого берега Волги группа советских бойцов, двигатель сюжета кинопроекта “Сталинград”: немцам позарез нужно выбить наших из стратегически важного пункта на острие прорыва, а наши не даются, такая вот вариация на тему героического “Дома Павлова”, — плюс неизбежная любовная линия, плюс начинается действие до войны, а завершается чуть ли не в наше время и чуть ли не в Японии — но в основном всё происходит в этом вот здании и ближайших окрестностях.

— Твою мать! — вдруг гремит из заветного дома усиленный электроникой голос Федора Бондарчука. — Кто у нас на площадке второй режиссер?!

* * *

— Вам не боязно снимать сейчас кино с прицелом на блокбастер про Великую Отечественную? — спрашиваю я Роднянского днем позже. — Я не говорю про советское кино, но после всего того беспросветного и в основном пропагандистского хлама, который на эту тему произвели за последний десяток лет?

Мы сидим в козырном баре на крыше W-отеля: граненый штык Адмиралтейства и крутой лоб Исаакия — крупный план, обветренное лепное великолепие дворцов и особняков на среднем, общим можно взять весь СПб оптом. Впрочем, Роднянский обмолвился между делом, что Питер чуть недолюбливает. С чего бы, правда, киевлянину из хорошей еврейской фамилии, южанину, чья интеллигентность зримо (до деталей вроде браслета на руке) уравновешена жовиальностью, любить этот город с его спрятанным под гранитный сюртук, глухо застегнутым на золоченые остзейские пуговицы маниакально-депрессивным болотом. Уж конечно, ему под стать боевитая, лукавая, жадная, здоровая, лишенная комплексов Москва.

— Война, — отвечает он, — единственный инструмент легитимизации единства страны, то, что объединяет всех без исключения. Но вы правы. Долгие годы этим пользовались, очень злоупотребляли и наконец совсем злоупотребили. Я боюсь, сегодня всё, что связано с войной, вызывает в лучшем случае бесконечное безразличие, а в худшем — раздражает... Что мы и видели на примере некоторых больших и амбициозных военных фильмов, вышедших в последние годы в прокат.

— Ну и на что же, — спрашиваю, пока Роднянский дегустирует доставленные вежливой официанткой конфитюры, абрикосовый и вишневый, — вы рассчитываете?

— Мы рассчитываем на то, что не будем восприниматься как раздражитель. Потому что мы стараемся смотреть на нашу войну в Сталинграде не как на повод для идеологической трансляции или, наоборот, десакрализации и разоблачений, а как на чудовищные, тяжелейшие обстоятельства, в которых обычные люди проявляют качества, востребованные молодой аудиторией. Мы пытаемся сделать легко считываемую универсальную историю. Вот смотрите... — он откладывает ложечку с конфитюром. — Я с огромным удовольствием делаю авторские истории. С Билли Бобом Торнтоном, со Звягинцевым... С уникальным авторским языком, уникальным личным посланием. Но "Сталинград" — история другого рода. Я — человек, отравленный телевидением, — понимаю, что миллионы зрителей могут быть укреплены и воодушевлены, вооружены позитивными чувствами, — но это может сделать только мейнстрим. Мы хотим сделать простую и линейную, но живую и эмоциональную, ни в одном глазу не дидактичную историю о людях, попавших в чудовищные обстоятельства — и сумевших не только сохранить в себе человеческое, но и стать лучше. И если это получится — я уверен, как бы смешно и наивно это ни звучало, что наш зритель тоже станет чуточку лучше. Потому что это и есть кино. Эмоциональное путешествие, заставляющее плакать, смеяться и — главное — обретать частицу чужого опыта, которую никак иначе нельзя обрести в собственной рутинной, обреченной на скудость эмоциональных впечатлений жизни. Такое путешествие делает людей немножко лучше. Чуточку сильнее. Капельку человечнее. Оно укрепляет волю к жизни — и дает энергию для того, чтобы сделать какой-то выбор, на который иначе не хватает сил. Одно это имеет смысл.

Он снова берется за ложечку.

— Ну а дальше, — говорит он, — начинается большое "но". Потому что всё, что в последнее время делалось в русском кино на тему войны, действительно было довольно чудовищно. Получится ли у нас сделать не так?.. Ну, мы будем сильно стараться. Вы же видели: мы сильно стараемся.

Стараются — это да. "Сталинград" — третья после "9 роты" и "Обитаемого острова" гиперамбициозная совместная затея Роднянского-продюсера и Бондарчука-режиссера. И, может быть, самая амбициозная из трех, — в ремесленном плане уж точно. Первый российский фильм, полностью снимаемый в модном 3D. Первый не то что российский, а вовсе неамериканский фильм, производимый в формате IMAX. Обычная "плоская" версия, впрочем, тоже делается параллельно. Сотни статистов. Сотни постоянных членов команды. Бюджет около 30 миллионов, и не рублей, понятно. Изрядную часть их при этом можно буквально пощупать руками. Все "водные" сцены на натуре снимались в Кронштадте, за Волгу был Финский залив, — этого я не видел. Но вот остальные натурные съемки происходят в июне и июле здесь, в Саперном, в получасе езды от Петербурга. И это, м-м-м, впечатляет.

Наш черный "ренджровер" тормозит у шлагбаума (эта земля и сейчас в ведении Минобороны) и, чуть переваливаясь, едет по изнанке съемочной площадки. Вдоль многоярусного задника декорации, мимо металлических сот в несколько этажей, поддерживающих не дешифруемые с тыла плоские фасады. Но еще до них — неподдельная титаническая развалина: изогнутый каменный язык селевых масштабов, из трещин торчат рваные ржавые нервы арматуры. “Что тут было-то?” — спрашиваю водителя. “Да военно-морская база была. Ее как в войну разбомбили, так и не восстанавливали. Потом тоже военная часть, полигон какой-то, что ли. А теперь вот...”

“Вот” — это сталинградская декорация с лицевой стороны. “Парадной” не скажешь. Я долго брожу по периметру немаленькой, сотни в две метров в поперечнике, площади, разглядывая всё, что художник-постановщик Сергей Иванов с командой отстроили с нуля или почти с нуля. На изъеденных батальной оспой фасадах — полуоббитая лепнина. Вывески — “Аптека № 2”, “Буфет Ц.Р.К.”, “Готовое платье”. Выщербленный барельеф тов. Сталина на стене. В “Продовольственном магазине” — вакхические фрески советского небывалого изобилия, траченные, кажется, ровно в той мере, в какой и должно к сорок второму страшному году. На фронтоне ДК с неизбежными палладианскими колоннами — цифры 1920–194..., последняя грамотно отвалилась. В центре площади — знаменитый фонтан с детскими фигурами по кругу. Пространство изгрызено окопами и траншеями, усеяно рваными книгами (все, утверждает Роднянский, аутентичные), чем-то обугленным, чем-то простреленным, чем-то взорванным. Раззявилось разбитое пианино. По плацдарму снуют деловитые люди, доводящие разруху до совершенства. Но всё уже и так очень убедительно. Хотя пока еще плещет над площадью неубедительный красный флаг.

На периферии этого филигранно расфигаченного пространства на складных стульях сидят продюсер Роднянский и режиссер Бондарчук: перекур. Бондарчук еще более загорелый, чем пропеченные на натуре рабочие, только другого, орехового, не балтийского оттенка. На нем белая майка, на майке голая красивая Моника Беллуччи.

— Я ее люблю, — меланхолическим баритоном сообщает он Роднянскому про героиню майки. — Ты не мог бы как-нибудь ей об этом рассказать? При случае?

— Федя, нам надо решить важный вопрос... — серьезно говорит Роднянский раз в пятый. Заканчивают хором:

— ...Когда будет обед?

У нас медленно

Обед генштаба, к которому присоединяется свежеприбывший Мелькумов, происходит в сени двух стоящих углом трейлеров-люкс с идиотским лейблом “Шикарус”, на краю жирно-зеленой лужайки (в траву рекомендуют не лезть, не обработав себя репеллентом: “Тут клещей море”). В повестке — какие-то важные мутировавшие эпизоды сценария, который написал Илья Тилькин, а переписывал Сергей Снежкин, любимый Роднянским режиссер, — до сих пор то есть переписывает, хотя съемки идут полным ходом. В меню — концептуальное столкновение континентальных империй: баварские сосиски-альбиносы, краснодарские налитые помидоры. Битва на Волге.

— Серег, тут у нас очень медленно всё, — жалуется Роднянский Мелькумову, подцепляя истекающую алым помидорину. Развивает тему: — Потому что мы начинаем работать только на площадке. В предсъемочном периоде — не умеем. Вот только что буквально мы делали картину с Ренни Харлином — который второй "Крепкий орешек" и "Скалолаз" со Сталлоне. Про историю на перевале Дятлова, в шестидесятые, когда туристы загадочно погибли. Группа вся русская — вся! И сняли за 24 съемочных дня. Жанровую картину! Под спецэффекты! В горах, в снегу! С лавинами, трюками и каскадерами! Когда у нас камерную историю с тремя актерами в двух комнатах обычно снимают вдвое дольше! А почему? Потому что был режиссер, который: а) знал, что ему нужно; б) невероятно много работал. Он до съемок прилетел в Москву, засел на "Мосфильме" и три месяца пахал по четырнадцать часов в день. Он на съемках к каждому съемочному дню рисовал детальный storyboard. Он мог четко ответить на любой вопрос — любому. Он снимал каждую сцену в два дубля, не больше. Потому что сюрпризов не было никаких. И его пример заражал остальных этой невероятно привлекательной профессиональной этикой.

Роднянский сейчас, пожалуй, один из трех условных русских, имеющих полное право на обычно сомнительные противопоставления "у нас — у них" со сколь угодно безапелляционными выводами — по причине реальной включенности в главную из планетарных киноиндустрий, американскую. Двое других — Тимур Бекмамбетов и Сергей Бодров. Один точный — разница в неделю — ровесник, другой еще на тринадцать лет старше. Один добившийся осязаемого успеха скорее как режиссер — продюсерские его свершения не столь внушительны, но точного рыночного попадания боевика "Wanted" ("Особо опасен") с Анжелиной Джоли и 75-миллионным бюджетом не перерубит, возможно, своим двуручным топором даже Авраам Линкольн, неудачливый охотник на вампиров. Другой и вовсе не замеченный в серьезном продюсерстве — но снимающий аккурат сейчас фэнтези с бюджетом в полтораста миллионов и Джеффом Бриджесом и Джулианн Мур в качестве звезд-магнитов. В отличие от них обоих, Роднянский собственные режиссерские амбиции зарыл далеко (в документальном жанре) и давно (два десятка лет назад). Зато в индустрию явно намерен вторгнуться глубже и основательней. Спродюсированная им "Машина Джейн Мэнсфилд", режиссерская работа культового актера Билли Боба Торнтона, была, конечно, стопроцентным артхаусом — впрочем, тепло принятым на не чужом Роднянскому Берлинском кинофестивале.

Сейчас он делает с постаревшим, но бодрым голливудским десперадо Робертом Родригесом два сиквела сразу — второй фильм про Мачете, “Мачете убивает”, и продолжение комиксового “Города греха”. Главное, тем временем, даже не это. А то, что Роднянский, похоже, пока единственный россиянин с реальным шансом выстроить гибкую бизнес-империю, занимающуюся равно производством и дистрибуцией, равно в Голливуде, Европе и Москве. Почему бы и нет — сто лет назад именно такие люди, вплоть до места рождения, придумали Голливуд как таковой.

Личное дело

Гриф “кинематограф” Роднянскому можно было бы проставить на свидетельстве о рождении. Дед — главный редактор Киевской студии документальных фильмов, мать — директор киностудии, отец — конструктор киноаппаратов и главный инженер. Дом — и тот на территории студии. Старые пленки в роли детских игрушек. Учеба на факультете режиссуры и — в 1983-м — приход на “Киевнаучфильм” были неизбежны.

— С детства, — говорит Роднянский, — я на вопрос, кем ты хочешь быть, отвечал — “читателем”. Читать умные книги, общаться с умными, много знающими людьми — что может быть лучше? Поэтому и выбрал документальное кино. Я очень хотел делать кино о науке. Но потом пришла перестройка и не оставила места науке. Зато документальное кино вдруг стало очень важной вещью. И сделало для меня всё. Это был самый сладкий период, когда не было вообще никаких “ножниц” между тем, что ты мечтаешь делать, и тем, что действительно делаешь. Всё совпадало. Но совпадение начало заканчиваться уже к концу восьмидесятых, это чувствовалось в воздухе.

Прежде чем “ножницы” разошлись в первый раз в его жизни, Роднянский успел снять несколько громких лент — “Миссия Рауля Валленберга”, “Встреча с отцом”, дилогия “Прощай, СССР!”. Он тогда был кем-то вроде украинского Юриса Подниекса — не столь всесоюзно знаменитым, как автор “Легко ли быть молодым?”, но стопроцентно схожим с латышским собратом по типажу: энергичный талант с цивилизованной имперской окраины, двуязычный и двукультурный либерал-прогрессист, безусловно приверженный своей вспомнившей о незалэжности малой родине — но ощущающий амбициозным нервом несовпадение своего калибра с ее масштабом и потому в глубине души не могущий не симпатизировать размаху и пестроте советского проекта. В случае Подниекса нараставшее противоречие разрешилось трагически — нелепой случайной гибелью при погружении с аквалангом в лесное озеро Звиргзду. Роднянский вышел из пата счастливо, нырнув на четыре года в Германию — работал там на канале ZDF. Вернулся на Украину в 94-м — и стал делать стремительную карьеру, создав канал “1+1”, быстро вышедший в национальные телелидеры.

— Для меня, — говорит он, — существовал огромный соблазн стать частью... больше того — активным участником формирования новой европейской страны, возникающей в каком-то смысле с пустого места, пытающейся очень быстро наверстать всё упущенное, создающей новый пантеон героев, новую мифологию, стремящейся — пусть иногда наивно до смешного — как-то вписать всё это в общий европейский и мировой контекст. Меня страшно увлекала идея многонационального государства, шанс живой интеграции — на основе, конечно, украинской нации и языка как базового культурного кода, но — предельно широкой.

"Идеи создания новой нации, заразительной, как идея открытия Нового Света", как называл это в "Острове Крым" Аксенов, хватило лет на шесть-семь, но потом стали расходиться и эти "ножницы":

— Разочарование у меня наступило, когда я понял, что всеми этими благими намерениями и романтическими желаниями всё равно выстраивается концепция обычной и очень пошлой политтехнологии, в рамках которой на телеканал всё равно смотрят как на инструмент воздействия. Это нарастало с каждым месяцем и днем. И я понял, что либо я превращусь в элемент этой машины — либо надо что-то менять.

Изменил, снова — как и десятилетие назад — сменив страну. С 2002-го Роднянский в Москве возглавляет сначала канал "СТС", а потом и весь холдинг "СТС-Медиа". Точно уловленный тренд —

путинская “стабильность” пока еще вегетариански “подмораживает” страну, а она, утомленная буйным распадом девяностых, только и рада “подморозиться”, новорожденный миддл-класс, оклемавшись от кризиса 98-го, бежит политики и открывает для себя радости потребления, кредитования и развлечения, — привел к успеху. К 2006 году принципиально аполитичный, развлекательный и потребительский канал “СТС” продемонстрировал лучшие по стране показатели роста, а кинопроекты “СТС-Медиа”, осуществленные при непосредственном участии Роднянского, казалось, впервые с советских времен “перезагрузили” дотоле провальную историю массового русского синема. В 2006-м Роднянский вывел “СТС-Медиа” на нью-йоркскую биржу NASDAQ — пионерское на тот момент достижение.

— У нас всё получалось, — вспоминает Роднянский. — Мы практически удвоили аудиторию и удесятерили доходы, сделали канал “Домашний”, сделали “9 роту” — и победили всех; сделали “Жару” — и тоже победили всех, сняли за миллион — заработали почти восемнадцать!.. Вышли на биржу — я об этом даже написал статью для “GQ”. И моей главной ошибкой было то, что я не послушался внутреннего голоса, который говорил мне: пора завязывать. Тем более что как раз закончился подписанный на четыре года контракт — ровно в день выхода на биржу, кстати говоря.

Роднянский остался еще на два года — и “ножницы” принялись расходиться вновь. Рейтинги

“СТС” стали падать. Нацеленный на “миддл” претенциозный телепроект “Тридцатилетние” провалился — время, считает Роднянский теперь, в тот момент уже снова стало переламываться, и позитивный, “сказочный” инструментарий тогдашнего “СТС” больше не годился для общения с теми, кого ныне именуют несимпатичным Роднянскому термином “креативный класс”. Попытка задействовать другой, новый инструментарий хотя бы на кинематографическом поле — масштабная дилогия “Обитаемый остров”, которую сам Роднянский аттестует “лукавой” по причине насыщенности экранизации культового романа Стругацких острополитическими аллюзиями, включая осторожные уколы в “железную пяту олигархии” и язвительный аллегорический наезд на родной “зомбоящик”, — блистательной викторией тоже не увенчалась. Проект явно вышел из-под контроля, съел слишком много денег, чтобы их могли вернуть даже впечатляющие (около 30 миллионов долларов) сборы, и запутался в разношерстных эстетиках: не то публицистическая антиутопия, не то фантастический экшен, не то очень дорогой гламурный междусобойчик. Словом, когда Роднянский уходил из “СТС” — уходил он уже не на пике и не триумфатором.

Триумфальным сложно назвать и следующий его “камбэк” на телевидение, о котором он, похоже, не очень любит вспоминать. В 2010 году он перезапускал “РЕН-ТВ” и “Пятый канал”; перезапуск отразился на рейтингах не лучшим образом, и Роднянского быстро, уже в 2011-м, “ушли”. Впрочем, это именно тот случай, когда трудно сказать, было ли дело в менеджерских просчетах — или в окончательном "переломе времени": игры в вольность заканчивались совсем, и в зачищаемом от полутонов Останкино едва ли нашлось бы место Роднянскому, привыкшему умело лавировать между нейтральностью и неподконтрольностью.

Фишки и яйца

В пестром племени российских кино- и телепродюсеров сошлись очень разные птицы. Есть честные маргиналы-подвижники, героически находящие чужое бабло, чтобы без заботы о прибытке конвертировать его в чужое же искусство. Есть прожженные конформисты, на чьем гербе навсегда выбито бессмертное, из Богдана Титомира, "пипл хавает". Есть мятущиеся натуры, которые мечтают о том же, о чем первые, а поступают так же, как вторые. Есть титанические персонажи, в чьих гоголевских душах большие ресурсы и возможности активируют спящую матрицу дикого барина, разыгрывающего беспредельные пиесы силами холопов и девок из крепостного театра. Много кто есть. Негусто, пожалуй, лишь таких, как Роднянский, сочетающих явный примат интеллигентских кодексов (вплоть до нежелания признаться, что не читал какого-нибудь нашумевшего романа) с навыками и практиками изворотливого, расчетливого и местами циничного бизнесмена.

Кажется, теперь в свои пятьдесят-плюс он достиг в этой сложной конструкции какого-то золотого равновесия; как минимум — отточил умение не складывать все яйца в одну корзину и не ставить все фишки на одно число. Он пытается играть на разных столах. На одном — наглый в своей по отечественным масштабам мегаломании "Сталинград". На другом — затратные, но скорее имиджевые проекты вроде недавнего сериала "Белая гвардия". На третьем — дистиллированный русский артхаус вроде Миндадзе (Роднянский — продюсер фильма "В субботу") или Звягинцева (чью "Елену", впрочем, он весьма успешно, пусть и за малые деньги, продает сейчас по всему миру — и с которым уже запустил новый, тоже из современной русской реальности, проект). На четвертом — столь же чистое зарабатывание денег (не стоит забывать, что Роднянский — еще и продюсер "Не родись красивой", "Ранеток" и "Папиных дочек"). На пятом — рыночное освоение Европы, особенно Восточной (так, в 2011-м Роднянский приобрел контрольный пакет компании "A Company", осуществляющей восточноевропейскую дистрибуцию независимых, но вполне кассовых проектов вроде "Малышки на миллион" или "Король говорит", и это лишь одно крупное звено в выковываемой им цепи). На шестом — осторожная и непонятно пока, насколько результативная попытка стать частью Большой Игры, идущей за Атлантическим океаном.

— У меня было преимущество, — говорит Роднянский. — Я в деталях и изнутри знал европейскую систему с ее нерыночной, социальной моделью кино, с “мягкими” и “длинными” деньгами. Но я решил посмотреть, как это можно делать в Америке. Я не особо верил в свои шансы, понимая, какая там отстроенная, глубоко эшелонированная индустрия. Это было в 2010 году; я приехал в Лос-Анджелес, стал ходить и смотреть по сторонам, принципиально не обращая внимания на мейнстрим. Каждый день был как месяц здесь — множество встреч, множество сценариев, начинаешь строить индустрию, находишь людей, находишь юристов, всё это нарастает как снежный ком, сначала ты ничего не понимаешь, потом начинаешь понимать, выходишь на новый цикл, и снова, и снова.... Мне помогало еще и то, что я все-таки большую часть жизни занимался бизнесом, я вел большие публичные компании, я знал банкиров и инвесторов, я понимал, о чем они говорят. Это очень важно, потому что в Америке кинематограф — это часть большого бизнеса, и по его поводу люди с тобой разговаривают так, как здесь они разговаривают по поводу газа, нефти, металлов и телекома, а не так, как они здесь разговаривают про кино. Но у меня-то в жизни такие разговоры были. И на сегодня я понимаю про то, что я делаю, намного лучше, чем раньше. Не думаю, что я закончил процесс обучения, — но я осознаю, что строю международную вертикально интегрированную компанию, способную производить фильмы в Америке, Европе и России, международно их дистрибутировать, собирать библиотеку... — словом, одну из тех компаний, которые в Лос-Анджелесе, разумеется, есть. Но только с фокусом на нашу часть мира — а таких компаний в Лос-Анджелесе пока нет. У немцев был Бернд Айхингер, продюсер “Бесконечной истории”, “Имени Розы”, “Парфюмера”, — и то, что он делал, бесконечно интернационализировало немецкое кино, вбросило множество немецких профессионалов в мировой контекст и мировую индустрию. То же самое происходило и происходит с французами, у которых есть Люк Бессон с его “Голливудом-на-Сене”. Я думаю — то же должно происходить и с русскими.

Чего только не происходит с русскими. Всё утро в Саперном до обеда с германскими сосисками и русскими помидорами я сижу в ставке верховного главнокомандования “Сталинграда” и наблюдаю — вживую и на мониторах — за представлением “Федор Бондарчук убивает своего сына”. Снимается сцена — ну несложная вроде бы сцена, хоть и с привкусом шизофрении. Матерый советский боец (его играет фактурный Петр Федоров — капрал Гай Гаал из “Обитаемого острова”) обнаруживает в комнате заветного дома на острие фашистского прорыва человека в заячьей маске, обмотанного новогодними гирляндами и подвешенного под потолок. Перерезает карнавальные помочи, человек падает на пол и оказывается Сергеем Бондарчуком — забытым тут нашим корректировщиком. Освобожденный Бондарчук немедля пытается наладить рацию, бормоча сбивчивый монолог. Подозрительный Федоров полминуты наблюдает за ним, а потом сильно бьет ногой в плечо.

Дубль следует за дублем.

Федоров заходит, видит, перерезает, спрашивает, наблюдает, бьет. Всё нормально. Но вот работа сына не устраивает Бондарчука-режиссера категорически.

— Стоп, — говорит он в микрофон. — Я не уйду отсюда, пока ты не сыграешь правильно "сомлел" и "был грех"!

Бондарчук-младший должен падать на пол малость придушенным — и потому слегка задыхаться по ходу монолога. Перед каждым дублем отец гоняет его бегом по этажам.

— Побежал!

— Я, может, поприседаю лучше?.. — спрашивает с надеждой Мл.

— Беги!!! — вопит папа.

Сергей бежит. Потом приседает. Потом отжимается. Потом снова бежит. Крепкий парень, я бы давно умер. Повисает, падает, задыхается. Получает ногой. Это повторяется раз пятнадцать. Может быть, двадцать. Потом я выхожу покурить. Потом начинается обед. Потом приходит мрачный, потирающий плечо Сергей.

Снято, блин.

— Как ни страшно звучит, — говорит мне Роднянский позже, — "Сталинград" — это интертеймент. И чем больше я включаю телевизор и вижу чудовищные сериалы про войну, тем лучше я понимаю, что нам нужно уходить в другую область, совсем другую. Не то что бы в стопроцентный американский комиксовый аттракцион — ну, у нас все-таки не про супергероев в трико фильм... Но очень сильно в ту сторону. И я думаю, что у Федора это может получиться лучше, чем у всех остальных. То есть это не будет поляна великого советского кино — точно. Еще и потому, кстати, что я уверен: на этой поляне никто сейчас достойно выглядеть не сможет.

И все-таки она наша

На следующий день мы сидим на крыше питерского W-отеля, и я спрашиваю Роднянского о том, почему же так фатально не сходится русская публика с русским же кино — наглядно не сходится, просто по сборам в прокате. Кто, говоря грубо, виноват — те, кто снимает? те, кто смотрит? Особенно если учесть, что не только наше — но и западное мало-мальски серьезное кино, делающее в Европе и Штатах пристойные деньги, у нас пролетает с оглушительным треском, о чем сам же Роднянский написал несколько месяцев назад нашумевшую и подпавшую под обвинения в русофобии колонку в "Ведомостях"...

— Наше общество инфантильно, — говорит он. — Это следствие культурной традиции, обильных исторических потрясений, представлений — еще досоветских! — о роли индивидуального. Сегодня кинематограф, как ни крути, сфера индивидуального потребления. Для этого должны быть собственно индивидуальности, отдельные люди, осознающие свою жизнь, делающие свой выбор, понимающие, что жизнь состоит не только из хороших новостей. Кинематограф — опыт психологических переживаний чужих людей, который способен вас менять: ваши представления, общение с друзьями, семейную жизнь. Если общество инфантильно, апатично, политически безынициативно, — получается то, что есть. И кинематографистов это тоже касается, они же неотъемлемая часть социума, и у них тоже — индустриальный инфантилизм, неготовность к серьезной, ответственной, взрослой работе. Это всё — симптом одного большого общественного кризиса, связанного с отношениями людей друг с другом и с институтами — социальными, политическими, властными, любыми.

— Ну ладно, — говорю я. — Это всё про зрелость гражданского общества и про степень личной ответственности, и мы так можем разговаривать еще десять лет. Или сто. Но ведь голливудские блокбастеры у нас и сегодня смотрят? А когда вы сделали "9 роту", казалось, что вот сейчас начнут смотреть и русские тоже. И даже в первую очередь русские. Но этого так и не произошло...

— Потому что мы делали разовые картинки, — говорит он. — Мы все — и Тимур, и я, и кто угодно. Никто не был готов строить индустрию, да и сейчас практически никто не готов. Вот Максимов с Эрнстом — делают одну картину в три года. Это не индустрия... Когда дверь интереса к коммерческому русскому кинематографу чуть приоткрылась, в эту дверь хлынул поток чудовищного говна. То есть интерес вызвали и накачали, перегрели ожидания — а потом убили на корню, отпугнули всех кого можно. Публика пришла, посмотрела... и ахнула. И отвалилась. И теперь владельцы кинотеатров и менеджеры ни во что не верят. А чтобы переломить ситуацию, нужно не зависеть от успеха одной-единственной картины. Нужно быть готовым держать длинную дистанцию.

— И вы верите, что можете переломить ситуацию?

— Ну, я же занимаюсь тем, чем занимаюсь, — откликается Роднянский бодро.

— Александр Ефимович, а давайте я вас попрошу обозначить главное, что случилось с русским кино за последние два десятка лет.

— Кинематограф утратил сакральность. Перестал быть священной территорией, на которую допущены только дипломированные жрецы-профессионалы, — и превратился в поле, где резвятся толпы людей, освоивших работу со сложнейшими девайсами вроде мобильного телефона или цифрового фотоаппарата. При этом для того, чтобы адресовать сильное и острое послание умной аудитории, существует миллион других, более современных способов — от видеоинсталляций до роликов в интернете. Конкурировать за массы с американским кино, мощным, умеющим учиться на своих ошибках, рекрутирующим всё сильное и талантливое в мировых масштабах, — тоже невозможно. Кино превращается в маргинальное занятие. И это проблема, которую всякому режиссеру приходится так или иначе решать. Большинство русских режиссеров, снимающих авторское кино, решают проблему тем, что отказываются решать ее вовсе. Они, как овцы на мясокомбинате, покорно идут прямиком в программу “Закрытый показ”, где их тихо избивает недовольный своей кинематографической судьбой Гордон. И, конечно, это дурное решение.

— Хорошо, а систему, способную вытащить русское кино из провинциального гетто, — ее как можно выстроить?

— Или сосредотачиваться на моделях, способных быть окупаемыми в рамках русскоязычного мира, или бороться за интеграцию и попадание в контексты вне русскоязычного мира. И тут тоже — минимум два способа. Либо кинематограф как мостик в качественно иную по сравнению и с Западом, и с Востоком — нашу — культуру, с по-настоящему другим отношением к большинству вещей в жизни, вещей базовых вроде брака или измены! Но тогда уж — мостик, по которому может пройти посторонний: наша “инаковость” должна быть ему показана и рассказана понятно. Иначе будет как с “Бумажным солдатом”, который получил два приза в Венеции, но не был куплен даже в Италии (уникальный случай!), а Юрию Арабову пришлось объяснять коллегам по венецианскому жюри, про что вообще кино и что в нем происходит. Либо способ второй — жанровое кино, снимаемое на английском языке и лишенное любых специфических признаков русскости, кроме русских имен героев и русских контекстов. Такой путь тоже есть — так делает Бессон со своим "Голливудом-на-Сене", так часто делают немцы...

— Вы со своей международной структурой производства и дистрибуции в части русского кино на каком пути интеграции собираетесь сосредоточиться?

— Я не собираюсь замыкаться на каком-то одном. У меня много планов. Но структура, которую мы сейчас отстраиваем, может как минимум преодолеть чуть ли не главную беду русской киноиндустрии — зависимость от одного-единственного текущего фильма. Сейчас в отечественном "зрительском" кино хорошая или плохая касса любого крупного проекта решает, быть или не быть следующим. Я не хочу зависеть от одного фильма, потому что хочу заниматься кинематографом всерьез.

— Слушайте, ну явно же проблемы русского кино не сводятся к финансовым цепочкам, технологиям и прочей логистике. Невозможно же смотреть почти любое наше коммерческое кино, настолько оно невнятно, натужно и фальшиво. С этим что делать?

— Нужно нащупать уровень адекватности — и профессиональной, которой нужно учиться у тех же американцев, и человеческой, для которой необходима трезвость и свежесть собственного взгляда. В отсутствие этого внятных, четких, эмоционально увлекательных историй сегодня практически нет. Нет способности угадать героев, понять ожидания аудитории. Почти нет уже и самой этой аудитории, готовой к живому эмоциональному контакту. Нам нужен новый уровень адекватности — со всех сторон, от всех участников. Новые договоренности по поводу способов разговаривать о жизни.

— Возможно, эта "новая адекватность" недостижима без того, чтобы сложилось новое общество? Вы верите, что происходившее в последний год, все эти общественные бури, — прелюдия к революционному изменению системы?[1]

— Нет. Я это видел много раз. Я пережил перестройку, я снимал демонстрации и митинги, снимал штурм башни в Вильнюсе, был в Приднестровье... да где только не был! Я видел митинги за независимость Украины. Я видел "оранжевую революцию". То, что происходило в Москве в последние месяцы... Ну, мне симпатичны эти люди. Их взгляды, их активность, их чувство собственного достоинства. Но я не ощущаю во всем этом дыхания меняющегося времени. Ощущения ломки, того легкого треска, который всегда предшествует перелому времен, — нет. Пока — нет. А может ли быть... Это зависит только от власти. Если она окажется слабой, невнятной, не отреагирует на симптомы — разлом может произойти в любую секунду.

— Так революционный сценарий реален? Простите, мы съехали с кино, но оно ведь не в вакууме снимается...

1 Речь о московских протестах 2011–2012 гг. после выборов в Госдуму и выборов президента — митингах на Болотной площади, на проспекте Сахарова и других.

— Ну а что вы хотите от меня услышать? Слушайте, у такой большой страны, как Россия, в любом кризисе есть опасность расколоться и породить массу мелких конфликтов, неуклонно перерастающих в гражданскую войну. И тогда все, кто сейчас протестует, будут, убегая, проклинать себя. Нужно действовать ответственно. И вообще, самое главное — это не политика, а образование и прочие вещи, определяющие способность или неспособность нации ответить на вызов. Если ничего не делать с этим — абсолютно реальна опасность превращения в провинциальную страну, живущую на обочине мировых социальных и технологических процессов. Вот как Иран — древняя культура, красивые, талантливые, умные люди... и живут сейчас в хорошем тринадцатом веке. Всё, что было здорового и динамичного, сбежало вместе с шахом — я отвечаю за свои слова, я вижу множество прекрасных молодых иранцев в Лос-Анджелесе, я с ними работаю... А родину их затопила серая эпидемия провинциального клерикализма. Вот клерикализма я чудовищный противник. Это реальная опасность. Эта энергия мракобесия, которая и у нас сейчас заполняет всё, — посмотрите на историю с Pussy Riot и не только. И вот чтобы не заполнила — я постараюсь делать всё, что лично от меня зависит.

Вечером после съемок в Саперном Роднянский и Мелькумов идут гулять. Они хотят посмотреть на Неву, которая здесь, выше по течению, обязана быть чистой, не то что в Питере. Серьезный степенный страж отпирает для них высокие сетчатые ворота съемочной площадки, она же собственность Минобороны РФ. Роднянский и Мелькумов устремляются в кусты, за которыми чистая Нева и прочие необычайные, как пел Летов, редкости и красоты, русское поле эксперимента, я твой тонкий колосок.

— Только учтите, — говорит охранник им вслед со значением. — Там у нас территория уже не охраняемая... Там. Местное. Население.

Но они его, кажется, уже не слышат.

БЕЗ КОМАНДЫ

Оставленные: Ярославль, полгода после гибели “Локомотива” (2012)

Спустя полгода после того, как близ аэропорта Туношна разбился ЯК-42 с основным составом хоккейного клуба “Локомотив”, Александр Гаррос отправился в Ярославль — чтобы увидеть, как город сживается с этой потерей.

“Ца-арство Небе-есное, жи-изнь бе-есконе-ечная...” Батюшка — с кадилом, в черном пуховике поверх рясы — курсирует между могил и крестов, голос то удаляется, то приближается снова. Траурная стайка родственников и друзей — старики, подростки, серьезные мужики в утепленных кожанках с овчинными воротниками — молчит или переговаривается вполголоса. У могилы справа плачет пожилая женщина. У могилы слева — “Андрей Кирюхин, 1987–2011” — через крест переброшена черная лента: “От невесты Юли”, у подножия — детский рисунок, хоккеист в сине-красно-белой форме, подпись: “С Новым годом!”.

Маленький и круглоглазый Леонид Владимирович, отец Ивана Ткаченко (“1979–2011”), косится вправо, грустно сопит в щеточку усов, закуривает новую сигарету и продолжает тихонько рассказывать мне, почему так вредно для хоккея произошедшее повсеместно в мире уменьшение размеров площадок: “Раньше почему еще великий хоккей был? Потому что всё на комбинациях, на финтах, на умном расчете строилось — обвести, переиграть: это ж как раз то, что и маленький юркий хоккеист может, если у него мозг работает. А теперь возможности для маневра нет, хоккей становится прямолинейным: получил шайбу — ломись вперед и щелкай по воротам. Вот и набирают гренадеров под два метра, не хоккей, а регби на льду, сплошные сотрясения мозга...”

Кресты кругом деревянные, могильные холмики — еще не осевшие, законсервированные холодной зимой, — густо завалены цветами: тут, на Леонтьевском кладбище, четырнадцать могил, пятнадцатая — нападающего Александра Галимова — на другом, Чурилковском. Годы рождения — от конца семидесятых до начала девяностых, год смерти — один. Сегодня седьмое марта 2012 года. Ровно полгода назад близ аэропорта Туношна, в двух десятках километров отсюда, разбился Як-42 с основным составом ярославского хоккейного клуба “Локомотив” на борту.

Легли в землю разных городов и стран погибшие, отзвучали речи и плачи, прокатилась по миру и опала волна акций спортивной солидарности (и не только хоккейных — с эмблемой ярославского клуба на майках выходили на поле футболисты "Севильи", ездил в специально изготовленном черном шлеме единственный русский гонщик "Формулы-1" Виталий Петров...). Обескровленный "Локомотив" прекратил выступления в самой серьезной из наших лиг, КХЛ. Родным и близким сперва пообещали, а потом и начали выплачивать немаленькие деньги (одни только страховые компенсации — по два с лишним миллиона рублей за каждого погибшего). Перед "Ареной 2000" решили строить символический памятник со скульптурными хоккейными клюшками. Ярославскую катастрофу в медийном рейтинге актуальных кошмаров потеснили новые претенденты — не проблема для мира, в котором всё время что-то падает, взрывается, тонет и горит. И когда в марте 2012-го я приезжаю в Ярославль — единственное место, где частные беды седьмого сентября сплавились в общее горе, — он давно уже остался со своим посттравматическим синдромом один на один.

* * *

Мятая "шкода" везет меня по улице Свободы. Под зеркалом заднего вида у таксиста черная ленточка. "Это из-за «Локо» у вас?" — "Точно... Я лично Галимова два раза возил, ну, и других ребят тоже, бывало". Своих хоккеистов в Ярославле любил даже тот, кто ни одного не знал лично, — а знали лично очень многие, в шестисоттысячном-то городе.

Тут и там на глаза попадаются предвыборные плакаты. “Сильный. Надежный. Ответственный” — можно бы подумать, что тебе впаривают внедорожник с системой ГЛОНАСС, когда б не фас лысого человека с умными бархатными глазами и чувственным ртом и не подпись “Якушев” тут же; местного олигарха Якова Якушева в Ярославле знают хорошо, расшифровка не требуется. Его конкурент в борьбе за пост мэра, белобрысый и мрачный Евгений Урлашов, обещает: “Верну город людям” и что-то еще антикоррупционное. В отличие от президентских выборов, в один тур тут не уложились. Второй назначен на 1 апреля.

До старинного центра путь недлинный, обильные протуберанцы микрорайонов лежат в стороне, и срез годовых колец города с тысячелетней официальной историей читается четко: от безликих привокзальных пакгаузов через панельную штамповку позднего СССР, хрущевки, сталинки — к историческому ядру. К широкой и плоской, распахнутой на все стороны открыточной перспективе стрелки широченной Волги и извилистой речки с дивным именем Которосль, где повсюду открываются глазу многоглавые всплески церквей.

В русском провинциальном городе среднего калибра эпохи успевают застыть, отвердеть и причудливо, но очевидно переплестись друг с другом. На площади Советской, между стопроцентно коммунистическим разлапистым дзотом, куда стянуты основные властные структуры области (губернатор, полпред президента и так далее), и храмом Илии Пророка, залит каток, колонки которого выдают оглушительное “I'm horny, horny, horny tonight”. В ста метрах колонна с двуглавым орлом, посвященная Павлу Григорьевичу Демидову, основателю Демидовского высших наук училища, воздвигнута в 1829-м, низвергнута в 1931-м, восстановлена в 2005-м. К Успенскому кафедральному собору идешь по Челюскинцев, бывш. Мира, бывш. Соборная — так трехступенчато и значится на табличке. В мощной, крепостных кондиций стене Свято-Преображенского монастыря — деревянные ворота ажурной работы в два человечьих роста: “Святые ворота. Категория пожарной опасности — В1–В4. Степень огнестойкости — 3”.

На стрелке, у подножия юбилейного, к официальному тысячелетию города в 2010-м, монумента с основателем Ярославом Мудрым, суетится прайд молодежи. Всем явно меньше двадцати, дешевые джинсы, кроссовки, спортивные штаны-абибасы, шапочки-пидорки. Деловито разворачивают монархические черно-желто-белые стяги и транспарант “За царя”, соратник бегает вокруг и щелкает на “мыльницу”: “Ничё аватара!”. На меня косятся: “Турист, наверное”. “А вы кто? — спрашиваю. — Никак, монархисты?” Похохатывают, тычут друг в друга пальцами: “А чё? Вообще вот он поэт, а вот он музыкант... А так националисты мы. Православные националисты. И это очевидно!”. Сворачиваются, бодрым шагом уходят. Спрашиваю вслед:

“Националисты, а вот завтра полгода, как «Локомотив» разбился. Для вас это важно?”. Последний замедляется, оборачивается: “Это да, конечно. У нас все их уважают, и мы тоже. Настоящие люди были. Особенно Ваня Ткаченко — знаете? Наш, ярославский? Ну, который детям помогал?”. Я киваю, и он уходит следом за своими, юный православный националист с монархическим триколором на плече.

В этот вечер новый, сформированный в основном из молодых игроков второго ряда, состав “Локомотива” на “Арене 2000” проигрывает домашний матч питерскому клубу ВМФ. Это неприятное начало, и руководство “Локомотива” объявляет мораторий на общение с прессой. Матч-реванш будет завтра.

* * *

Поэт Бродский заметил, что настоящая трагедия — это когда гибнет не герой, а хор. Если так, то ярославская катастрофа — трагедия в квадрате: когда гибнет хор, целиком состоящий из героев. По Бродскому это, впрочем, не важно — и за ним правда жизни, точнее, смерти, не признающей иерархий: тут все равны, все свои. Но у трагического мифа — иные каноны, и здесь, напротив, отсев происходит пожестче, чем в НХЛ, и почти все лишние. Герой должен быть один. Для мифа ярославской катастрофы таким посмертным героем стал нападающий и моральный авторитет “Локо” Ваня Ткаченко.

Стройный красавец с подзабыто-идеальным русским лицом, простым и открытым, с совершенно гагаринской лучезарной улыбкой и — теперь — гагаринской же судьбой.

Путь Вани в хоккейную элиту был нелегким — кочевал по чужим командам, спонсоров одной из которых в полном составе расстреляли как-то на бандитской стрелке, мыкался по вторым составам — и в родной “Локомотив” вернулся, лишь заколотив в его ворота пару шайб в составе нижнекамского “Нефтехимика”: тогдашний тренер “Локо”, чех Вуйтек, сразу положил на Ткаченко глаз.

Про Ивана и при жизни все знали, что он талантливый игрок, что красив и общителен, что эталонный семьянин, отец двух маленьких дочек и муж красавицы жены (с которой так и не расписался), что материально помогает своей школе, своему тренеру, просто церкви и просто детскому дому. Он всегда ездил на стареньких иномарках, предпочитал элементарные мобильные телефоны, носил на запястье швейцарские, но стоевровые часы, купил родителям квартиру, а сам если и тратил деньги, то лишь на путешествия, виндсерфинг и дайвинг. После смерти выяснилось, что у Вани Ткаченко была и другая, тайная жизнь. Он переводил деньги на лечение онкобольных детей. Большие деньги — суммарно около десяти миллионов рублей. Последний перевод был на послеоперационную реабилитацию девочке Диане Ибрагимовой — на полмиллиона; операцию ей оплатил тоже Иван. Прямо перед взлетом Яка 7 сентября он успел отправить маме Дианы sms с вопросом — дошел ли перевод?

Про другую жизнь Вани Ткаченко не знал, кажется, никто из близких — даже брат Сергей, даже жена Марина; а из друзей если кто-то и узнавал, то случайно, как один, однажды мельком заглянувший в Ванин компьютер.

Леонид Владимирович Ткаченко, отец Ивана, маленький, мне по плечо, и даже невысокому по хоккейным стандартам сыну (метр восемьдесят) едва ли доставал до уха. В девяностые он кем только не работал, даже квартиры ремонтировал, но по образованию психолог, а по призванию, осознанному отчасти вынужденно, когда оба его отпрыска всерьез занялись хоккеем, — психолог спортивный. На разговор о погибшем сыне его приходится раскручивать (и видно, что это ему всё еще тяжело), а вот о психологии говорит охотно. “Я все книжки по спортивной психологии прочитал — а потом на помойку выбросил. И где-то через год у меня своя методика родилась. До сих пор тренеры считают, что умение быстро соображать, видеть поле — от природы. А на самом деле голову надо тренировать еще как — и не медикаментами. Мы даем такие упражнения, после которых мозг на льду иначе работать начинает, быстрее. Вообще, что такое психология, я понял только после пятидесяти лет. Я вот у Вани всё стеснялся денег попросить, чтобы книжку свою про это издать... Но сейчас деньги получим — издам за свой счет. Хочу Веллеру послать. Знаете Веллера?”

Вторая мечта Ткаченко-отца — создать на пару со старшим сыном Сергеем (у которого клубная ледовая карьера не задалась, но детским тренером он работает и сейчас) свою частную хоккейную школу. Там, наконец, давно выношенные методики воспитания идеальных хоккеистов заработают по полной. Это не мечта даже, а практически реальность, которую вот-вот можно будет воплотить — ну да, с применением тех денег, что выплатят семье за погибшего Ваню: "Сейчас построим корт, мы уже с мэром, с губернатором вопрос порешали, осталось с землей разобраться — и будет у нас свой крытый каток и своя школа имени Ваньки. Только за землей дело. Мне уже директор девятой школы, Сергей Борисыч, хороший мужик, предлагал — давайте, мол, у нас стройте. Но я все-таки хочу, чтобы специально под корт была земля".

В "девятке", знаменитой местной школе № 9 со специальными хоккейными классами, учились оба сына Ткаченко — и Ваня, и Сергей. В каждом классе от пяти до пятнадцати спортсменов, и расписание обычных уроков подгоняется под тренировки — так сейчас тут учатся полтораста мальчишек. На элитное хоккейное Сколково, пусть даже губернского значения, школа № 9 совсем не похожа. Обшарпанное желтое здание, на входе не секьюрити, а пожилая тетушка с бейджиком "охрана". На первом этаже стенды — "Большой дом для маленького гражданина", "Ночной город не для детей". На четвертом этаже мемориальная доска в память о погибших учениках. Живые ученики, крепкие нахальные подростки в спортивной форме, с гоготом прячутся в туалете — сачкуют свои математики и химии, скучный не-хоккей.

* * *

В конце девяностых — начале нулевых дружеская компания, к которой принадлежали Ваня Ткаченко и Женя Панин, часто сиживала в "Соленом псе" — "гадюшник", говорит Панин, "но с атмосферой". Атмосфера была та еще: беспородная мебель, бардак, драки, но зато — хороший коллектив бара, хорошая музыка: "Depeche Mode", "U2" на заигранных видеокассетах. Друзья тогда, естественно, мечтали — вот бы открыть собственное заведение. В 2006 году, когда о затее уже забыли, Ткаченко, уже хоккейная звезда, пришел в рекламное агентство, где тогда работал Панин, и объявил, что снял помещение — время делать свой бар.

Шесть лет спустя мы сидим в баре "Рокс" — центровом подвальчике на пересечении улицы Депутатской и Депутатского же переулка. Напротив на стене висит талисман, хоккейная майка Вани Ткаченко, номер "17". На полке — микроскопические шкалики с экзотическим алкоголем, которые Ткач (как называет его Женя) привозил из дальних вояжей. О звездном основателе, улыбчивом неунывающем ангеле-хранителе с вечной присказкой "Могло быть хуже", здесь напоминает практически всё — "и плитку эту тоже Ванька сам выбирал...", —

и я не думаю, что этот культ личности — рекламный ход. “Труда и нервов сюда столько вбухано, — рассказывает Панин, — и песок мы выгребали отсюда тоннами, и разводили нас, и по деньгам обманывали — но вот сделали как-то, модное место стало, ходят хорошие люди. А теперь и не знаю, как оно дальше будет, что там родственники решат. Но мы будем всё делать, чтобы бар спасти. Хотя бы в память о Ваньке”.

Панин, бледный, в свитере грубой вязки под горло, похожий скорее на студента-лыжника из шестидесятых, чем на держателя модного кабака, волнуется, кажется, вполне искренне, когда рассказывает, как прорывался в день катастрофы к берегу Туношонки через полицейские кордоны, как впадал в истерику, как вечером рвал кухонные черные фартуки на траурные ленточки (одна такая и сейчас висит в его потрепанном авто), как “Ванька даже в гробу выглядел шикарно, весь целый, офигенный вообще”.

В какой-то момент он замолкает, а потом говорит, явно осторожно подбирая слова — может быть, потому, что и сам он в некотором смысле — в смысле “Рокса” — лицо финансово заинтересованное: “Знаешь... Появляются люди, которые немножко нагло и некрасиво себя ведут... Я вот до Нового года практически каждую неделю ходил на кладбище. Стоял, курил, с Ванькой про себя разговаривал... И часто наблюдал родственников погибших (особенно, кстати, неблизких), которые что-то урвали по компенсациям и выплатам. Сколько в них было гордости за себя, когда они усаживались на сиденья новеньких внедорожников... Для многих людей трагедия стала радостью — наконец-то добрались до бабла".

Бармен "Рокса" Вова, массивный, громогласный, бритый налысо, в свободное от смешивания коктейлей время работает хоккейным судьей. Хмуро громыхает из-за стойки: "Никогда я этого Путину с Медведевым не прощу! Путин на похоронах когда был, он же глаз не поднимал! — а почему?! Потому что знает, что это он виноват! Вот, — Вова неожиданно кивает на вход. — Единственный из политических приличный человек, Женя Урлашов. Всё им, гадам, в лицо сказал, партбилет «Единой России» на стол положил и дверью хлопнул. Понятия не имею, чего там у него внутри, честный он, не честный, вор, не вор, — а только вот за этот поступок я его уважаю!"

Обернувшись, успеваю поймать взглядом только медленно затворяющуюся дверь. На этот раз кандидат в мэры Урлашов вышел, не хлопая.

С Евгением Урлашовым я встречаюсь на следующий день в гостиничном лобби-баре. Фаворит мэрской кампании, которую местные знатоки считают "беспрецедентно грязной" и "полной компромата и провокаций", приезжает на машине с водителем, но, конечно, без всякой охраны. Свитер, джинсы, белесая щетина на подбородке. Амплуа "человек из народа" глядится вполне естественно.

Любопытно, что всё и впрямь было так или почти так, как говорит бармен Вова. Евгений Урлашов, местный, выходец из строительного бизнеса, выпускник Академии Госдумы, самый активный депутат муниципалитета, популист, как многие в Ярославле полагают, и впрямь громко и демонстративно вышел из "Единой России" после той сентябрьской катастрофы. Правда, из "ЕдРа" в то время потянулись многие, у кого с интуицией получше, включая балерину Волочкову. Правда, Урлашову кто только не пенял за то, что он "пропиарился на трагедии города". Но факт: вышел, противопоставил себя — и теперь, глядишь, окажется в кресле мэра. То есть Урлашов — это именно тот человек, чья карьера публичного политика пошла на взлет практически с момента падения "Локомотива".

* * *

Злосчастный Як-42Д с регистрационным номером RA-42434 рухнул на берег речки Туношонки возле ее стрелки с Волгой около 16:00 седьмого сентября 2011 года. Сам полет длился считаные секунды: Як при нормальной погоде и хорошей видимости слишком долго разбегался по взлетке, выкатился аж на 450 метров за ее пределы, там — уже от грунта — наконец оторвался, сразу зацепил препятствие (считается — трехметровую антенну курсового радиомаяка) и с резким левым креном с высоты около пяти-шести метров упал примерно в шестиста метрах от торца взлетно-посадочной полосы (ВПП).

Фрагменты Яка расшвыряло на две-три сотни метров, часть фюзеляжа оказалась в воде: потом установят, что трое из погибших умерли не от травм — утонули.

Рейс компании "Як-Сервис" был чартерным — летели в Минск, на игру; и этот борт, и эти пилоты работали с командой уже много раз. В самолете был практически полный основной состав команды и тренерского штаба (игроки, включая иностранных легионеров; тренеры — включая главного тренера канадца Брэда Маккриммона; массажисты, врач, методист, администратор — словом, все, кто заставлял эффективно и бесперебойно работать хоккейную машину "Локо") — тридцать семь пассажиров, плюс восемь членов экипажа. Сорок пять человек. Выжил один — Александр Сизов, инженер по наземному обслуживанию радиоэлектроники, в экипаж не входивший и сидевший с командой в салоне. Сизова с 15-процентными ожогами и многочисленными переломами уже на следующий день после катастрофы увезли из Ярославля в Москву, в "Склиф". Вместе с ним увезли и нападающего Александра Галимова — второго человека, который после падения оставался жив: он сумел даже сам уйти от горящих обломков Яка и назвать себя спасателям. Но у Галимова было обожжено больше 80% тела, и 12 сентября он умер тоже.

Остальных погибших ярославцев (а их среди жертв получилась треть) хоронили уже 10-го и буквально всем городом. Прощание с хоккеистами на "Арене" растянулось на шесть часов и собрало сотню тысяч человек, город плакал, город наполнился черными ленточками (а потом и наклейками "«Локо»: помним, любим, скорбим" на автомобилях). На похоронах присутствовал лично Путин, тогда премьер. Медведев, тогда президент, возложил цветы на обожженный, усыпанный обломками и пропитанный авиационным керосином берег Туношонки уже 8-го, изменив для этого программу проходившего в те дни в Ярославле Мирового политического форума. Позже в Кремле он заговорит о чистке рядов мелких авиакомпаний (имеющие в своем парке менее двадцати машин предлагалось расформировывать и сливать с крупными) и о том, что надлежит закупать исключительно надежную технику, даже если она зарубежная.

Версии причин катастрофы стали роиться уже 7 сентября: техническая неисправность, теракт, некачественное топливо, слишком короткая ВПП. Некоторые версии власти отмели сразу, некоторые позже: самолет был исправен, керосин нормален, ВПП достаточна, а теракт исключен. Как положено, возбудили уголовное дело. В ноябре МАК, Межгосударственный авиационный комитет, огласил окончательные данные расследования: виновен "человеческий фактор". Причиной гибели Яка признаны неверный расчет, ошибки и несогласованные действия экипажа: командира Андрея Соломенцева и второго пилота Игоря Жевелова. К тому же в крови Жевелова были найдены следы понижающего реакцию фенобарбитала, употребление которого пилотскими регламентами запрещено (правда, тут же нашлись эксперты-врачи, утверждающие, что такие следы может оставить хоть прием валерьянки). Конечно, родные пилотов, уверенные, что те — с их опытом и налетом в тысячи часов — не могли совершить таких глупых ошибок, с выводами не согласились и попытались оспорить решение МАК в судебном порядке. Но в феврале 2012-го столичный Замоскворецкий суд отказался принять их иск к производству, поскольку "МАК обладает дипломатическим иммунитетом".

При этом в Ярославле каждый второй уверен, что знает причину катастрофы — не прямую, так косвенную. Это Мировой политический форум, проходивший тут в те сентябрьские дни. Потому что маленький аэропорт Туношна был перегружен бортами залетных больших людей, царила суматоха. Потому что форум должен был проходить в концертно-зрелищном центре по прозвищу "подарок президента": якобы Путин еще в свой второй президентский срок сказал — стройте к празднованию тысячелетия, деньги дадим, это вам подарок от федерации; а потом президентом стал Медведев, деньги куда-то делись, "подарок" так и стоит недостроенным — а форум оккупировал "Арену 2000", и "Локомотив", который должен был вообще-то играть дома, полетел в Минск. Потому что... Да мало ли почему. Потому просто, что все тут привыкли — власть несправедлива и власть врет априори.

"Я был в мэрии тогда, — сидя за стойкой в лобби, рассказывает кандидат в мэры Урлашов. — О катастрофе узнал буквально через несколько минут после того, как всё случилось. Спустился из мэрии и прошел всего квартал: почти каждый горожанин разговаривал по телефону, и было видно, что творится что-то ужасное. Люди стали заходить в кафе, в какие-то места, где есть телевизоры. Город впал в ступор, обстановка была гробовая. Мне позвонили с «Эха Москвы». Спросили, увязываю ли я произошедшее с Международным форумом. А я, естественно, увязывал, потому что прилетало множество высокопоставленных гостей, аэропорт Туношна был перегружен. Мне позвонил товарищ, который в Туношне работает, и сказал, что ребят подгоняли с вылетом из-за этой перегрузки, и взлетали они с неполной полосы. Я за это поручиться не могу, но аэропорт у нас маленький. Это я на «Эхе» и сказал: страна у нас устроена так, что лишь бы чиновнику угодить, а о безопасности в такие моменты думают в десятую очередь. На НТВ я сказал то же самое. И началось давление со стороны руководства «Единой России»: мол, забери свои слова назад, мы члены одной команды, не раскачивай лодку! Они это любят — про лодку... С теми же предложениями: опровергнуть, не горячиться, — мне три дня звонили. Потом я приехал и написал заявление о выходе".

"Ну а к результату расследования МАК вы как относитесь?" — "Нормально. А на кого им еще списывать? На мертвых, они уже ничего не скажут. Словом — Ярославль не верит. Да, разобраться в ситуации с профессиональной позиции — это надо, конечно. Но только никто из разбирающихся не увязал катастрофу с Международным форумом. И это вранье. А в 2018-м Ярославль, между прочим, в списке городов, где возможно проведение чемпионата мира по футболу. И что — снова в Туношну будут прилетать огромные толпы? Чем всё это кончится?..”

С полемическими навыками у Урлашова поставлено неплохо. Увязывает ли он плохие результаты местных единороссов с гибелью команды, излагает ли свою программу (дороги, детсады, борьба за каждого инвестора!), отбивается ли от намеков на то, что за ним стоит группа московских бизнесменов, желающих потеснить местных тузов вроде Якушева, — всё получается бойко, жестко, цепко. “После этой катастрофы, — дожимает Урлашов напоследок, — оборвалась важная струна в душе почти каждого человека. Ее уже не склеишь. Но любой минус надо стараться обернуть в плюс. Мы должны извлечь уроки. Мы — то есть вся страна, а не Ярославль. Ярославль уже свои уроки вынес — я имею в виду отношение к власти”. Жмет мне руку, уходит целеустремленной походкой мимо длинного стола, за которым немцы из “Берлин-Хеми”, не иначе серьезные инвесторы, поголовно уткнувшись в ноутбуки, перестукиваются костяшками своего хохдойч. Я смотрю ему вслед и думаю, можно ли приложить к Урлашову знаменитую формулу Р.П.Уоррена насчет “ты должен сделать добро из зла, потому что его больше не из чего сделать”? Ну ладно, не к нему, так к Жене Панину с его баром? К Леониду Владимировичу Ткаченко с его хоккейной школой, в конце концов?

И еще я делаю свою ставку на итоги второго тура. Если мэра Ярославля сейчас зовут Евгений Урлашов, то я выиграл.[1]

* * *

Вечером седьмого марта новый состав "Локомотива" берет реванш и обыгрывает питерских моряков. Но мораторий на общение с прессой всё равно не отменен. Утром восьмого всё так же морозно, но что-то в воздухе еле слышно бормочет о весне. Вдоль стены Спасо-Преображенского монастыря в сторону краснокирпичного Гарнизонного храма Архангела Михаила движется группа кришнаитов в ярких дутиках поверх ярких сари. Лучезарные девушки поют "харе-харе", бородач лупит в барабан, бритый детина наяривает на баяне. Прохожие оборачиваются и улыбаются. По рафинаду промерз-

[1] Сейчас, в 2016 году, Евгений Урлашов находится в СИЗО; прокурор просит суд дать ему 15 лет колонии строгого режима. Тогда, в 2012-м, он действительно во втором туре уверенно обошел кандидата от "Единой России" Якушева (70% против 28%) и стал мэром Ярославля. А спустя год, в июле 2013-го, был задержан по подозрению в покушении на вымогательство взятки (этому предшествовал проведенный им митинг против партии "Единая Россия" совместно с партиями КПРФ, "Гражданская платформа" и "Справедливая Россия", на котором Урлашов объявил о намерении участвовать в выборах областного уровня). Сам Урлашов связывает уголовное преследование с "политическими событиями" и своей оппозиционной деятельностью.

шей Которосли с ревом проносятся два снегохода, по широченной слепящей ленте Волги — скутер на воздушной подушке.

“Жизнь-то проходит, — говорит пожилая русская торговка за сувенирным лотком нерусской чернявой соседке. — А я больше не могу так”.

“Он как мячик, — говорит в “нокию” красивая барышня, облокотившаяся на перила беседки с открыточным видом на речную стрелку и купола, купола, купола; перила по привозной басурманской моде увешаны замками, манифестирующими нерушимую крепость чьих-то брачных уз. — Его пинаешь, а ему не больно”.

Снизу, из вмерзшего в лед ресторана “Поплавок”, выводит про молоду-у-ю Ефрем Амирамов, держатель контрольного пакета сердечных акций женского, 35+, населения Родины в те лихие девяностые времена, когда Господь еще не явил нам Стаса Михайлова в силе его и славе.

На кованом заборе церкви Спаса на Городу — принтерная распечатка, квант стихотворной духовности с легкими пунктуационными аберрациями:

Не зли других, и сам не злись –
Мы ж гости в этом бренном мире.
А если что не так — смирись,
Будь поумней и улыбнись.
Холодной думай головой,
Ведь в мире всё закономерно:
Зло излученное тобой,
К тебе вернется непременно!

Внутри низкие потолки, запах ладана, полумрак, два сине-красно-белых, как "локомотивная" униформа, световых пятна брошены оконным витражом на пол, в луче левитируют пылинки, по стенам — золоченый комикс христианства-в-действии: святые, великомученики, ангельский полк вертикального взлета. На новодельной иконе Божией Матери "Умягчение злых сердец" — скорбноокая Мария с семью обнаженными клинками в руках, держит их за острия веером, как метатель ножей из боевиков Родригеса. Перед иконой горит единственная свеча, ровное пламя неподвижно. Перед свечой стоит единственный посетитель, неурочный азиат в гортексовом скафандре с боевым "Кэноном" на груди, неподвижен тоже. Старушка за прилавком с товарами первой православной необходимости (рядом мятый жестяной бак с краником, надпись: "Святая вода"), кажется, дремлет.

Жизнь зависает на паузе.

Тут снаружи ревут лошадиные силы и ухает сабвуфер, галопирует, нарастая и удаляясь, проседающий на басах голос рэпера Ноггано: "Пай-ду водки найду, what can I do, what can I do, водки най-ду!..". Старушка чихает и крестится, азиат со сноровкой опытного кэндоиста вскидывает "Кэнон", жизнь вздрагивает и идет дальше.

КОД ОБМАНА

Без следа: почему гибель СССР — факт истории, но не факт искусства
(2011)

1991 года не существует. Ни всего его, "переломного" и "судьбоносного", ни августовской трехдневной коды с танками и толпами перед Белым домом, ни беловежских финальных содроганий. Во всяком случае, девяносто первого не существует в российском искусстве, в мифологическом пространстве кинематографа и беллетристики. Прошло двадцать лет. Не снято и не написано практически ничего. Что означает и чем грозит нам это "значимое отсутствие"?

Это кажется чертовски странным. Про девяносто третий — с теми же и там же танками и толпами (только массовки по разные стороны баррикад были причудливо перетасованы, былые союзники разведены по противным станам, былые враги сведены в один… и крови пролилось куда больше) — блокбастеров хоть и не поставлено, но вот романов сочинено множество, в том числе незаурядных. Взять хоть "Журавлей и карликов" Леонида Юзефовича, пару лет назад абсолютно заслуженно получивших премию “Большая книга”, или “1993” Сергея Шаргунова.

Вообще про все дальнейшие “лихие девяностые” чего только не написано и не снято: от “Бригады” до “Олигарха”, от “Поколения П” до “Большой пайки”; всякий заметно “поураганивший” (копирайт премьера Путина, любящего приложить героев девяностых метким словцом) персонаж взят на карандаш или под прицел камеры — хоть приукрашенный, но реальный комбинатор Мавроди в “ПираМММиде”, хоть вымышленный, но знаковый копирайтер Татарский в подзалежавшейся экранизации пелевинского “Generation П”.

Со “стабильными нулевыми” — та же история: зафиксированы, препарированы, рассмотрены сквозь призму интеллигента и нацбола, нацмена и бизнесмена, бузящего скинхеда и бухтящего офисного планктона, чеченского ваххабита и омоновского трилобита. Да взять хотя бы Пелевина, который, обязавшись по контракту с “Эксмо” выпекать книгу в год, быстро создал подробнейший саркастический компендиум главных лиц и трендов десятилетия, позволяющий без проблем, “Википедии” и “Викиликс” выяснить, когда именно чеченских джигитов на рынке крышевания бизнеса потеснили джедаи из ФСБ (повесть “Числа”, начало нулевых), как вервольфы средней полосы решили свои проблемы, став оборотнями в погонах (роман “Священная книга оборотня”, середина нулевых), и зачем в процессе ротации родной закулисы криэйторы из Института пчеловодства переквалифицировались в ведающих гламуром, дискурсом и баблосом упырей (роман "Empire V", конец нулевых).

Всё не так с девяносто первым. У событий, изменивших вроде бы исторический маршрут гигантской страны и передернувших стрелки на путях так круто, что состав распался на вагоны и чуть не ссыпался в пропасть (а многие скажут, что и ссыпался, — если составом считать СССР), у тектонического сдвига Истории, с классицистским тщанием упакованного в три дня единого места-времени-действия, — почти отсутствующий художественный выхлоп. Мемуары очередного битого политического валета — пожалуйста; очередной конспирологический конструкт на тему "Горбачева в Форосе похитили инопланетяне из вашингтонского обкома" — на здоровье; и всё. Всё? Да почти: еще были конспирологический же, но роман Проханова "Последний солдат империи" (чтобы его припомнить, надо очень любить Проханова), автобиографический роман Евтушенко "Не умирай прежде смерти" (чтобы припомнить его, надо очень не любить Евтушенко!), — а что еще? Обещанный еще год назад фильм Льва Прудкина "Луна-луна", где действие происходит в те самые три дня, но в Крыму, до проката как-то не добрался, и вообще непонятно, готов ли; и вроде бы было еще какое-то кино с августом и совестливыми танками, обаяния неописуемого, — чуть не с Харатьяном, что ли? — но тут и память, и ищейки "Гугл" с "Яндексом" милосердно воздерживаются от деталей.

Всё? Кажется, всё.

Это и впрямь чертовски странно, разве нет? Положим, нетрудно понять, отчего свободолюбивую "легенду-91" давно перестала привечать власть со всеми ее идеологическими мощностями. Для власти путинской это и вовсе нонсенс — с чего бы она, изо всех сил стремящаяся отучить своих граждан выходить на площадь (и превратить в маргинальных клоунов тех, кто туда упорно прется), взялась эксплуатировать историю про то, как однажды граждане на площадь вышли — и это якобы что-то там решило! Да и власть предыдущая, ельцинская, уже в девяносто третьем вынужденная разъяснять "народу" при помощи танковых пушек, что баррикады у Белого дома — это не всегда комильфо, очень быстро принялась дистанцироваться от "легенды-91".

Но искусство-то, за которым вроде именно девяносто первый закрепил невиданную в русских веках свободу самоизъявления; искусство, которому просто положено притягиваться к "точкам бифуркации", к крутым поворотам — тем более таким, которые в корне меняют жизнь огромной страны (а разве не так и вышло?); оно-то отчего молчит про год 1991-й?

Украдем у филологов термин — разумеется, это "значимое отсутствие". Двадцать лет спустя, в тревожном предчувствии ближайшего будущего хорошо бы начать понимать, что именно оно значит. Почему всё обстоит именно так, а главное — к чему?

“Да потому, что нихуя это не новая страна!” — говорит вдруг Леонид Парфенов, лучший тележурналист России.

Я вздрагиваю. Вопрос про девяносто первый и его значимое культурное отсутствие я задал ему минут пять назад. За это время мы уже успели почти протолкаться к выходу через оба огромных павильона выставочного центра “Earl’s Court”, уворачиваясь от нагруженных книжками англичан, немцев, французов, китайцев, поляков, итальянцев и русских, русских, русских. Это апрель 2011-го, Лондон, Книжная ярмарка, на которой Россия — главный гость и изо всех сил пытается продать главному в мире читающему рынку, англоязычному, свою новую, XXI века выделки, литературу: ту, где нет ни бородатого Толстоевского, ни, да-да, 1991 года. С вопросами о котором я и пристаю к избранным литераторам. Парфенов, эталонный профи и (после памятного выступления на вручении премии Листьева, где Леонид Геннадьевич за семь минут емко описал сервильность и деградацию сегодняшнего ТВ) совесть русской тележурналистики, не вполне писатель — по крайней мере, не пишет беллетристику; зато представляет в Лондоне свой “лонгселлер” “Намедни”, многотомную и высокоточную опись последних десятилетий советской и постсоветской жизни, и последний вышедший том — как раз про девяностые. Так что я пристаю и к Парфенову.

Никакой новой общности, развивает Парфенов мысль на ходу, никакой нации свободных россиян так и не возникло, откуда же взяться их мифологии? “Да, — говорит он, — конечно, вроде логически должно быть какое-нибудь «Спасение рядового Райана» про август-91, какой-нибудь духоподъемный блокбастер про танкистов, отказывающихся стрелять по Белому дому и занимающих вокруг него оборону. Но нету — потому что нет общей страны и единой нации, потому что нет и не предвидится синтеза. Что такое сейчас в России национальное единство? Два всем известных мужчины, что ли? В духе «мы с Дмитрием Анатольевичем близкие люди и понимаем друг друга, сейчас вот сядем национальную идею придумывать, как решим, так и будет»? Ну, это даже не смешно. Русские в Кремле — это одна нация, на Дальнем Востоке — другая, в Костроме — третья, в Лондоне — четвертая, и нет между ними ни-че-го общего, и мифа у них общего быть не может, точка!” Парфенов, свободный электрон атомизированной русской действительности, поддергивает манжеты пижонской рубахи в мелкую розочку и бодро устремляется куда-то в сторону ресторанчика “The Troubadour”.

Я рад бы поспорить с Парфеновым, но я не могу. Синтеза не происходит. “Рождения нации” не случилось. Новая общность разобщена, кажется, по всем мыслимым параметрам: национальным и социальным, классовым и кассовым. Разграничена по горизонтали где МКАД, где рубежами живущих автономно регионов, где заборами коттеджных поселков. Рассечена по вертикали на почти не сообщающиеся и друг друга терпеть не могущие этажи-отсеки. Всё так, и странно было бы ожидать в предельно разделенной стране мощной и слитной мифологии; к тому же выплавка единого мифа — дело не для одиночек, тут нужны государственные мощности. Всё так — но сдается, что это скорее другая формулировка вопроса, чем ответ на него, скорее еще одно следствие, чем причина. А причина и ответ для обоих вопросов — “почему в России-2011 такое разобщенное общество?” и “почему писатели не пишут про 1991-й книг, а режиссеры не снимают фильмов?” — находятся в какой-то одной точке. И эта точка, будто стивенкинговское Странное Место, настолько неблагоприятна для посещений, что туда совершенно не хочется попадать даже отчаянным одиночкам, которым сам бог велел отыскивать и использовать художественные модели русского бытия безо всякой оглядки на державный миф и государев агитпроп.

Впрочем, я получаю на свой вопрос разные варианты ответа, и некоторые утешительны вполне. Например, такой: просто временная дистанция слишком мала. “Дело в том, что общество до сих пор расколото и не выработало своего отношения к нашему общему «недалекому прошлому»... — пишет на сайте “Сноб” предприниматель Павел Рабин. — ...Нынешнее поколение и участники событий до сих пор не могут понять и признать историческое значение событий последнего десятилетия XX века. Сначала это время должны проанализировать ученые и публицисты, а потом уже художники. Этими учеными станут наши дети, а художниками — наши внуки. Дети и внуки тех, кто стоял у Белого дома или не мог оторваться от круглосуточных телетрансляций". "...Рано еще, — откликается в той же дискуссии консультант Виктор Майклсон. — «Репортажно» пишутся стихи и рассказики, чуть позже (например, о детстве) — повести... А большой жанр — он должен вылежаться... Толстой же начинал роман о двадцать пятом годе, а потом понял, что про 1825-й нельзя писать, не написав о 1812-м..."

И почти про то же говорит мне Дмитрий Быков, один из самых популярных русских журналистов и плодовитых русских сочинителей, сам, казалось бы, собаку съевший на препарировании точек бифуркации русской истории — от пройденных уже (1918 год, "Орфография") до чаемых (близкое антиутопическое будущее, "ЖД"). "Знаешь, — говорит он, — у меня есть смутное подозрение, что некоторая непрописанность событий 1991 года в русской литературе объясняется отсутствием внятной, неангажированной точки зрения на них. Это одновременно триумф свободы, энтропии, распада, героизма, глупости, пошлости и т.д. Описывать это с точки зрения либерала невозможно, ибо мы знаем, что настало потом, — а самые умные уже и на площади перед Белым домом догадывались. С точки зрения нелиберала — до сих пор не совсем прилично: очень уж быстро сдулся ГКЧП. Объективный взгляд на вещи — и, соответственно, некая новая историософия — дело отдаленного будущего. Сам я с трудом себе представляю, о чем можно было бы писать применительно к августу 1991 года: никто из участников событий ничего в них не понимал, повторять тогдашние заблуждения скучно, а вписывать в те времена наблюдателя с сегодняшним взглядом нечестно. Штука была в том, что неправы все: бессмысленно спорить, красное или зеленое, когда — круглое".

Ну хорошо, думаю я, пусть так; но если значимая коллизия нового времени в том, что не красное или зеленое, а круглое, и если эту коллизию можно наглядно и увлекательно прояснить на драматургически выигрышном материале девяносто первого — так почему ж ни у кого не возникает такого желания?.. Ссылка на скороспелую "репортажность" работает едва ли: какая уж тут репортажность, двадцать лет прошло, шутка? Ладно, дальнозоркому гению Толстому в "Войне и мире" потребовалось отодвинуться от своей эпической фактуры на еще большее расстояние, но мало ли стоящих вещей делается по горячим следам? И если даже для рождения шедевра действительно нужно, чтобы все участники событий чинно проследовали в могилу, не мешает же это менее претенциозным творцам вгрызаться в совсем еще неостывшие девяностые и нулевые, в бандитские разборки, битвы олигархов, дефолт девяносто восьмого, чеченскую войну, чекистскую реставрацию? Почему же они упорно обходят стороной девяносто первый со всей его треклятой переломной судьбоносностью?

"Да ладно, Саша, — говорит мне в Лондоне замечательный писатель Леонид Юзефович, совсем недавно в своих "Журавлях и карликах" филигранно встроивший девяносто третий — но не девяносто первый! — год в вечное русское колесо самозванства и смуты. — А взять Великую Октябрьскую социалистическую революцию, про которую во всех учебниках истории писали, что она обошлась очень небольшим числом жертв; помните, был даже такой штамп — «триумфальное шествие советской власти»? А потом началась гражданская война, которая продолжалась, по одним раскладам, три года, по другим — пять лет, а на самом деле продолжается до сих пор. Вот об этой гражданской войне написано очень, очень много. А о самом октябрьском перевороте не написано практически ничего. Можете мне назвать какое-то произведение, кроме «Ленина в Октябре», что приходит на память? А? «Десять дней, которые потрясли мир»?.. Ну разве что. И тоже почти никто не помнит почти ничего, кроме названия. А вот всё, что было потом, — вот это было по-настоящему важно! Вот об этом написаны тонны книг, и мы их помним. Так же и девяносто первый. Это такой толчок, которого мы — по большому счету Истории и искусства — не замечаем. Мы включаем механизм, и щелчок для нас не важен. Важно, как работает механизм. Потому и не будоражат нас те обстоятельства, потому и забыты те люди, кроме самых титульных: Ельцина, Горбачева, главных путчистов, — а вот кто сейчас помнит какого-нибудь премьера Силаева или, скажем, Бурбулиса? А ведь тогда казалось, что эти люди важны, что от них будущее зависит. А на деле они просто оказались — случайно — острием тарана. А уж кто держал этот таран в руках — вашингтонский обком, или небесный, или, напротив, какой-нибудь хтонический — это совершенно другое дело и совсем другая история".

И замечательный писатель Юзефович уходит рассказывать эту другую историю англичанам, неизменно интересующимся, есть ли в России свобода слова и действительно ли мистер Медведев готов начать демократические реформы, выступив против имперской линии мистера Путина. А я бреду в хвост очереди, выстроившейся в ярмарочный бар за алкоголем, и думаю, что замечательный писатель Юзефович меня не убедил.

Это, конечно, выглядит логичным — рифмовать семнадцатый и девяносто первый; революции легко рифмуются с революциями; вот только иногда это ложная рифма, неточная как минимум. Уж больно разным было в семнадцатом и в девяносто первом буквально всё: декорации, настроения, контекст, действующие силы и лица, массовка. Главное же (для нас, коль скоро речь о культурном эхе событий) — огромное различие в позиции творческой элиты.

Творческая элита десятых годов в штурме Зимнего не участвовала, да и вообще в массе своей к большевикам относилась настороженно, для настоящей сепарации потребовалась страшная встряска гражданской — лишь тогда элита разделилась на сторонников новой власти (часто почти невольных, лишь по принципу "меньшего зла") и ее противников (часто сомневающихся). Не то девяносто первый: уж тогда-то лучшие представители творческой интеллигенции (какие были — не о качественном равенстве с грандами Серебряного века речь, исключительно о статистике) в подавляющем большинстве оказались по "демократическую" сторону баррикад сразу — если не девять десятых, то три четверти точно.

Девяносто первый вообще гляделся высшей драматической точкой упований советской либеральной интеллигенции. Разумеется, у Белого дома собрались самые разные люди — от рабочих до "афганцев", от только-только распробовавших вкус денег младопредпринимателей до только-только начавшей их крышевать младобратвы, — но именно интеллигенция (шестидесятническая если не по поколенческой принадлежности, то по внутренним ориентирам) задавала тон и стиль. Тон и стиль людей, уже слышавших русский рок, но взращенных на песнях Окуджавы, вышедших на площадь "браться-за-руки-друзья-чтоб-не-пропасть-поодиночке", впервые поверивших в действенность этого эмэнэсовского хоровода, — и не зря кто-то остроумный тогда точно пошутил, что это окуджавовский "синий троллейбус" сгорал тогда на миллионах телеэкранов в памятной трансляции CNN.

В упоении легкой вроде бы победы творческая интеллигенция не сочла сожжение троллейбуса символически значимым. Как выяснилось, напрасно. Не ставший символом и иконой, не отлившийся в книги, фильмы и песни, не оплодотворивший культуру и не сделавшийся даже поводом для ностальгии, август 1991-го, да и весь 1991-й, удивительно быстро (по меркам не Истории даже — отдельной человеческой биографии) канул в мертвую зону стыдливого умолчания. "Стыд" — да, вот оно, ключевое слово; "стыд" — и еще "обман".

Именно об этом пишет на сайте "Сноб" художник и продюсер Владимир Дубосарский: "...Я сам стоял у Белого дома тогда, и у меня осталось ощущение, что меня обманули, кажется, что был дураком. Неприятно вспоминать, что тогда у тебя были какие-то иллюзии и что они так быстро были развеяны. У многих осталась здесь личная травма, и никто не хочет в этом копаться — ни писать и снимать, ни читать и смотреть". И журналист Дмитрий Литвин там говорит про то же — с чуть другой стороны: "1991 год — это фикция... В 2011 году, когда Партия и Правительство вернулись в том же смысле, в каком они были при Брежневе, только в приличном костюме или вообще в рясе, и когда государство по-прежнему ставит Идею выше личности, а интересы сообществ — выше интересов индивидуумов, достаточно странно было бы видеть некие произведения о 1991 годе: фиктивность более чем очевидна".

И про то же говорит мне в лондонской очереди в ярмарочный бар Захар Прилепин, один из самых успешных писателей нашего "поколения тридцатилетних" и уж точно самый успешный писатель радикально-оппозиционных воззрений: по его “Саньке” только что поставил спектакль Кирилл Серебренников, его прозу экранизируют Миндадзе и Алексей Учитель, в ряду его внимательных читателей странным образом оказываются и юные нацболы, и, говорят, кремлевский серый кардинал Сурков. “В девяносто первом на самом деле случилось стыдное какое-то мероприятие, — говорит Прилепин. — Оно было суетливым, в нем была какая-то нечистоплотность и не было никакого чувства, что произошло что-то грандиозное, что повернулась — перевернулась — огромная империя. Всё было на постыдном каком-то уровне. Я сам тогда ходил по улицам, и даже ощущения толпы у меня правильного не возникло. Знаешь, бывает иногда, что даже в чужую толпу попадешь — неважно, демократов, скинхедов или египетских бунтарей, — и пробирает ощущение: вот он, праздник, вот она, движуха! А там такого ощущения не было ни разу. А было сообщество наивных и, честно говоря, глупых людей. Знаешь, язык и литература — это самое главное, а по большому счету единственное мерило исторического процесса. И если некое событие никоим образом не отразилось в состоятельном тексте, если язык его отторг — значит, ребята, извините, само событие было какой-то туфтой! Значит, вы всех обманули, ничего не произошло, кроме какого-то недоразумения, огромной такой русской непрухи. И за это вообще стыдно должно быть. Ну, бывают иногда в жизни такие вещи — когда облажаешься, по пьяни или просто так. Ну вот так и в девяносто первом — лажанулись”.

Очередь подходит, и Прилепин — не самый большой полиглот — заказывает барменше виски: "Дабл-дабл!". Помявшись, она приносит стакан с двумя двадцатиграммовыми дринками. Прилепин обреченно вздыхает и, глядя на нее ласковыми прозрачными глазами берсерка, уточняет заказ: "Ноу. Дабл-дабл-дабл-дабл!" — а я думаю невпопад, что все-таки Прилепин наверняка проецирует на тогдашнего себя свои нынешние ощущения, что трудно было в шестнадцать лет совсем уж не подпасть под обаяние какой-никакой революции, под гипноз наглядно обретшей пластичность Истории. Впрочем, я не бродил тогда по московским улицам: я аккурат с девятнадцатого по двадцать первое ехал в автобусе из Риги в Данию по школьному обмену и, забираясь в автобус, услышал от родителей одноклассников, что "в Москве путч", а выбравшись из автобуса, узнал от встречающих датчан, что "в Москве победила демократия". В том же автобусе ехал мой одноклассник Леша Евдокимов, с которым мы годы спустя написали на пару несколько книжек, а сейчас он уже соло пишет остросоциальные романы, и последний опубликованный был про путинские нулевые, а новый, еще недописанный, — про отношения с советскими восьмидесятыми; опять та же значимая щель, в которую ухает, не зацепившись, год-91, — и, конечно, я и Евдокимову задаю свой вопрос.

"— Культурного эха у девяносто первого нет, как мне представляется, по причинам объективным и субъективным, причем прямо между собой связанным, — говорит он мне. — Объективное обстоятельство: для появления художественно состоятельных вещей нужна разница потенциалов, напряжение между полюсами. В семнадцатом году была ощутима разница между торжеством хаоса и зверства — и совершенно искренними надеждами очень многих на построение справедливого, прежде небывалого общества. Между реальной кровью, разрухой и ужасом — и ожиданием Царства Божия в новой редакции…

— А в девяносто первом эта разница, — уточняю я, — полагаешь, отсутствовала?

— Полагаю, да. В девяносто первом никакого драматического противоречия не было. А было — в чем я совершенно уверен — чистое торжество энтропии, обрушение конструкции. Вместо справедливого общества и Царства Божия в девяносто первом была равно разделяемая номенклатурой, интеллигенцией и народом мечта Мальчиша-Плохиша о бочке варенья и корзине печенья. Только номенклатура целенаправленно ее осуществила, окончательно развалив государство; интеллигенция обеспечила процесс идеологически, объяснив народу, что это делается для того, чтобы он, народ, зажил, как в Америке, в белом «Линкольне» на берегу собственного бассейна с ликером «Амаретто» во рту; а народ радостно купился… Впоследствии никому — и в особенности интеллигенции, отвечающей за художественную рефлексию, — вспоминать о произошедшем не хотелось. Это субъективная составляющая. Не говоря уже о том, что именно тогда, в девяносто первом, интеллигенция и перестала быть интеллигенцией, то есть группой, отвечающей за сохранение в обществе представлений о непрагматических ценностях. Надо сказать, она не всегда лицемерила — многие тогда, в преддверии и во время гайдаровских реформ, действительно верили в то, что любые идеалы помимо чемодана у.е. — это коммунистическое вранье, что богатый всегда прав и что нерентабельная наука и неконвертируемое в быструю прибыль искусство должны издохнуть как неконкурентоспособное наследие Совка. Это самое неконвертируемое искусство и впрямь тогда практически издохло, а интеллигенция занялась изданием глянцевой периодики и конферансом на бандитских фуршетах.

— И что из этого следует? Следует ли, к примеру, ностальгия по советскому проекту, которая сейчас, похоже, в моде у интеллектуалов?

— Знаешь, я же неплохо помню, что представлял собой Совок на практике, и ни тени ностальгии не ощущаю. Просто помимо плана бытового, на котором всё было весьма по-скотски, он обладал планом идеальным, что позволяло искренне писать и читать утопии типа стругацкого «Мира Полудня». Этот идеальный план деградировал долго и в конце концов исчез еще до девяносто первого — просто в девяносто первом мы окончательно избавились от необходимости делать вид, что он существует. Но если я и вижу повод для художественного, так сказать, осмысления — то в самом процессе, а не в обстоятельствах его завершения. Неинтересно писать про девяносто первый. Противно и стыдно".

С тем, что в девяносто первом драматического зазора между упованиями и реальностью не было, наверняка многие захотят поспорить. Да и самому мне кажется, что он все-таки был — только схлопнулся исключительно быстро и жестко. И вот именно в этом схлопывании, в его скорости и безапелляционности, в том, как покорно оно было съедено и переварено, и есть, я полагаю, ответ на вопрос, почему про 1991-й не пишут романов и не снимают кино.

Штука в том, что Россия — это, натурально, failed state, "несостоявшееся государство". Звучит оскорбительно: обычно этот лейбл пришпиливается к каким-нибудь вольноотпущенным колониям, так и не сумевшим обзавестись полновесной державностью и скатившимся в трайбализм и гражданскую войну. Но ведь и речь о той России, которая брезжила (пусть идеалистически и наивно, пусть нечетко и противоречиво) в головах тысяч людей, приходивших двадцать лет назад к Белому дому, и миллионов, переживавших происходящее дистанционно. О России как утопии. О России как по-настоящему новом, с чистого листа, проекте. Вот эта Россия — она действительно failed. Она не состоялась и не случилась, она не состоится и не случится уже никогда.

Мало найдется охотников вспоминать и творчески осмысливать ситуацию, в которой ты выглядишь, во-первых, наивным идиотом, во-вторых, слюнтяем, в-третьих, предателем (как минимум самого себя). А примерно в такой ситуации часть общества, “отвечающая за художественную рефлексию”, и оказалась в девяносто первом и сразу после. Это неприятно, это фрустрирует, это хочется забыть, вытеснить на периферию сознания. Какие уж тут романы. Воспоминание о том, как ураганили в зрелые девяностые или пилили в сытые нулевые, куда комфортнее: ухарское ли и гусарское, злое ли и трезвое — оно спасительно цинично, оно лишено стыдного, жалкого, лоховского привкуса обмана и самообмана. А что failed — то failed, шалтая-болтая не соберешь заново, нечего тут вспоминать, и осмысливать нечего.

Только ведь и это еще не всё, думаю я, бродя по Лондону, в который чуть сюрреалистическим образом временно инсталлировано немного московской матрицы — то редактор “тех самых «Итогов»” Сергей Пархоменко ловит кэб на углу у Гайд-парка, то автор мегабестселлеров Борис Акунин прогуливается вдоль Темзы, то живой классик Владимир Маканин сидит в пабе над полпинтой “Гиннесса”, и от Людмилы Улицкой до Полины Дашковой — ровно два перекрестка; да ладно гости-сочинители — не в этом ли городе справлял только что юбилей архитектор перестройки М.С.Горбачев, не в нем ли равно квартируют опальный демиург новой России Березовский и лояльный демиург Абрамович, лишившийся бизнеса Чичваркин и не вполне лишившиеся его Лужков с Батуриной, плюс тысячи и тысячи русских демиургов, падших ангелов, штатных демонов и мелких бесов всевозможного пошиба?..

Это еще не всё, думаю я, потому что невелика сама по себе беда — если виртуальный проект новой России, грубо сводимый к сомнительной идее инсталлировать условно лондонскую (нью-йоркскую, парижскую) матрицу в Москву, двадцать лет назад распался на пиксели от лобового столкновения с реальностью. Невелика беда, если бы за эти два десятилетия ему на смену явились другие проекты, другие видения будущего, способные всерьез оккупировать мозги и души — и начать форматировать реальность под себя. Но в том-то и беда, что больше никаких проектов и видений не явилось — одни только мыльные пузыри и пиар-фантомы, в настоящесть и серьезность которых ни на секунду не верят даже те, кто их выдувает и генерирует.

Неизжитый "комплекс-91" потому и не изжит, что до сих пор нечем провести замещающую терапию. Про 1991 год действительно стыдно писать романы и снимать кино, потому что по-прежнему нечему занять место давно просроченного стыда.

Когдатошний "год обмана" сделался самовоспроизводящимся генетическим кодом, и искусство, хитрый диагност, двадцатилетним своим молчанием говорит с нами про эту дурную наследственную болезнь.

ЧЕМ ГИТЛЕР ХУЖЕ СТАЛИНА?

Проклятие эффективности: как работает русская матрица (2010)

Самая сокрушительная война XX века, ставшая самой крупной катастрофой за всю историю человечества, была войной двух тоталитарных империй, похожих друг на друга, как родные братья. От пропаганды до эстетики, от чудовищной практики концлагерей и массовых репрессий до богоподобного статуса тиранов — по внешним признакам две системы были практически неотличимы. Как же получается, что десятилетия спустя глава одного из этих государств — общепризнанный преступник и массовый убийца, другой же для миллионов людей всё еще если не мудрый вождь, то "эффективный менеджер" и без пяти минут "имя России"? Сможем ли мы когда-нибудь что-то с этим сделать?

Осень 2007-го, Западная Украина, Закарпатье. Я еду из депрессивного Мукачева в депрессивный Рахив на раздолбанной "двадцатьчетверке". За рулем мукачевский пасечник, угрюмый, вислоусый, тощий, словно скрученный из серых обтрепанных веревок мужик. В Мукачеве я, кинув у него дома рюкзак

Welcome to Downtown Library
You checked out the following items:

1. Neperevodimaia igra slov
   Barcode: 31621213473768 Due: 11/6/2022 11:59 PM

DTN 10/9/2022 11:15 AM
You were helped by Library

(надо было дождаться, пока "Волгу" загрузят медом), час болтался по городу, всё более уверенно прощаясь с оставленным в рюкзаке ноутбуком. Через час рюкзак с ноутбуком оказался на месте, багажник "Волги" еще заполнялся янтарными банками, а меня сводило от приступов острого, как перитонит, стыда и неопределимой тоски: пасечник дал мне полистать старый, еще шестидесятых, фотоальбом. На снимках был неузнаваемый, но несомненный он — сотрудник НИИ, мускулистый, голый по пояс советский полубог; улыбаясь победительно, как Шон Коннери, он позировал на горных лыжах, а на нем висли загорелые — видно даже сквозь черно-белое зерно — нимфы с фигурами порнозвезд.

Мы едем молча — я, пасечник и его мама, женщина уж точно за сто, с чертами и достоинством мумии египетской царицы. Поздний вечер 31 октября, Хэллоуин. В темноте за окном "Волги" изредка багровеют тусклые кострища: на кладбищах горят свечи. Выйди сейчас из-за поворота зомби, не удивится никто. Трансильвания лежит вокруг, беспокоя ознобными мурашками вампирских легенд.

Внезапно я вздрагиваю — пасечник нарушает молчание: "А вот здесь у нас географический центр Европы".

За центром Европы садится попутчица. Она компенсирует наше долгое молчание, говоря непрерывно и за всех на дивном наваристом суржике: в смеси русского и украинского плавают венгерские и румынские шматки. "Вот я вчера ходила в Румынию, так там же пенсии ж повысили...” — начинает она. Или: “Вот я вчера ходила в Венгрию...”; с пятачка вокруг хэллоуиновского центра Европы в Венгрию или Румынию действительно можно сходить пешком. Заканчивается каждая история одинаковым рефреном: “Ох, мой бедный, бедный народ!”. Скоро оказывается, что попутчица успела побывать и в Китае; неужто вчера ходила?! — нет, летала по челночным делам. Видела мавзолей Мао Цзэдуна. “Из хрусталя зроблен”, — констатирует попутчица.

С мавзолея Мао монолог переключается на Сталина. “Вин великий чоловик, — говорит попутчица веско. — Вин импэрию зробил”.

И тут пасечник-водитель, чей божественный расцвет пришелся на отринувшие Сталина шестидесятые, и его видавшая проклятый царизм, польскую вильность и бог еще знает что мама впервые синхронно и опять-таки веско кивают.

За поворотом вырастает красный свечной сполох, гравий, стучащий по днищу “Волги”, выдает грозное барабанное тремоло. Я испытываю пронзительное ощущение недоброй колдовской силы момента: Ночь Всех Святых и час живых мертвецов, кладбища, подсвеченные красным, глухой и нищий центр Европы, точка лобового столкновения этносов, государств, красных стрел на штабных картах, до Румынии, Венгрии, Словакии — дистанция пешеходной прогулки, опустившийся, несбывшийся советский бог горбится за рулем своей медовой колесницы-развалюхи — и надо всем этим вдруг ощутимо встает (откуда, как?) плотный призрак Генералиссимуса. Умершего больше полусотни лет назад чоловика, зробившего импэрию, мертвую уже два десятка лет.

* * *

С тех пор я вспоминал эту историю многажды — и чем ближе к сегодняшнему дню, тем чаще возникали поводы: то газетный спор, то телевизионное ток-шоу, то Сталина выдвинут на конкурс “Имя Россия” (и только продюсерские уловки позволят заменить во всенародном телешоу Иосифа Виссарионовича на политкорректного Александра Невского), то на станции московского метро восстановят историческое посвящение вождю, то столичная мэрия вознамерится использовать лик Генералиссимуса в плакатах по случаю 65-летия Победы, то на очередном форуме возникнет ожесточенная баталия вокруг вождей Рейха и СССР. И когда на сайте проекта “Сноб” состоялась дискуссия на тему “Чем Сталин отличается от Гитлера?” — я тоже первым делом вспомнил это: фантомное Закарпатье, тускло озаренное кладбищенскими свечами Никогде (как назвал бы это дока по страшным сказкам Нил Гейман), стук гравия и “вин импэрию зробил”.

Чем Гитлер отличается от Сталина — хороший вопрос. Если набрать “Гитлер Сталин” в русской поисковой системе “Яндекс”, результат будет — три миллиона ссылок. Если распечатать и прибавить все книги и статьи, посвященные сравнению вождей, можно несколько раз опоясать Землю или протянуть мостик до Луны. Это бесконечный пазл, который можно три миллиона раз собирать заново, тасуя банальности и апокрифы, отыскивая в любом сходстве различие и обнаруживая во всяком различии тождество.

Сталин — сын сапожника из грузинского Гори, неудачливый семинарист, с малых лет ушедший в революцию, мотавший срок на каторге и грабивший для революционной кассы банки; Гитлер — сын мелкого таможенника (а впрочем, отец сначала тоже был сапожником) из австрийского Браунау, косивший от призыва, а потом добровольцем пошедший на фронт. Сталин в юности писал стихи (плохие), а молодой Гитлер пытался стать художником (ему недурно удавались пейзажи альпийских долин и архитектурные зарисовки, а вот портрет не получался совсем; на экзаменах в Венскую академию художеств его завернули, посоветовав переквалифицироваться в архитекторы; он и последовал совету, в каком-то смысле — стал архитектором нового мира, ну и фантазии Шпеера весьма привечал). Гитлер любил Вагнера, а Сталин мог декламировать наизусть рассказы Чехова; впрочем, оба много читали. Сталин благосклонно относился к воплощениям своего образа в кинематографе, а Гитлер запретил себя играть; оба, однако, ценили кино.

Гитлер брал уроки у актеров и был блестящим публичным оратором, мастером заводить стадионные аудитории, Сталин предпочитал драматургов и общение с глазу на глаз, умея очаровать визави, даже если это Герберт Уэллс; впрочем, Гитлер магнетически действовал на собеседников в частной беседе, а речи Сталина, косноязычные, основанные (считают специалисты) на примитивных тавтологиях, оказывали сокрушительное воздействие на умнейших людей эпохи даже через трескучие радиодинамики. Гитлер любил военную форму, и Сталин тоже (френч). Сталин возглавлял самую атеистическую державу мира, а Гитлер не раз расписывался в приверженности к христианству; впрочем, Сталин явно вынес из семинарии привязанность к библейской форме, если не сути, а Гитлер попов презирал и планировал в Тысячелетнем Рейхе полностью заменить старую церковь новой, основанной на германской мифологии и его личных откровениях.

Гитлер благоговел перед оккультным знанием ("Нацизм есть магия плюс танковые дивизии", — отчеканили Бержье и Повель), внимал Хаусхоферу и Зеботтендорфу, структурировал СС по принципу тайного ордена, а Сталин к тайноведению был демонстративно равнодушен, эзотериков сгноил в лагерях; впрочем, любой заштатный конспиролог вывалит на вас груду легенд о том, что Сталин был учеником Гурджиева, и Зеботтендорф с Хаусхофером тоже ходили в подмастерьях армянского мага, так что у обеих тоталитарных империй XX века общий оккультный генезис. У Сталина были усы, и у Гитлера были усы; но фасон у них разный (и это от участников дискуссии в “Снобе” не ускользнуло, да).

И так далее. Можно до бесконечности.

* * *

Разумеется, на деле вопрос “Чем Сталин отличается от Гитлера?” лишь корректно-эвфемистичная форма другого вопроса: можем ли мы уверенно и однозначно сказать, что вождь СССР Иосиф Виссарионович Сталин — такой же кровавый тиран, что и вождь германского Рейха Адольф Алоизович Гитлер, признанный тираном и убийцей как в зале суда, так и судом общества? Да или нет?

Короткий ответ “да, конечно”, принятый западным массовым сознанием (на мелкие статистические погрешности в лице неонацистов или узкоспециализированных историков можно закрыть глаза), в России и вообще экс-Союзе прямого эффекта не имеет. Иначе откуда бы все эти телевизионные пережевывания, газетные схватки, форумные баталии, все эти люди, сходящиеся стенка на стенку по поводу того, можно ли считать Иосифа Виссарионовича “эффективным менеджером”.

Среди причин этого есть более явные, а есть — менее, хотя утешительной нет ни одной.

Вот довольно явная: спокойное, само собой разумеющееся “да, конечно” возможно, когда ответ этот — стабильная данность на уровне главки в школьном учебнике; когда вопрос и не предполагает реальной рефлексии, не стоит в актуальной повестке дня. Если стоит и предполагает — всё сразу становится не так просто не только в вопросе сопоставления фюрера и вождя, но и с каждым из них в отдельности. И здесь русская либеральная публицистика, да и вообще отечественный либеральный дискурс, демонстрируют характерную слабость. Один вариант — сказать "монстры", "маньяки", "исчадия ада", приравнивая Адольфа или Иосифа к Чикатило или Джеку-Потрошителю. Другой — сказать "ничтожества", как это сделал замечательный писатель Аксенов еще тридцать лет назад в замечательном романе "Остров Крым": там у него протагонист Андрей Лучников как раз и сочиняет журналистский мегахит "Ничтожество" к юбилею Сталина, раскрывая глубочайшую бездарность вождя, а заодно и фюрера ("пока двое слабоумных душили друг друга…"). Сталин и Гитлер, по Аксенову, — ничтожества, агрессивные и узколобые паразиты, выброшенные наверх социобиологическим взрывом, омерзительный результат отрицательной селекции.

Неубедительно, увы, и то и другое. Маньяк, руководимый фазами луны и собственной сексуальной неполноценностью, может разобрать на запчасти полсотни человек — но едва ли в состоянии построить и контролировать машину угнетения и подавления имперских масштабов; тут нужны воля и талант незаурядного манипулятора. Ничтожество может убить или запугать даже и многих — но едва ли в состоянии создать и эксплуатировать систему, с помощью смерти и страха реализующую глобальные задачи; тут требуются терпение и дар холодного игрока.

Сводить Гитлера к персонажу чаплинского "Великого диктатора", а Сталина — к образу по-горски мстительного гопника, есть глупость — простительная, пока работает логика войны (а шестидесятники, в сущности, и воевали со сталинской, "ретростремительной" тенденцией в СССР); пока высмеять и унизить врага и тем нанести ему урон — важнее всего прочего. (Оба вождя, к слову, неплохо это сознавали и хорошо умели, судя по их пропаганде.) Но логика войны не работает, когда требуется уже не унижать и высмеивать, а — понимать.

* * *

Пытаясь понять, приходишь к тому, например, что пугающее сходство Сталина и Гитлера, а также выстроенных ими тоталитаризмов — еще и следствие того, что у вождей были схожие амплуа в одной и той же общемировой постановке. Что это за постановка, удачно определил писатель и художник Кантор: обе мировые войны и период между ними, заметил он, — это растянутое на десятилетия кровавое состязание между разными формами народовластия с целью выявления наиболее эффективной.

Откуда "народовластие" — понятно: не о власти народов речь, но о новых формах власти над народами.

Эти новые формы потребовались — и тут придется повторить банальную, но важную вещь — уже потому, что промышленные и социокультурные революции вбросили огромные массы людей в поле активной жизни государств. Это были люди, доселе в созидании истории не участвовавшие. Требовалось найти им место (потом оказалось, что для этого придется половину их убить). Требовались способы манипуляции этими людьми. Требовалась новая элита, способная ими править, — больше того, нужен был механизм ее ротации и пополнения; старый, сословный, феодальный по сути годиться перестал. Отсюда травматическая модернизация, две огромные, внешне бессмысленные войны, цепная реакция революций и контрреволюций, эпидемия "летальных идей".

Сталинизм и гитлеризм — участники "матча народовластий", оказавшиеся наиболее чудовищными еще и потому, что играли они на самых проблемных участках. Там, где для новых механизмов было меньше всего готовых деталей, — а так и было в архаичной и обескровленной России и в Германии, которую унизили и поставили на версальский счетчик.

И Штаты столь явно выиграли от всей мясорубки первой половины XX века не только в силу удачной заокеанской прописки — но и потому, что были изначально футуристическим проектом, притом удачным; востребованная новым временем социальная машинерия монтировалась там загодя.

Тогдашние мечтатели — и кремлевский, и берлинский — сходство своих ролей в пьесе сознавали вполне. Сталин несколько раз крайне уважительно отзывался о Гитлере — Гитлер же в застольных беседах упоминал Сталина многократно, не стесняясь эпитетов вроде "гениальный", причем даже во время войны. Существуют свидетельства: Гитлер вопреки логике событий сорок пятого надеялся на сепаратный мир — со Сталиным! А Сталин уже в конце сороковых высказывал сожаление, что Гитлер стал его противником — а не союзником! Иосиф был очень впечатлен молниеносными и жесткими партийными чистками Адольфа, внимательно изучил и применил опыт "Ночи длинных ножей"; Адольф и вовсе был прилежным учеником, скопировал у Иосифа множество репрессивных технологий, сравнивал его властную манеру с методами Карла Великого и даже о стахановском движении отзывался тепло.

Всё это, впрочем, констатация сходств. В чем же различия вождей, сделавшие Адольфа общепризнанным преступником и иконой агрессивных маргиналов, а Иосифа — знаковой фигурой и предметом общественной дискуссии?

* * *

В отличие от Гитлера, Сталин — звено исторической непрерывности. Правление его, содержательно ужасающее (миллионы невинных жертв, прямое и косвенное истребление элиты нации и так далее), формально успешно уже только потому, что органически слито и с тем, что было до, и с тем, что стало после. Это простая, хоть и раздражающая констатация: содержательная часть истории в массовом сознании всегда проигрывает формальной. Так погубивший миллионы Сталин в зеркале национального восприятия не может быть равен погубившему миллионы Гитлеру уже потому, что Гитлер проиграл войну, страну и покончил с собой, а Сталин выиграл войну и умер своей смертью (конспирологическая версия об отравлении Берией ничего не меняет), страну же оставил в вихляющей, но прежней колее. Потому, что Гитлер — это завершенная история; а Сталин — сюжет открытый, часть растянутого на десятки, не сказать сотни, лет русско-советского метасюжета. Первое психологически (и практически!) куда легче вычленить, объявить чужеродным и отторгнуть, нежели второе.

Одно это отодвигает в область фантазий милую либеральному сообществу идею процесса а-ля Нюрнберг над советским коммунизмом вообще и Сталиным в особенности, который надо-де было провести году в девяносто первом и тем однозначно маркировать усатого вождя и его наследие как Зло. Успешный суд возможен только над проигравшим и только если его проводят победители. Нюрнберг и последующие денацификация с люстрацией оказались сравнительно успешны, потому что Гитлер был мертв, его уцелевшие близкие соратники — посажены в клетку, Германия — растерта в щебенку, за судьями стояли оккупационные штыки и мстительная воля победивших наций, а у немцев не осталось другого способа жить дальше, кроме отсечения куска прошлого, большого, но не фатально большого даже по меркам средней человеческой жизни.

Надо ли говорить, что в России ни в девяносто первом, ни в любом последующем году ни одно из этих условий (за исключением того, что Сталин тоже уже был мертв) соблюдено не было и быть не могло.

* * *

Но и это не главное препятствие для постановки окончательного знака равенства между вождями. Произнося "Гитлер" или "Сталин", мы помимо воли подразумеваем мифологему, идеологему, бренд. В этом бренде конкретного человека никак не больше, чем идеи, которую он олицетворяет, и неважно даже, насколько по праву. Поэтому парадоксальным образом даже тот факт, что "ультраправый" Гитлер был реальным революционером (пускай и "консервативным", в терминах Юлиуса Эволы), а "левый" Сталин осуществлял, по сути, контрреволюцию (заменив идею мировой революции на реставрацию Российской империи в социалистической редакции), — факт этот не в силах ни уравнять, ни даже окончательно сблизить бренды "Гитлер-нацизм" и "Сталин-коммунизм". Просто потому, что коммунистическая идея сама по себе зримо не равна национал-социалистической: воплощения удивительно схожи, но векторы идей глядят в диаметрально противоположные стороны.

Нацизм основан на имманентности. На возвращении к самому безусловному и дремучему разделению по имманентному признаку — биологическому. Коммунизм — на отрицании имманентности, на постулате равенства всех и вся.

Вектор нацизма обращен в прошлое — к племенным, звериным разделениям на своих и чужих, к языческой темной магии и жестоким дохристианским богам. Вектор коммунизма — в будущее, где все без вычета люди должны стать как Бог. Поэтому коммунизм есть футуристический проект — и отсвет этого потенциального футуризма падает также на проект реально воплотившийся, советский, сколь бы беспросветным ни было это земное воплощение. А отказаться от возможного моста в будущее всегда сложнее, чем от временного возвращения в мифологическое прошлое.

Эта же подспудная правда проецируется и на войну, упорно мешая окончательно уравнять двух участников “матча народовластий”. Да, на Восточном фронте бились две очень схожие силы, и за одной стояли Освенцим, гестапо и карательные рейды СС, а за другой — ГУЛАГ, СМЕРШ и чистки НКВД на занятых территориях, про миллион изнасилованных немок умолчим вовсе. Одна сила грезила Великой Германией на завоеванных землях; другая — учредила соцлагерь на освобожденных. Больше того, если по части жестокости к чужим сумрачный тевтонский гений все-таки даст русскому медведю порядочно очков вперед, то по части жестокости к своим империя Сталина однозначно выигрывает у империи Гитлера. Брошенные в топку фольксштурм и гитлерюгенд бледнеют перед штрафбатами, заградотрядами и приравниванием любого пленного к изменнику; и когда Гитлер в финальном помрачении хотел увести за собой в Валгаллу всех германцев, затопив для верности служившее массовым бомбоубежищем берлинское метро, — советские маршалы, ломая оборону Берлина, клали тысячи и тысячи лишних солдатских жизней, будучи вполне в своем уме.

Силы были так схожи, что почти равны. Но видение будущего за силами стояло разное. В нацизме находилось место только сверхчеловеческому и нечеловеческому; коммунизм допускал просто человеческое.

* * *

Победа СССР и союзников над нацистской Германией — больше, чем победа одних народовластий над другим. И полностью отделить Сталина от факта этой победы невозможно; но возможно было бы отделить Сталина от ее празднования. По совести, 9 Мая стоило бы быть днем великой скорби по напрасным жертвам огромнейшей мясорубки в человеческой истории и великого уважения к тем, кто прошел до конца и сумел остановить мясорубку, а не днем варварского торжества одного милитаризованного тоталитаризма над другим.

В реальности, однако, наблюдается нечто противоположное. Не только День Победы (что в путинской, что в путинско-медведевской России) всё сильнее сближается с позднесоветским эталоном — но и Сталин становится не менее, а всё более востребованным персонажем. И не потому, что дать компетентный и однозначный ответ на "вопрос Сталина" нелегко — в конце концов, всё вышесказанное как раз об этом; но сам "вопрос Сталина" не только не уходит из широкого общественного пространства в ведение профессионалов — он оказывается всё более актуальным, насущным. И тенденция эта на удивление синхронна другой — разговорам о необходимости модернизации, "новой перестройки", тотальной реформы современного российского государства с его коррупцией, "ментовским беспределом", экономическим застоем, террористической угрозой и нравственным коллапсом.

Парадокс здесь — лишь кажущийся.

Да, Сталин — двойник Гитлера, носитель яркого и универсального психотипа тирана. Но это лишь один вариант сопоставления. А есть и другой. Сталин — еще и воплощение специфической российской матрицы власти. Специфической — потому что в России она воспроизводится циклически, а ретроспективно (когда боль проходит, а достигнутое через боль остается) выглядит наиболее результативной; "эффективный менеджер", как же.

Чтобы отследить генеалогию Сталина по этой линии, не обязательно быть историком, кандидатуры напрашиваются: Иван Грозный, Петр Великий — не зря же первый в сталинские времена был осторожно реабилитирован, второй — практически канонизирован. А персонально Сталин так и вовсе чрезвычайно благоволил Грозному, давил на Эйзенштейна, снимавшего свой фильм про царя Иоанна, — существует прекрасная запись беседы вождя с режиссером в феврале сорок седьмого, где Сталин, походя укорив Петра за подверженность иностранному влиянию, Грозного аттестует превосходно, говорит о его прозорливости, об оправданности его жестокости, о том, что надо было быть еще жестче: "пять боярских семей недорезал!".

Грозный — крайняя, патологическая точка линии, Петр — напротив, условно оптимальная; схожие черты, однако, очевидны. Постановка и упорное достижение великих целей, невзирая на цену вопроса. Пренебрежение ценностью индивидуальной жизни. Извращенный демократизм — когда всяк равно уязвим, невзирая на место в социальной иерархии. И как высшая публичная точка этого демократизма — до чего опасно завораживающи исторические параллели! — ритуальное сыноубийство. В пограничном, радикальном эпизоде Грозного это припадок священного безумия; в петровском оптимуме — как бы реализация высших государственных интересов. В случае Сталина это благородный отказ освобождать сына Якова из немецкого плена (якобы в обмен на Паулюса), и хотя знаменитая фраза "Я солдат на генералов не меняю", да и весь антураж истории проходят по разряду апокрифов, сохраняется ритуальная сила жеста — жутковатой пародии на Писание, символизирующей высшую справедливость и тем самым богоподобие диктатора.

Эта-то архаическая матрица, так ни разу и не сданная в утиль, актуализируется (теперь — в лице последнего ее воплощения, Сталина) всякий раз, когда предчувствие модернизации или хоть ощущение, что она назрела, повисает в воздухе.

* * *

Конечно же, актуализация эта происходит помимо воли и сознания.

Разумеется, "народ" не жаждет нового закабаления; однако позавчерашняя, сталинская матрица власти оказывается единственным внятным ответом на клептократию, вакуум политических, общественных и нравственных ценностей, на тоску по Большому Проекту, частью которого можно себя ощущать.

Разумеется, "власть", отчисляющая бабло на офшорные счета, учащая отпрысков в Оксфорде, не примеряет на себя френч Генералиссимуса; однако соблазн сталинской самовластной эффективности живет в ней, как микроб, на который не нашлось антибиотика.

И весь этот общественный скандал по поводу Сталина как "эффективного менеджера" — отсюда: в одиозном учебнике истории, по поводу которого разгорелись страсти, нет такой формулировки (хотя несколько пассажей насчет эффективности как цели советских реформ и репрессий есть); но слово "эффективность" попало в точку — и заставило в себя поверить (один мой приятель, весьма компетентный журналист, долго доказывал, что фразу про "эффективного менеджера" сказал лично Путин); заставило горячо спорить о Сталине просто потому, что другой внятной модели эффективности в масштабах нации не предложено.

Здесь корень проблемы: оценка личности Иосифа Виссарионовича до сих пор не перешла в сугубое ведомство профессиональных историков, поскольку сталинской матрице до сих пор нет убедительной альтернативы. А просто отменить ее нельзя — можно только заменить, вытеснить другой. В принципе замена возможна и без союзных штыков или вбомбления страны в каменный век — сумели же Испания или Португалия быстро оправиться после Франко и Салазара. Ссылка на этническую предопределенность, генетически закодированную судьбу тоже сомнительна — достаточно глянуть на Корею Северную и Южную. На российские масштабы пространства и времени, безусловно, стоит делать скидку. Но и времени, и пространства для выработки новой матрицы национальной эффективности у нас было достаточно. То, что этого не произошло, — то ли беда "народа" и вина "власти", то ли наоборот;

и уж всяко — вина и беда тех, кого на современном русском называют "элитами", вежливо не замечая, как красноречиво это зарезервированное в грамматике, но ранее не востребованное в живом языке множественное число — потому что много может быть мафиозных кланов или корпораций, а элита у нации все-таки одна.

И пока никакой новой матрицы нет, пока вопрос "есть ли разница между Сталиным и Гитлером?" не отошел в ведение профессионалов, все мы помимо вкусов и желания остаемся на долготе вождей. В часовом поясе более чем полувековой давности. На широте того неподдельного, но неубедительного центра Европы, мимо которого я ехал на раздолбанной "двадцатьчетверке" в озаренный кладбищенскими свечами Хэллоуин. В том заколдованном месте, которое ладно бы просто оставляло нас в невыясненных отношениях с опасным прошлым, — но оно еще и лишает нас безопасного будущего, резервируя на завтра невидимую, но реальную точку бифуркации с условным именем "Сталин".

Она всё еще существует, эта точка; вот что нам следует трезво понимать.

ЧУЖАЯ ИГРА

Потому что мы — не банда: кем на Руси быть плохо (2015)

Когда говорят, что в России кисло со свободами или возможностями, — это не вполне правда.

Россия в некотором смысле и сейчас — страна небывалых свобод и беспрецедентных возможностей.

Потому что она, Россия, — страна исключительной мобильности.

Нет, погодите, не надо кидаться в меня виртуальной шкуркой банана.

Да, я в курсе, что бывает мобильность горизонтальная — как, например, во вражьей Омерике, где люди ради хорошей работы спокойно переезжают с Атлантики на Тихий; и я в курсе, что с такой мобильностью в сегодняшней России швах — не считать же за нее вахтовую пахоту всея ближния, дальния, малыя, белыя и прочия округи в единственном стольном граде. И да, я знаю, что бывает также мобильность вертикальная — это когда хорошо работают социальные лифты, исправно подвозя свежую кровь вампирской меритократии на верхние этажи; и я знаю, что с такой мобильностью в сегодняшней России швах еще больший. И вообще, в последний раз социальные лифты тут бодро сновали по шахтам аж в девяностые — да и тогда то на лестничной площадке дежурила парочка киллеров с Тульским Токаревым в карманах, а то, напротив, из лифта, как в заштатном хорроре, выходил совсем не тот человек, который в него недавно садился.

Но не ту и не эту мобильность имею я в виду.

Настоящая русская мобильность — иная. Экзистенциальная.

Это значит, что не только правила, по которым устроена жизнь, но и само ее вещество тут — предельно и непредсказуемо пластичны. А свободы и возможности прихотливо гуляют в диапазоне от плюс до минус бесконечности, не подчиняясь до конца никакому, пускай самому хитроумному или циничному рацио.

Константа, пожалуй, только одна. Государство, если не вовсе лежит в руинах, исправно выполняет функции Рока — причем скорее в манере концлагерного коменданта Амона Гёта, в спилберговском "Списке Шиндлера" спьяну палящего с балкона во всё, чему не посчастливилось пошевелиться не в то время не в том месте.

Так тут почти всегда. В большинство эпох. При всех режимах.

И у такого устройства бытия есть неизбежное железное следствие. Почти всегда, в большинство эпох и при всех режимах, — чтобы иметь хорошие карты в игре "русская жизнь", стоит, право, принадлежать к одной из двух категорий людей.

Категория первая: одиночка. Лучше, чтобы волк. Или тот бойцовый кот из книжки Стругацких, который "боевая единица сама в себе". Названный брат Карлсона, эгоистичного и неуловимого привидения с моторчиком, стихийный адепт философа Сковороды, которого мир, как известно, ловил, но не поймал. Отсутствуют: сильные привязанности и серьезные ответственности, — некого брать в заложники. Имеются: чуткая чуйка и хорошая реакция. Чтобы, когда в дверь, наконец, постучат — Охранное Отделение, Чека, Революционный Комитет Нижнего Серожопинска, Вооруженная Православная Фаланга, Огнестрельный Фронт Демократического Возрождения (а кто-нибудь рано или поздно непременно постучит), — подхватить загодя собранный фанерный чемоданчик, спуститься по пожарной лестнице и раствориться в сизой полумгле Родины. В ее бескрайних промозглых просторах, в ее бездонной мутной глуби, где так пугающе легко сгинуть ненароком, помимо воли (словно тебя сглотнуло само это равнодушное, волглое пространство), — но и добровольно пропасть несложно тоже. А потом вынырнуть пляжным фотографом в Ялте, рыночным торговцем в Самарканде, парижским таксистом, нью-йоркским брокером, персидским дервишем: русский трансформер, как и было сказано.

И категория вторая: не одиночка — а совсем наоборот. Часть-той-силы, человек племени. Дети (лучше много), жена (сидит дома, рожает еще), друзья, побратимы, кореша, связи; банька, водочка, шашлык, шансон (можно с айфона), ты мне — я тебе, взаимные счеты и зачет, круговая порука и круговая оборона, опора на собственные силы, русское чучхе. Общность, община, общак. Клан. В идеале — та самая традиционная семья, не просто папа-мама, а настоящая традиционная: с дядьями, сватьями, братьями — тот еще террариум единокровников, почитайте хоть повести Горького, но против чужих — способный на время позабыть взаимные обиды, ощетиниться, сплотиться. На практике — поскольку где теперь та традиционная семья, атрибут аграрного общества? разве в повестях Горького... — скорее банда. Не обязательно в прямом и грубом жегловском смысле — “пр-реступное сообщество, в пр-росторечии именуемое...”; не все ж кругом братья-цапки. А просто — достаточно большая группа людей, спаянная общим интересом и готовая его преследовать, не останавливаясь более-менее ни перед чем. Чтобы, когда в дверь, наконец, постучат (а кто-нибудь постучит), — было кому взяться за обрез, а когда это не поможет — собирать бабло на взятку судье и прокурору, а когда и это не поможет — на грев для зоны, а когда не поможет и это — подбрасывать деньжат вдове (которая сидит дома) и впересменку растить оставшихся без отца детей (которых лучше много).

Такие вот две модели — для местного климата и рельефа; узнаете себя? Нет? Тогда добро пожаловать в клуб. В компанию тех, кто из категории номер раз давно вырос (в двадцать-то лет все мы Карлсоны, живущие на крыше и без башни), а в категорию номер два никогда не врастет. В общество людей, составляющих, по идее, активное ядро любой развитой страны, в том числе нашей, — но менее всего совпадающих с принципами русской реальности на деле. Да, это мы. Разномастные городские профессионалы, живущие на зарплаты. Вкладчики и пайщики банально-традиционных семейных союзов. Мамы и папы одного, двух, трех чад, которых мы не только рожаем, но и зачем-то хотим правильно вырастить, выучить, воспитать приличными людьми.

То есть идиотами вроде нас самих — которые рассчитывают только на себя, а отвечают — не только за себя; которые пытаются планировать будущее, влезают в квартирные ипотеки, строят планы на завтра, исходя из сегодня, и вообще какого-то лешего думают, что могут вступать с русской реальностью в долгосрочные договорные отношения. Ах, милые вы мои лемминги, плохо выучившие уроки пришедшейся на девяностые юности, поверившие в тухловатую стабильность нулевых, забывшие, что тут идет другая, не ваша игра. Добро пожаловать в пустыню реальности, как было сказано в нашем с вами любимом поучительном фильме.

Читатель ждет уж рифмы "выход", не правда ли. И даже, посмеиваясь, предполагает, что выйти можно только вон. Ошибаешься, читатель. Кто-то, конечно, уже вышел, а кто-то еще выйдет. Но в целом — в целом мы, конечно, останемся. Как оставались почти всегда, в большинство эпох, при всех режимах: играть в чужую игру безнадежно слабыми картами.

В сущности ведь — привычное дело. Попробуем делать его хорошо.

КРАСНЫЙ КОКАИН

Пудель: модель для сборки (и разборки) (2014)

Я тут понял, что с помощью пуделя можно немножко расширить сознание.

Вообще пудель у нас в семье уже полтора года. Пудель малый, кобель, рост мне примерно по колено, вес семь кило, состоит из шерсти, ушей и веселья. Но насчет сознания я раньше как-то не догонял, и только недавно — по ходу путешествия из Москвы в Петербург и обратно, — вдруг дошло.

Тут, как всегда, надо определиться с терминами. Что за зверь такой — расширение сознания? Обычно подразумевается открытие небольшого личного портала из постылой реальности в иные, горние миры, где сияют новые небанальные истины. Ну да, частенько вроде "во всей вселенной пахнет нефтью", "банан большой, а кожура еще больше" или "...значит, мы с тобой — уважаемые люди". Но мало ли. Достигается эффект, как правило, с помощью алкоголя, психоактивных веществ, не уважаемых Роспотребнадзором и ФСКН, либо сакральных эзотерических практик.

Алкоголь я, перевернув с возрастом формулу Жванецкого, пью в любых количествах, но в малых дозах: расшириться от этого может только печень. Сильных психоактивных веществ сторонюсь, потому что боюсь побочного эффекта в виде сокращения бытия, слабых — потому что от них мне неудержимо хочется спать, и ничего больше. Сакральные практики мне нравятся, но в основном в кино; в жизни все наблюдаемые мной опыты обычно давали какой-то неправильный эффект — так, любое "стирание личной истории" по Кастанеде почему-то приводило лишь к результату, про который моя первая классная руководительница Елизавета Ивановна говорила, грозно поигрывая боевой указкой: "И где ты тут чего стёр, Петров?! Ты тут на всю тетрадку грязюку развёз!!!".

В общем, на масштабное просветление рассчитывать не приходится. А приходится — довольствоваться малым, засчитывая за расширение сознания всякий выход из плоскости обыденных собственных представлений. И вот для такого, малого, расширения малый пудель подходит идеально.

Хотя, кстати, что-то психоактивное в пуделе есть. Зовут его Кокос. И пускай на популярный тропический орех он — в силу спутанной мохнатости и насыщенно-рыжего окраса, — тоже похож, в виду имеется ровно то, о чем вы подумали, испорченный вы человек. Когда мы с женой пришли к заводчице за щенком, оказалось, что в родословной его после многочисленных пышных имен-титулов, унаследованных от коронованных предков, вписано и имя собственное: Purple Cocaine.

— Но... почему? — изумились мы.

— Ну как же?! — изумилась заводчица. — Разве вы не видите... какой он рыжий? Кр-расный?!. Прямо как... кокаин!

Мы умолкли, тщетно пытаясь вообразить обстоятельства знакомства заводчицы с наркокультурой, приведшие ее к такому нестандартному убеждению. Пес стал Кокосом. Но в его собачьем паспорте написано прямо и честно: пудель малый кобель Красный Кокаин. Так, вероятно, мог бы называться какой-нибудь питерский завод, если бы в октябре 17-го в России победила не социалистическая, а психоделическая революция.

С этим вот паспортом и самоё Красным Кокаином мы и поехали за справкой для РЖД. Мы всей семьей собрались в Питер. Включая малого красного. Но пуделю в поезд нельзя без справки. Выдает ее одна-единственная ветклиника на каждый московский округ, куда и надлежит прибыть не более чем за три дня до поездки с питомцем на руках. У меня сразу возникло легкое, но настойчивое déjà vu. Видите ли, я не гражданин России. Я вообще не гражданин ничего, лицо без гражданства, постоянный житель республики Латвия. И когда я хотел юридически оформить свое пребывание в России, оказалось, что документы для вида на жительство принимает одно-единственное отделение ФМС на каждый округ Москвы. И очереди там...

В ветклинике очереди не было. Совсем.

— Паспорт, — сказала женщина-врач.

— Мой? — готовно предположил я. Паспорт у меня тоже интересный. Там, конечно, не написано, что я наркотик (мне такого, кажется, даже девушки не говорили), зато написано, что я Чужой — alien. Как в голливудском фантастическом ужастике. Тоже есть чем похвастать.

— Зачем мне ваш? — лениво сказала женщина-врач. Перевидала она всяких кобелей. — Его… О! — бровь ее изогнулась. — Красный Кокаин?..

Я развел руками. Красный Кокаин психоактивно скакал по кабинету, пыхтел и подвизгивал.

— Ну вот, — женщина-врач, не обращая на него внимания, проставляла галочки в графах. — Средство передвижения? Самолет? Автомобиль?

— Поезд. "Сапсан".

— "Сапсаном" нельзя. Запретили же, с августа месяца.

— Кому запретили? Собачкам?..

— Почему собачкам. Всем. Хорькам там. Хомякам. Игуанам…

— А людям? — мрачно уточнил я. Ощущение дежавю усиливалось.

— Про людей, — женщина-врач шлепнула штемпель, — нам ничего не доводили, — протянула мне справку. — Ну вот. Можете ехать. В Петербурге возьмете новую.

— Какую… новую? — дежавю нарастало.

— Ну как какую? Вы же больше чем на три дня едете? — я кивнул. — Ну вот. А справку надо — не более чем за три дня до поездки. Да не расстраивайтесь вы. Там с этим проще. Свободнее. Прям как в Европе. В любом буквально отделении…

Когда я наконец сумел сдать свои документы в ФМС, всё сорвалось из-за того, что закончился срок действия медицинской справки. Которая удостоверяет, что я не болен ВИЧ, гепатитом, туберкулезом и не страдаю наркозависимостью. Получить справку тоже можно только в одном-единственном государственном диспансере… Дежавю достигло максимального накала, взорвалось и превратилось в озарение, инсайт. Мое сознание расширилось. Пудель Кокос тявкнул и радостно лизнул меня в руку.

С этого момента меня уже ничего не удивляло. Например, что с собакой можно ехать только в купе — но только эконом-класса. А в купе повышенной комфортности нельзя. Ну а что, думал я. Порядок же должен быть. Или вот что собаку нельзя переместить с перрона в вагон без клетки-переноски жесткой с суммой длины сторон не более 180 сантиметров (за этим строго следят проводницы), — но в вагоне можно немедленно и насовсем ее из этой клетки-переноски выпустить, и это проводниц совершенно не смущает, даже радует (пудель — он ведь обаятельный, сволочь). Ну а что, кивал я, всё верно. Суровость законов компенсируется их неисполнением.

Больше того. Я понял, что практически любая коллизия русской жизни становится понятней и проще, если рассматривать ее в расширенном сознании — сквозь призму, так сказать, пуделя.

Например, теория малых дел, живо дискутируемая интеллигенцией последние лет сто пятьдесят. Можно ли изменить уклад русской жизни постепенно, улучшить его малыми частными делами, короткими шажками, тактическими сдвигами к лучшему? — раз уж попытки глобального изменения разом приносят только кровопролитие, разорение, разруху в клозетах и ваучерную приватизацию? Мы с пуделем поверяем теорию малых дел практикой ежедневно, иногда раза по три. То есть для него-то это дела как раз большие, но для меня, лезущего за результатом с голубым биоразлагаемым пакетиком из магазина "Бетховен", все-таки малые. Реализуя европейский подход на русском газоне, я через раз вляпываюсь в мины, оставленные более мудрыми хозяевами питомцев, знающими, что плетью обуха не перешибешь. Но упорно продолжаю. Вот, собственно, и ответ: нет, изменить ничего не получится. А продолжать всё равно надо. Потому что ради результата у нас делаются только плохие дела. А хорошие — только ради самоуважения.

Или, например, вопрос гражданского общества. Внутренне демократичного, способного к продуктивной дискуссии, осознающего свои интересы. Тут многие уповали на средний класс, но как-то не сложилось. Но, конечно, гражданское общество у нас все-таки есть. Это собачники. Демократичные и способные к дискуссии, о да: буквально неделю назад мы с пуделем наблюдали, как похожий на профессора Вышки хозяин эрделя горячо и уважительно обсуждал с мозолистым пролетарием (помесь спаниеля) и двумя домохозяйками (такса и такса) детали сделки по "Мистралям" и нюансы отношений "Роснефти" с "British Petroleum". Осознающие свои интересы, несомненно: всякий собачник глядит на государство с неизбежным и целительным скептическим прищуром, словно бы спрашивая, как и положено адепту гражданского общества, — так, и в чем подвох? Новый налог? Запрет выгула? Строительство элитного жилкомплекса на месте собачьей площадки? Реагенты, разъедающие лапы?.. Дело, видимо, за малым: раздать всему населению по собственному интересу. Например, по собаке.

Или вот проблема свободных выборов. Пудель, надо сказать, чудовищно привередлив. Два дня подряд одно и то же есть не хочет. Доверить выбор еды ему я не могу — он выберет сметану и шоколад. Но и заставить его жрать, что дают, я не могу тоже. Следовательно...

Пуделю, надо сказать, в Питере приглянулось. Он даже есть стал лучше, меньше капризничал. Гуляли мы в сквере возле Адмиралтейства, и за малыми большими делами с биоразлагаемым пакетиком я лез в сырую балтийскую темень с видом на военно-морской шпиль с одной стороны, Исаакий с другой и Медного Всадника с третьей. Медный Всадник пуделя пугал, как будто он читал Пушкина. Зато очень нравился бюст путешественника Пржевальского с возлегшим у постамента отполированным верблюдом.

Там, возле бюста, и появился связной. Моложавый, не без лоска одетый — в реглане с латунными пуговицами и кепке, внешне он был похож, как близнец, на поэта Евтушенко где-то между двумя оттепелями — шестидесятых и восьмидесятых. Увидев нас с Кокосом, связной сделал шаг в сторону и истово отдал честь.

— Это же Артемон! — закричал он. — Артемон — это куда круче, чем доберман!

Привыкший глядеть сквозь призму пуделя, я ни секунды не потратил на расшифровку пароля. Всё было ясно: пудель Артемон, всякий знает, был правой рукой деревянного анархиста и диссидента Буратино, а доберманы там служили полицейскими. Но пока я раздумывал над ответом, Кокос с лаем потянул меня на газон. Нас там ждали дела: его большие, меня — малые… А когда я вновь оглянулся, связной уже исчез.

Но мы с пуделем знаем: он придет снова.

В ОКРЕСТНОСТЯХ СМЕРТИ

Тест Летова: последний знак качества (2010)

Кто не орал — дурным голосом, хором, под раздрызганную гитару, после хорошей дозы плохой водки, — “Всё идет по плану”, тот не был молод на рубеже восьмидесятых и девяностых, не дышал полной грудью гнилым и свободным сквозняком исторического перелома.

Вообще Летова орали на удивление много — солдатами не рождаются, солдатами умирааааают! яааа лёд под ногами майора!.. Максимальная востребованность, впрочем, редко совпадает с хотя бы минимальным пониманием; это многих вещей касается, и Летова тоже. Вполне понимая, что́ мы орем и про что (и то сказать, летовские тексты — не теория суперструн), мы едва ли отдавали себе отчет в том, как устроен генератор, питающий гуру “Гражданской обороны” густым темным током. Хорошо помню дальнейшие “фи” или хоть недоуменные пожатия плечами — когда Летов вдруг стал корешиться мало с Лимоновым и нацболами, но с какими-то вовсе непрезентабельными личностями, рванул в "Русский прорыв", загорланил "вижу, поднимается с колен моя Родина", завел с железным напором "и вновь продолжается бой, и сердцу тревожно в груди, и Ленин такой молодой, и юный Октябрь впереди", какую-то, прости господи, Пахмутову на стихи Добронравова. Это гляделось диковато, я и сам, помнится, не то фыркал, не то пожимал. Что ни малейшего отношения к интеллигентному диссидентскому дискурсу (через запятую с обличением ужасов Совдепии декларирующему почтение к демократии, невидимой руке рынка и прочим liberal values) движущая Летовым сила не имеет, — это я, положим, соображал и тогда. Но что дело и не вполне в эпатаже, не в буквальной верности однажды провозглашенному "я всегда буду против", "при любом госстрое я партизан, при любом режиме я анархист", — вот это сообразил значительно позже.

То есть да, конечно же — всегда против; важно, против чего. Проще, логичней всего решить, что против всякой власти, любого права сильного, каждого мейнстрима, будь то власть обкомов, ментов и гэбья — или "демократов", нуворишей и братвы, мейнстрим бравурного официоза — или пригламуренной варварской поп-культуры. Подозреваю, однако, что с Летовым всё было немножко интересней и радикальней; что штукой, к которой он пытался всегда находиться в максимальной оппозиции, являлось любое основанное на коллективном самогипнозе и потому фальшивое мироустройство, — то есть, читай, вообще практически любое. Стихийный (хотя изрядно начитанный и владеющий, тьфу ты, вполне постмодернистскими техниками) сибирский анархо-экзистенциалист, бегущий муляжности и взыскующий подлинности (это если в терминах модной европейской неофилософии, по-русски надо было бы сказать, как отрезать — "правды"), Летов в своем беге и взыскании осознанно или инстинктивно, но уж точно неминуемо оказывался в окрестностях того единственного, что при любом режиме, при любом госстрое обязано соответствовать критерию подлинности на все сто. В окрестностях смерти.

Путь самурая, каким только и может быть путь омского самурая в русской реальности последних десятилетий — а может, и любых десятилетий: со спиртовым сивушным надрывом, в грохоте ржавого колхозного панка, в самоистребительном свинстве, не щадящем для начала неосторожно подвернувшихся окружающих. В этом Летова тоже попрекали, и не то чтобы совсем безосновательно — стоит вспомнить его и впрямь неоднозначную роль в изломанной биографии и ранней смерти Янки Дягилевой; вообще, когда человек сообщает "я хочу умереть молодым", но вот — уже не такой, блин, молодой — всё живет и живет, а рядом дохнут, и именно молодые, со стороны смотрится не совсем комильфо. А хитрость в том, что умирать вообще-то никто не хочет; просто некоторые не могут больше жить. Летов мог, у него вообще оказался недурственный запас живучести; смерть была для него не одноразовым актом, а катализатором творческого процесса. Маяком, по которому он правил курс — но о который не спешил разбиться. Просто не было в стремительно меняющемся (так казалось) мире других огней, по которым можно было бы выстраивать сетку координат и яростно грести от муляжности к подлинности, кроме этого маяка. И он греб. К Лимонову с его одухотворенными собственной жертвенностью, притравленными собственной исключительностью мальчиками и девочками, с его эстетским преклонением перед Мисимой, с его "Родиной смерть". К советскому мифу, еще недавно вроде бы презираемому… — но по контрасту с тотально релятивистским наступающим и этот миф казался куда более подлинным, по крайней мере, критерий подлинности был ему ведом; культ же смерти и вовсе лежал у этого мифа в фундаменте, и надо было дочиста проблеваться после душного уютного самогипноза позднего совка, чтобы заново это разглядеть. Летов греб — и отгребал прочь, и от Лимонова, и от русского прорыва, и от советского мифа; думаю, именно потому, что раньше или позже обнаруживал, что последняя, смертная подлинность и здесь моргает всего лишь отраженным светом. А очередная отражающая поверхность — тоже муляж, пускай и крайне убедительный.

Мне хочется думать, он начал догадываться — а может, и вполне догадался, — о том, о чем мне думать как раз не хочется, потому что это чертовски неуютная, лишающая последних ориентиров мысль: что и смерть — не идеальный индикатор подлинности, и дело не всегда прочно, если под ним струится кровь, и ни отбитые почки, ни "срока огромные в этапы длинные", ни даже полная гибель всерьез не обязательно делают муляж оригиналом.

Впрочем, это всё спекуляции — а факт в том, что в последние годы своей жизни Летов ушел с "русского поля экспериментов", на котором становилось всё больше муляжей и в конце концов не осталось ничего, кроме них — включая, кажется, и само поле. Он записывал альбомы, которые критики в некоторой оторопи называли "светлыми", говорил в интервью что-то об "экологическом анархизме", сетовал на то, что употреблять психоактивные вещества стало сложней — здоровье не то, да и возраст. Он перестал связывать себя с какой бы то ни было социально активной силой. В последней его активно ротировавшейся на радиоволнах песне повторялся рефрен "без меня". Можно было сказать, что он перестал быть в оппозиции; или что он оказался в оппозиции ко всем; или что он просто прощается с жизнью; как угодно, по вкусу.

Потом, в феврале 2008-го, он действительно умер.

Канон рок-н-ролльного мифа, предполагающего жить быстро и умереть молодым дробь в правильный момент, соблазнителен — но в нем, разумеется, по-пелевински "какая-то лажа зарыта", и даже имя у лажи есть: пошлость. Вообще пóшло обнаруживать в плотно подогнанных друг к другу деталях — мистический символизм, в изломанной биографической кардиограмме — высший промысел; усматривая тут руку Творца, мы унижаем его, подозревая в пристрастии к романтическим шаблонам не лучшего пошиба. Но глупость ничем не лучше пошлости, а глупо отрицать: всякая состоявшаяся биография стремится к самоорганизации. Просто судьба, сдается, — не прописанный бригадой горних сценаристов сюжет; она скорее сродни орнаменту или мелодии. Чему-то, чья логика не диктуется волей дидактичного автора — но выстраивается сама по воле ритмических повторов, симметричных взлетов и обрывов, по правилам гармонии и притяжения частиц. Чему-то, что больше похоже на кристалл или атом, чем на бульварный роман. Тогда, может статься, многозначительная максима про любимцев богов, уходящих вовремя, все-таки верна: логику ухода диктует выстроенная биография, замкнувший свои грани кристалл, исчерпанность валентностей на электронных орбитах. Добавить уже нечего — можно только испортить; так бывает на грани очередного большого перелома, который уже не пережить, оставшись самим собой.

В этой логике "вовремя" было в феврале 88-го для Башлачёва — когда его невероятно талантливая персональная легенда о русском духе, задавленном советской мертвечиной, но живом, страшном, но и прекрасном ("редкой нашей силе сердешной, да дури нашей злой, заповедной"), оказалась на пороге практической — действием — проверки с довольно неутешительным результатом.

В этой логике для Цоя было "вовремя" летом 90-го — когда незаметно подошло к смертному рубежу время последних героев, гордых и странных одиноких лузеров с рукопашными умениями и брюслиевскими шрамиками на щеке: скоро им предстояло либо вымереть — либо уж сделаться частью совсем другой, так сказать, романтики и практики, потому что история, которую может описать раздолбайский, но искренний фильм "Игла", закончилась, — и началась история, которую может описать крепкий, но фальшивый сериал "Бригада".

И, наверное, в этой логике "вовремя" оказалось для Егора Летова — потому что Летов был, как ни крути, из той же когорты. Знать бы еще, почему. Какой мир и миф окончательно исчерпался к февралю 2008-го? К какой перемене реальности, к какому водопаду мы приближались тогда — и, надо думать, уже совсем приблизились сейчас? Может быть, к этому февралю не осталось ничего, совсем уж ничего мало-мальски не муляжного и не фальшивого? Может быть, сейчас мы готовы ухнуть вниз в буруны и пену какой-то новой правды? Но такой невиданной или страшной, что — "без меня", потому что даже Летову рядом с ней не было бы места?..

Когда Летов умер, ему было сорок три. У него во сне остановилось сердце.

Его последний альбом назывался "Зачем снятся сны". А до этого были "Долгая счастливая жизнь" и "Реанимация".

В этом месте можно многозначительно изогнуть бровь, регистрируя символизм созвучий. Можно не изгибать. Какая разница. Даже смерть — не идеальный тест на подлинность, да. Но все равно лучший из тех, что у нас есть. И Егор Летов всегда пытался применить его ко всему.

И сам он его прошел.

НАМ НЕ НРАВИТСЯ ВРЕМЯ, НО ЧАЩЕ — МЕСТО

ОСТРОВ КАНТОР

Утопия Максима Кантора: режущий край Европы
(2009)

"По причине склонности к одиночеству" — с такой формулировкой он когда-то вышел из комсомола. По той же причине сегодня художник и писатель Максим Кантор добровольно исключил себя из российской арт-тусовки и проводит по несколько месяцев в году на тихом рыбацком островке Ре на западном побережье Франции. Чем занимается в Европе человек, так подробно описавший близкую гибель западной цивилизации?

TGV[1] разваливает пополам пасторальный пейзаж: холмы, холмы, частая дорожная штриховка — ловчая сеть цивилизации, редкий красно-белый пуантилизм крошечных городков, короткие блэкауты туннелей, панибратски хлопающие по барабанным перепонкам, — и входит в дождевую стену без сопротивления.

[1] Train à Grande Vitesse — французская сеть скоростных электропоездов.

На скорости триста километров в час это очень красиво. На окнах мгновенно набухают суетливые водяные капилляры.

— Франция, — со сдержанной гордостью говорит бармен вагона-ресторана, когда поезд сбрасывает скорость, — это страна TGV. Три часа — и вы тут, камарад.

На чем я засыпался? Разве я говорил, что из России?

За угловым столиком совершенно лиловый негр складывает “Paris Match”. У него дорогой костюм и пижонский платочек в нагрудном кармане пиджака.

— А скажите, камарад, — говорю я, — у вас тут тоже много иммигрантов? Как в Париже?

Белобрысый тонкошеий бармен смотрит на негра.

— Ну что вы, — говорит он вежливо. — Тут старая Франция. Париж — совсем другое дело.

Париж — совсем другое дело, да. В Париже я сорок минут еду от аэропорта Шарль де Голль до пересадки на вокзал Монпарнас — и все сорок минут в вагоне пульсирует скандал в лучшем стиле подмосковной электрички. Мсье цвета капучино с минутными перерывами производит атаки на мадам цвета макиато, она контратакует, не опускаясь до ретирад. Суть конфликта остается для меня туманной. Белое меньшинство вагона сохраняет на лицах невозмутимость. Цветное большинство улыбчиво сопереживает.

В TGV от парижского Гар де Монпарнас до Ла-Рошели количество афро- и арабофранцузов убывает с каждой промежуточной станцией. Под конец я наблюдаю только господина с “Paris Match”. Он выбирается из поезда, под дождем немедленно приобретает мечтательный жемчужный оттенок и загружается в такси. Стоило бы и мне — у вокзала их целая вереница.

Я делаю крюк через набрякший парк, мимо Аквариума, по кромке Старого Порта. Мокрые яхты и мокрые чайки одинаково серы. Дождь мелок и упорен, как розничный торговец. В буланжери я покупаю круассан с сыром. Продавщица греет его в микроволновке. Продавщица белокура, пухлогуба, тонка, с прозрачной под веснушками кожей и огромными голубыми глазами: вот за такими-то белошвейками и ухлестывали тут мушкетеры Дюма-pere в паузах между завтраками на бастионе Сен-Жерве. В бистро я беру кофе и кальвадос. Белокурая барменша наливает его из бутыли с дизайнерской пыльной патиной. Барменша выглядит в точности, как продавщица, плюс тридцать лет и столько же килограммов.

Старая Франция. Заповедник вымирающих видов.

Я усаживаюсь на тротуаре под тентом. Моего героя нелегко поймать. Москва, Берлин, Лондон, Афганистан. Но сейчас он здесь, в получасе езды.

Слева от меня дисциплинированная бригада якудза на пенсии, склоняя выи под тяжестью полупрофессиональных “никонов”, загружается в отель “Ibis”, оккупировавший выбеленное бискайскими ветрами здание надцатого века. Прямо передо мной на гофрированном железном заборе кто-то нарисовал курящую белокурую бестию Марлен Дитрих в мужском костюме. Прямо за мной краснорожие франкофранцузы приветствуют друг дружку воплями "Вив ля революсьон!". Вокруг меня городок Ла-Рошель, где четыреста без малого лет назад католики и гугеноты резали друг другу глотки — по причинам, которые мы уже не способны себе представить, а шестьдесят с лишним лет назад "проклятые боши" строили подземный док для подлодок папаши Деница и держали оборону аж до восьмого ноль пятого сорок пятого — по причинам, которые нам трудно осознать. Осада Ла-Рошели ужель нужна кресту?

Дождь стихает. Бистро называется "Ле Реномме".

Какое уж тут реноме. Справа — там, где море и запад, — белесое капитулянтское небо тускло подсвечено желтым. Гугеноты, католики и даже "проклятые боши" вместе выпивают за столиками вокруг. Из колонок над моей головой гремит почему-то "Back in USSR". А потом "Ra-Ra-Rasputin".

Я залпом допиваю кальвадос. Пора на остров.

* * *

— Вот чем Европа резко отличается от России? — говорит он. — Да Робертом Бернсом, который пишет: кто честной бедности своей стыдится, тот самый жалкий из людей, трусливый раб и прочее. Европу любят за Европу, а не за ее импортированный из колоний сатрапский восточный стиль.

У моего собеседника иронический, всегда оценивающий взгляд чуть исподлобья. Плотный загар скорее кровельщика, чем пляжника. Неброско-мускулистые руки человека, привыкшего скорее к таcканию тяжестей, чем к тренажерному залу. В этих самых руках он держит лук. Не порей и не шалот, а лук для стрельбы, рекурсивный, с изогнутыми в направлении выстрела плечами.

— Есть, — продолжает он, — Европа Бернса и Робин Гуда, Шекспира и Франсуа Вийона. Она небогатая, эта Европа. Любить Европу — это не значит любить Елисейские Поля и Пикадилли. Это значит любить бедный рыбацкий остров Ре, на котором ничего роскошного не построишь. Я когда впервые приехал сюда, всё время вспоминал Заболоцкого: “Европа сжалась до предела и превратилась в островок, лежавший где-то возле тела лесов, оврагов и берлог”. А еще — Рембо: “Ну а если Европа, то пусть она будет как озябшая лужа, грязна и мелка, пусть на корточках грустный мальчишка закрутит свой бумажный кораблик с крылом мотылька”...

Он натягивает тетиву, стреляет. Стрела, свистнув в оскорбительной близости от мишени, зарывается в ржавую палую хвою где-то между чешуйчатыми сосновыми стволами поодаль. Не знаю, как Европа Роберта Бернса, а Европа Робин Гуда сегодня не в ударе.

Окружающая нас Европа называется Иль-де-Ре. Напротив Ла-Рошели в заливе лежат два пологих острова — Олерон, он чуть подальше, и Ре, напоминающий формой разводной ключ, соединенный с Ла-Рошелью горбатым и длинным автомобильным мостом, похожим на обглоданный хребет реликтового ящера.

Ре — это такая Юрмала-апгрейд, улучшенной планировки и с климат-контролем. Сосны, плоскогрудые дюны, извилистые пустынные пляжи, с которых до настоящей глубины долго бредешь по дну. Крохотные городки с возможной фортецией, с непременной церковью. Велосипеды и виноградники, устричные садки и дешевые ресторанчики со свежайшими морскими гадами. Липнущий к дюнам фешенебельный частный сектор — с домами, в которых по закону не должно быть больше двух этажей, с обширными дворами и деликатными невысокими заборами.

Население, ничтожное зимой, летом чуть не удесятеряется — Ре облюбовали для себя небедные интеллигентные дачники: богема, профессура, преуспевающие медийные работники. В день моего приезда "Le Nouvel Observateur" выпускает номер, посвященный Иль-де-Ре, с иезуитским названием "Простота одного острова": двенадцать страниц про местные обычаи, маршруты, вина, ресторанчики, блошиные рынки, устриц и отдельных предпочитающих непростую простоту острова знаменитостей. Моего собеседника в этом списке нет. Хотя вполне мог бы быть.

Его зовут Максим Кантор.

Он известный и успешный, весьма успешный художник. Его работы висят в двадцати двух музеях мира, включая Третьяковку, Британский музей, франкфуртский Штадель и даже Государственную галерею Австралии в городе Канберра. Их продают за большие, стабильно пятизначные суммы в евро на Sotheby's и Christie's. В девяносто седьмом он единолично оккупировал российский павильон на биеннале в Венеции (называлась экспозиция, кстати, "Криминальная хроника"). Существуют коллекционеры, собирающие исключительно Максима Кантора, — "их, скажем, пятьдесят", сдержанно уточняет сам Кантор...

При этом множество художников, галеристов и кураторов реагирует на его имя в лучшем случае зубовным скрежетом.

Он востребованный писатель, драматург, философ-марксист, публицист. В 2006-м его романный дебют "Учебник рисования" — два кирпича с обложкой авторской работы — вызвал изрядные баталии, влиятельный литобозреватель Лев Данилкин сообщил, что теперь рост современных литераторов будет оцениваться по Кантору. Канторовские пьесы и эссе изданы отдельными книжками. У него только что вышла повесть "В ту сторону" и на подходе новый большой роман.[1] Его зовут читать философский доклад в американский университет Нотр-Дам — туда же, куда во времена оны Честер-

[1] "Красный свет", 2013.

тона; в оксфордском Вульфсон-колледже, основанном сэром Исайей Берлиным, он член общего совета...

При этом многие вполне вменяемые критики, сочинители и читатели при упоминании его имени морщатся, а то и плюют — наглец, нарушитель корпоративной этики и вообще неприятный тип!

Кантор, короче, любопытная личность.

Любопытная личность Кантор с досадой щурится на мишень. Дырка в левом нижнем углу — единственное наше достижение.

— Отвратительно, — констатирует он. — Пойдем, что ли, пить и разговаривать.

Мы все заложники своей генеалогии. Кантор тому подтверждение.

Дед Максима был евреем по национальности, минерологом по профессии и анархистом по убеждениям, за последний пункт деда сослали, он бежал на лодке через Черное море, из Турции — во Францию, оттуда — в Аргентину. Там встретил бабку — основательницу аргентинской компартии. С ней вернулся уже в советскую Россию, где в Большой террор был арестован снова, но основательница аргентинской компартии спасла, сумела вытащить. Отец Максима — философ и эстетик Карл Кантор, автор книги "Двойная спираль истории". Максим родился в Москве в 1957-м, и всё его детство и юность дом Канторов — "двадцать семь квадратных метров с окнами на трамвай" возле Коптевского рынка — был чем-то вроде вольнодумного интеллектуального салона. Туда приходили Галич и Коржавин, там Максим сидел на коленях у Зиновьева...

Сидение на коленках у автора "Зияющих высот" даром не проходит.

В школе (девятая английская) старшеклассник Кантор, уже начавший увлекаться живописью, повадился рисовать стенгазеты антисоветского содержания. Вышел большой скандал. Кантора забрали в милицию, фотографировали в фас и профиль, обязали год ходить отмечаться — ну и из спецшколы, конечно, вышибли.

Учителя и милиционеры, к счастью, не знали, что литературой мальчик тоже уже увлекся. А вот папа Карл обнаружил диссидентские хроники 8 "А" класса, завершавшиеся текстом "Конец 8 «А»", где ученики поднимали восстание против тоталитарного педсостава, — обнаружил и сжег. Он тоже недооценивал сына. Максим творил в двух экземплярах. Вторая рукопись уцелела и сегодня (сообщает мне Кантор, пока мы, оседлав велосипеды, пересекаем городишко Ле-Куард-сюр-Мер по символическому для старой Европы маршруту от церкви к рынку) ждет своего часа.

Про себя он очень рано понял, что он не человек стаи. Сам по себе, хроник-одиночка. Даже в своем заявлении на выход из рядов Ленинского комсомола чистосердечно признался: "По причине природной склонности к одиночеству". И в этом не было диссидентской фронды, а было нечто вроде констатации очевидной отличительной черты, вроде близорукости или цвета волос.

Заявление тогда удовлетворили без особых последствий. Против природы не попрешь.

В генеалогии ли дело — в дедушке-анархисте, но это, кажется, и впрямь его природа. Быть не то чтобы всегда против, но всегда отдельно, обязательно отдельно.

Сделавшись художником, Кантор, разумеется, оказался в андерграунде: основатель художественной группы "Красный дом", участник и организатор шумных неофициальных выставок. Когда же то, что еще недавно было советским андерграундом, стало постсоветским истеблишментом, Кантор взял да и поссорился с друзьями, вчерашними маргиналами советского искусства.

— Произошла чудесная вещь, — говорит он. — Я увидел, как молодые, яркие, прогрессивные шутники, которые еще вчера задорно плевали в соцреализм, с щенячьей покорностью пошли в индустрию столь же тоталитарную. У них хватало пороху осмеять секретаря райкома, но вот сказать директору американского музея или крупному куратору, что он дурак, оказалось совершенно невозможно. Все эти мальчики и девочки стремительно стали функционерами... Маршировать с ними в колонне, со знаменами, перед трибунами и называть это бунтом одиночки — ну не получается у меня, увольте.

...Кантор позвякивает ложечкой в наперстке эспрессо. Мы, описав петлю — от церкви к рынку и снова к церкви, — сидим за столиком уличного кафе; мимо две довольные китайские туристические девушки тащат втрое превышающие их объемом рюкзаки вдоль шеренги лотков, где торгуют мылом, свежесваренным на острове Ре, соком, свежевыжатым на острове Ре, оливковым маслом, свежерафинированным на острове Ре. У церкви успела сгуститься свадебная процессия. Рыжая невеста улыбается китаянкам покровительственно. У невесты отчетливый, месяца шестого, животик. На долговязом женихе бурый костюм с искрой, последний писк советских семидесятых.

Тогда, в начале девяностых, Кантор сделал вполне сознательный выбор: отказался принимать участие в нескончаемом коммерческом конвейере — агенты, галереи, кураторы. Другое дело, что это был не такой уж для него героический поступок. К этому времени полотна Кантора охотно покупали европейские музеи. Были имя, репутация, обширные связи, позволявшие существовать, по канторовскому выражению, отдельной биографией.

— Лицемерием было бы сказать, — говорит он, — что эта биография никак не соприкасается с арт-индустрией и рынком. Конечно, соприкасается! Время от времени мне приходится вступать в диалоги с директорами музеев, с коллекционерами. Но я не составляю их бюджетных проектов, они не делают на мне большой политики. Я для них ремесленник-одиночка.

Кантор одним глотком осушает наперсток эспрессо.

Я всё равно не очень-то понимаю, где пролегает демаркационная линия между декларированной отдельностью и демонстративным неучастием в темных делах мирового арт-молоха и фактическим, пусть со всеми оговорками, участием, конвертируемым в суммы с респектабельным количеством нулей.

Вот прилетавший свидеться с Кантором директор дублинского музея только нынче утром убыл отсюда в свою Ирландию. Вот вчера вечером приехал на минивэне коллекционер из Германии, милейший толстяк Михаэль с хитрющими глазами, таскал туда-сюда увесистые новые холсты; приглядывался, писал какие-то цифры на бумажке, показывал их Кантору, а потом, обернувшись ко мне, сообщал с шутовским страданием в голосе: "Он всегда шутит, Саша́! Но только не когда мы обсуждаем деньги!"

Когда я завожу разговор об этом, Кантор принимается объяснять мне архитектонику своей альтернативной маркетинговой сети. Он говорит достаточно общими словами. Возможно, из уважения к моему дилетантизму, возможно, из привычки к конспирации. Музеи, с которыми у него установились взаимно доверительные отношения. Буквально одна или две галереи с правильной репутацией. Понимающие, вдумчивые коллекционеры. А главное — это уже не деловые партнеры. Это очень важно, пойми. Это друзья.

Если в том, что он говорит, слово "друзья" заменить на слово "семья", получится нечто, подозрительно похожее на схему функционирования неаполитанской каморры.

Я ухмыляюсь, вообразив себе Кантора за столиком неаполитанской траттории, капо ди тутти капи, с интонациями Вито Корлеоне произносящего приговор контемпорари-арт. Однако же тут что-то есть. Например, объяснение того, почему левый мыслитель Кантор так явно симпатизирует бастионам старой, правой, не столько доброй, сколько прижимистой и кряжистой Европы. Он, ворочающий в уме историческими периодами, глобальными процессами и народными массами, закоренелый индивидуалист, и впрямь ремесленник старой школы. Одиночка, не желающий быть топ-менеджером в корпорации "Современное искусство". Желающий единолично владеть небольшим, но крепким делом. С постоянной и преданной клиентурой. С посильным и качественным выходом. С умеренным, но верным доходом. Столько, сколько нужно. И так, как хочется. Не больше, не меньше, не иначе.

Нормальный, работающий как вол ремесленник. В том самом смысле слова, что возрожденческие голландцы и итальянцы.

У него нет личного джета, или стометровой яхты, или собственного острова. Но у него есть достаточно, чтобы никак не причислять его к маргиналам, добровольным париям, громко хлопающим дверью на выходе из "грязной игры". И еще у него есть независимость.

В этот момент я хорошо понимаю людей, говорящих о Канторе с уважительной опаской. Они правы. Он не маргинал и не пария. Он чертовски умный, хитрый, расчетливый игрок, что, как ни странно, в его случае скорее комплиментарная характеристика.

Любой внутренне состоятельный художник — в широком смысле: человек, которому есть что сказать, — вынужден выстраивать баланс между чужим спросом и своим предложением. Тем, что хочет делать он, и тем, что готов купить у него мир. Обычно он делает это интуитивно, вслепую.

Кантор делает это сознательно.

Его независимость и отдельность — не жест и не поза. Это большой проект. Продуманная работа. Система экономической автономии. Карта эшелонированной обороны, обеспечивающей собственную независимость. Укрепрайон, из которого он ведет свой "огонь по штабам", выстроен всерьез и надолго. Добротно и с уважением к собственным потребностям.

Конечно, у Кантора нет своего острова.

Он, скорее, сам себе остров. Остров Кантор.

— Я — отделен, — говорит он веско. — И пытаюсь делать свое.

Что такое "свое" — в живописи, в литературе, в философии, в жизни — Кантор впервые подробно и внятно проговорил в "Учебнике рисования".

Но еще более подробно и внятно в "Учебнике" сказано о том, что такое "не свое". "Учебник" в числе прочего — щелочной сатирический памфлет, гневная публицистическая про- и отповедь; расстрел — в упор и упорнейший (недоброжелатели добавили бы — "до занудства") — базисов и надстроек современной западной культуры и цивилизации вообще и ущербной ее российской копии в частности.

— Я выбрал эстетику в качестве инструмента анализа современного мира, — говорит он. — Это именно инструмент. Моя книжка была не про арт-тусовку. Я не стремился обидеть всех этих людей. Все эти персонажи — просто солдаты на войне, понимаешь? А роман — не про них. А про войну. Я бы на их месте, наверное, не обиделся.

За спиной Кантора прямо у церковных ворот раскладывают свой скарб циркачи. Клоун жонглирует кеглями, больше похожими на бейсбольные биты. Над нами, циркачами, церковью и всем непростым простым островом Ре облака лежат на небе ровными, с буржуазным тщанием возделанными грядками.

Почему-то вспомнились слова одного моего московского знакомца, человека умного, трезвого и не имеющего никакого отношения к арт-тусовке: "Почитал я этот «Учебник». Ну не знаю... По-моему, твой Кантор — завистливый и злой. И вообще графоман".

Я тогда задумался. Мне трудно представить, кому — чьему дарованию, уму или успеху — может так уж завидовать Кантор.

Со злостью сложнее.

Злость в нем есть. То есть назвать Кантора злым затруднительно. Но эпитет "добрый" к нему не клеится, потому что стихийная, природная доброта подразумевает мягкость и известное всеприятие, а уж это совершенно не про него. В нем за крепко усвоенным кодексом правильного поведения и впрямь ощущается бойцовая интеллектуальная злость. И как в его густонаселенной живописи из-под мужских и женских лиц вечно проступает абрис черепа, так и Кантор-писатель склонен высвечивать скелеты в чужих шкафах на манер аэропортовского рентгена.

Я уверен, что он лукавит, когда говорит, что не понимает, почему несть числа обиженным на его "Учебник". Я думаю, он отлично понимает, кого обидел и насколько. Я думаю, это входило в его планы.

Я думаю, ценная возможность не бояться обижать, задевая чужие самомнения и интересы, — еще одна, не главная, но вполне осознанная цель упрямого и тщательного выстраивания его островной независимости.

Стол, за которым он пишет, расположен по законам мафиозного фэн-шуй — спиной к стене, чтобы видеть и дверь, и окна.

Я иду вдоль длинной и низкой книжной полки. Лорд Литтон. Альбом Дали. "Маятник Фуко" Умберто Эко. Честертон. Акунин. "Улисс" Джойса. Эдгар По. Энциклопедия вин Бордо, такой убить можно. "Ницше и пустота" Хайдеггера. Шекспир. "История польского народа". "Три мушкетера" с иллюстрациями Адольфа Борна, не путать со спецагентом Джейсоном. Hitler. "Тайна соборов" Фулканелли. "Вторая мировая война" Лиддел Гарта. "Англобурская война" Конан Дойля. The Third Reich. "Камасутра" в шуточной версии Дюбуа.

Спрашиваю Кантора, сколько он обычно пишет в день. Он называет количество страниц. Я перевожу в тысячи знаков. Десять-пятнадцать; очень много для качественной прозы. Поверх книжной полки, прислоненная к стене, стоит новая картина Кантора. Если она упадет, то убьет наверняка, не надо и стараться. В ней не меньше восьми квадратных метров. На ней изображена близлежащая бухта в отлив. Дальняя маковка маяка. Радикальная зелень и синь. Параллельные устричные грядки. Не хватает только туристов, бродящих по грядкам с пластиковыми пакетами в поисках дармовых устриц.

Всего у него примерно две тысячи картин. Это только то, что на холсте и маслом. Офорты и рисунки не в счет.

Дохожу до двери и выхожу на веранду. За забором, привалившись к крохотному экскаватору, прямо на песке сидит французский пролетарий. Сейчас полвторого. У французского пролетария обеденный перерыв, он курит и считает ворон. В 16:00 его рабочий день закончится. Он отщелкивает окурок. Экскаватор за его спиной — японский, на борту иероглифы, продублированные латиницей с невозможным ни в одном европейском языке количеством шипящих.

Да и сам французский пролетарий, конечно же, португалец.

Прав был модный сочинитель, в чьей модной антиутопии палач, списанный с модного издателя, наставляет наказуемого, списанного с модного критика: изящная словесность, мол, это тебе не мотоцикл.

Учтем — но попробуем представить, что изящная словесность, например, автомобиль. Тогда современная русская литература глядится подобием трассы М10, в девичестве Е95.

Трасса, прямо скажем, не американский хайвей и не германский автобан, но ничего, ездить можно. Тарахтят, сверкая стикерами "Спецназ не сдается" и "Твой сосед Вася в мире меча и магии", жанровые повозки отечественного производства: дизайн содран с забугорных хитов позапрошлого сезона, механика херовая, зато дешево и сердито. Катят прилизанные евромыльницы книжного мидл-класса, глядите вот — такие же точно "фольксвагены" и "опели", как двумя тыщами километров западнее. Иногда, урча, прошествует Большой Русский Роман, то один в один твой "бентли", то ностальгическая черная "Волга" в рабочем состоянии. Иногда прогремит Rammstein'ом из колонок "лексус", расписанный fuck'ами: это топ-менеджер путинского призыва, заеденный офисным гнусом до полного озверения, подался в антигламурщики и нонконформисты, воевать с overconsumption'ом в нищей на восемь десятых стране. Промчится, гордо топыря губу, городской пижон на "феррари" — и плевать, что его болид еще уместно смотрится в окрестностях Симачев-бара, но не слишком — на траверзе поселка Черные Грязи. Редко-редко проедет концепт-кар ручной сборки, штучная штука, досадно непереводимая на иноземные дорожные покрытия. Вырулит с перпендикулярной грунтовки амбициозный провинциальный "КамАЗ" — дыхнет соляровой сивухой; велик шанс год спустя узреть его уже со столичными номерами. Периодически какой-то Проханов грозится вывести на трассу танки, и да, выводит, только танки всё больше надувные.

Нормально, в общем, всё как у людей.

И тут на М10 вылезает шагающий экскаватор.

Хороший ли автомобиль шагающий экскаватор?

Да как вам сказать, чтоб повежливее. Он, понимаете ли, не автомобиль вовсе. Он громоздкое, громкое, медленное, неуклюжее нечто. Он портит асфальтовое покрытие и настроение других водителей. Он вызывает неврозы у обозревателей из мобильного полка литературного ГИБДД, не знающих, по какому ведомству его вообще отнести. Им хотелось бы отобрать у водителя права и поместить его гигантский лязгающий моветон на штрафстоянку. Но поскольку это технически затруднительно, они цедят: "Ему не помешал бы хороший редактор!" — и делают вид, что экскаватора тут нет.

И, черт возьми, они правы: шагающему экскаватору совершенно не место на трассе М10. И даже уместные в иных случаях сетования на отечественную косность тут ни при чем: не были бы рады эдакой дуре ни на хайвее, ни на автобане. Но водитель дуры другого мнения. Он, мегаломан, сообщает в мегафон, что изящная словесность, дескать, не только не мотоцикл — но и совсем не автомобиль.

Что предназначение литературы — и вообще любого художества — вовсе не в том, чтоб ехать по шоссе, и только по шоссе бесповоротно, но в том, чтоб таранить хребет Истории, вгрызаться, перемалывать и вываливать в одну груду полные ковши прикладной философии, любительской социологии, памфлетной публицистики, ядовитого бытописательства.

Это и есть казус Кантора.

— Максим, — говорю я, — а ты можешь сформулировать свою цель? Чего ты — в итоге и идеале — хотел бы добиться? Своими картинами, книгами, статьями? А?

Кантор смотрит на меня. Кажется, сейчас он совсем серьезен.

— Я хочу, — говорит он, — создать новый язык.

Я собираюсь, но не успеваю пошутить насчет "канторанто".

— Нынешней капиталистической империей, — продолжает Кантор, — был присвоен язык социалистического авангарда. Произошла эта потрясающая подмена в двадцатые-тридцатые. У левых отняли эстетику и впрыснули миру как прививку от революции. Революционный язык авангарда стал языком развлекательного механизма, обслуживающего империю, языком Системы. То, что сейчас жизненно необходимо, то, что я пытаюсь сделать, — это придумать новый язык альтернативного высказывания.

Кантор делает паузу.

— И еще, — говорит он, — я хочу найти нового героя. Кто-то — кажется, Ортега? — говорил, что всякая полноценная эпоха дает свой человеческий тип: так, Испания времен барокко дала тип идальго, а Британия времен имперского расцвета — тип джентльмена, а советская власть — тип большевика. Появится герой — появится и язык. Современная литература практически не знает героя, и это неслучайно. Как и то, что в современной живописи нет портрета. Странным образом возник мир без лица. Это же смешно, нет? Есть огромное искусство. Тысячи галерей и музеев. Площадки, фестивали, ярмарки. Гигантское коммерческое предприятие, могучая индустрия, ничем не уступающая какому-нибудь автопрому. И вот вся эта махина не произвела ни одного портрета. Покажите мне лицо человека конца XX — начала XXI века! Не показывают. Потому что на деле индустрия современного искусства есть индустрия искусства декоративного. Современное искусство есть дизайн: оформление среды обитания. Современный художник есть декоратор. Тот, кто отказывается быть декоратором, обрекает себя на отторжение индустрией. Смогу ли я — как итог жизни — создать новую эстетику, сильно и полноправно противостоящую сложившейся индустриальной, или поучаствовать в ее создании, — я не знаю. Но постараюсь.

Я смотрю через плечо Кантора, на узкую улочку, еще больше суженную выносными столиками кафе.

Там с блаженными улыбками движется небольшой парад даунов. Не тех метафорических, в принадлежности к которым русский патриот любит пылко подозревать всё население Старой Европы, а самых натуральных. Даунов опекают двое загорелых молодых людей с ухватками бывалых братьев милосердия.

Там навстречу даунам движется троица мускулистых блондинов в шортах, печатающих шаг в ногу. У блондинов очень арийский вид. Подойдя ближе, они ожидаемо оказываются немцами.

Дауны и блондины вежливо протекают друг мимо друга и мимо нашего столика.

Я смотрю на Кантора и пытаюсь понять, почему одним из пунктов своей персональной географии для выработки новой революционной эстетики он выбрал остров Ре. На острове Ре нет ничего нового. Ничего революционного. Лицо острова Ре не меняется несколько сотен лет. Здесь можно встретить китаянок с такими рюкзаками, словно они планируют похищение Европы. Здесь можно встретить тевтонских блондинов, и даунов, и англичан, и норвежца в майке с надписью "Oslo tours", и парижских левых интеллектуалов в дорогих клошарских робах. Здесь можно встретить нас с Кантором. Но по закону здесь нельзя строить дома выше двух этажей. По закону здесь нельзя покрывать их ничем, кроме красной черепицы.

Насколько мне известно, Кантор — единственный русский, всерьез зацепившийся за камни и дюны этого простого острова.

Кантору это тоже известно. Не исключено, что во многом поэтому он здесь.

Ближе к вечеру мы сидим в ресторанчике "La Rhetaise". Нужно подняться метров на двадцать, взмахнув крыльями или сев в вертолет, чтобы обнаружить: ресторанчик стоит на крохотном полуострове, и вся земля вокруг изрезана темно-синим татуажным узором. Можно счесть их посадочными знаками для пришельцев, как в пустыне Наска. Но это просто водоемы, в которых выращивают устриц и мидий.

“La Rhetaise” — это маленький приятный домик посреди большого приятного нигде. Брошенный прямо на дороге трактор кажется инсталляцией из Гуггенхайма. Бассейны с культивируемыми в неволе моллюсками — выставочным объектом с Винзавода.

Набухающий в небе предгрозовой фингал, на фоне которого истерически носятся чайки, тоже представляется довольно высокохудожественным.

Мидии прекрасны. Устрицы превосходны. Холодное белое отменно. Всё очень вкусно — и очень недорого. Мы беседуем про закат Европы под весьма бюджетные мидии, устрицы и шабли.

Кантор говорит про Европу. Западная — европейская — цивилизация, говорит он, до донышка вычерпала ресурсы роста. Поэтому сейчас увеличивается пропасть между богатыми и бедными, поэтому схлопывается средний класс — в свое время, в середине прошлого века, синтезированный искусственно, надутый, как подушка безопасности от возможных социальных потрясений.

Кантор говорит про Россию. Россия, говорит он, никогда не была и не будет Европой, Россия — страна, в которой всегда так или иначе устанавливается единственный строй — крепостничество. И за двадцать лет посткоммунистической жизни эта вечная русская крепостническая система уже оформилась в новом виде.

— Если я и русский европеец, — говорит Кантор, — то только в том смысле, что стараюсь выбирать путь неугнетения других — и не хочу быть угнетаем сам. И жизнь в Европе действительно, несмотря ни на что, дает возможность такого ощущения. В отличие от жизни в России. Если Россия будет в опасности — я буду там, даже мои недруги это знают. Я и так провожу в России по полгода, и сам знаешь, какая уж там роскошь в моей мастерской в Трехпрудном переулке. Другое дело, что я не хотел проводить в России безвылазно эти двадцать лет безудержного вранья, накопительства и лизоблюдства. Как Конфуций сказал: если у страны есть Путь — будь со страной, если у страны нет Пути — отойди в сторону. Я отошел в сторону... К тому же я поставил себе задачей изменить сознание и эстетику, существующую в христианском западном мире, и нигде, кроме как внутри его, я бы работать не мог. Влиять на Лондон из Индии — нереально. Попробовать сделать это изнутри западного мира, как делал это Маркс, — можно.

— А откуда, — спрашиваю я, — надо влиять на Москву?

Кантор смотрит на меня внимательно.

— Из Москвы, — говорит он.

Снаружи наконец-то гремит и проливается, и внезапно тянет сибирской стужей. По рукам идет бутыль местного пино — смесь белого вина и коньяка плюс сахар, иль-де-рейский аналог “Солнцедара”: генеалогия аристократичнее, но результат тот же — вполне плебейски крепко дает по башке. Хозяева “La Rhetaise” споро задраивают тяжеленную раздвижную дверь. Вот так же, думаю я, не колеблясь, задраят и дверь толерантной Европы, если по-настоящему припрет.

Я делаю добрый глоток пино. Мне кажется, я начинаю понимать кое-что насчет человека напротив. В жаргоне спецслужбистов есть термин “двойник”. Это не герой Достоевского и не доппельгангер немецких экспрессионистов. Это двойной агент, персонаж, сотрудничающий с двумя и более разведками, фигура небезопасная, двусмысленная и полезная. Многие из разведчиков, всерьез повлиявших на судьбы мира, были двойниками. Есть такая ниша и в области искусств.

Двойник в искусстве — персонаж, пытающийся связать собой разные культуры, классы, общества, слои. Персонаж, существующий (как посмотреть) между — либо же и там, и тут, и еще вон там.

Максим Кантор пытается — сознательно или нет — быть именно таким персонажем. Агентом Европы в России и наоборот. Агентом социализма в истеблишменте. Агентом элиты в сообществе леваков. Агентом интеллигенции в буржуазии и напротив.

И, понимаю я, при этом он хочет во что бы то ни стало оставаться человеком, существующим отдельно. Сохраняющим от всех своих интеллектуальных, профессиональных и кастовых проекций финансовую и географическую независимость. Сохраняющим возможность судить со своей колокольни и смотреть под своим углом, не заботясь особенно о том, к какой компании его причислят другие, — но встать и выйти из любой компании в любой момент.

Возможность жить на острове и быть островом.

И еще я понимаю, что двойного агента Кантора можно бы, как положено дознавателю, и дальше ловить на нестыковках и противоречиях.

А почему ты болеешь душой за *там*, а проводишь время *здесь*? Почему ты ненавидишь арт-рынок, но зарабатываешь, со всеми оговорками, на арт-бизнесе? Почему пишешь про неисполнимость и нечестность желания сменить общую русскую судьбу на иную, полегче и попроще, с обертонами довольства, легкости и юга, но сам-то предпочитаешь жизнь скорее европейскую, чем российскую?

И понимаю также, что ловить мне его не хочется. И не только в силу дружеских симпатий. Но и — как сформулировать-то? — потому, что так стоит ловить человека с амбицией, к примеру, быть марксистом. А человека с амбицией быть Марксом ловить стоит на чем-то другом. Возможно, на том, что он не стал Марксом.

Дождь наверху выключают, когда уже поздно. Повисает густая, душно облегающая тело синеватая ночь, в которой зуммерят одиночные звоночки цикад и сигаретные огоньки кажутся светляками. "А пошли на берег?" — предлагает Кантор.

Мы берем фонари; у Кантора есть чудные фонари, по форме напоминающие ручную противотанковую гранату, — весь день они, воткнутые черенком в землю, впитывают солнечный свет, а в ночи возвращают его ровным голубоватым пламенем. Мы бредем под сосновым навесом, через дюны, через вязкий рефрен кустарника. Мы выбредаем на берег, под открытое небо.

Небо оказывается сумасшедше красивым.

Атлантический ветер сдернул с него волглый войлок дождевых туч, обнажил студенистую незахватанную прозрачность, сквозь которую невероятно плотно, ярко и низко звенят россыпи молодых звезд. В чернильном провале запада с приглушенным гулом собираются и разглаживаются белесые морщины ночного прибоя, далеко-далеко редкой бисерной ниткой берега подрагивает Олерон. Пахнет свежестью, гнилыми водорослями и огромным тревожным пространством — до края ойкумены, за этот край.

“Надоела мне зыбь этой медленной влаги, — писал тоскующий по Старой Европе гений, бродяга, гомик, неудачливый африканский негоциант Артюр Рембо в том самом, любимом Кантором стихотворении, — паруса караванов, бездомные дни, надоели торговые чванные флаги и на каторжных страшных понтонах огни”.

Тут вроде ничего такого, каторжного и страшного, напротив: тишь и покой, закон и порядок, — ан ведь ночью не различить.

Да и днем нелегко: Старая Европа, полтыщи лет жадно набегавшая на весь мир, последние полвека втягивается обратно, и водяная воронка волочит в ее ностальгическую лужу кого и что придется.

И флаги, и огни, и паруса — все будут в гости к нам. Или к ним. Вопрос самоопределения.

Ошалело дыша, мы бродим по песчаной полосе с голубыми фонарями в руках, как страдающие бессонницей Диогены. Но никого нет, ни единой живой души на всем берегу.

Только мы — и звездное небо над нами, где некто — положим, Бог — щурится в воздушную линзу и подмаргивает звездами от напряжения, пытаясь, возможно, разглядеть в единственном наличном рабочем материале вторую половину воспетого не Кантором, но Кантом чуда: нравственный императив внутри нас.

Бог его знает, что он там видит.

СЧАСТЬЕ И СЛАВА

Утопия Славы Полунина: мельницы нирваны мелют медленно (2010)

Главного про Славу Полунина почти никто не знает. Знают, что он — звезда мировой клоунады наипервейшей величины. Но мало кто знает, что Полунин давно и осознанно посвятил свою жизнь созданию универсальной системы перманентного счастья.

— А вы вообще-то сами откуда будете? — спрашивает раджу пожилая мадам в очках. Как и положено мадам, по-французски.

— Я вообще-то сам из Индии буду, — отвечает раджа благожелательно и с достоинством. Французский у раджи так себе, зато достоинства и благожелательности хоть отбавляй. — Буквально вчера прилетел, — уточняет он.

— Нет, — говорит мадам, — я, экскюзе муа, имею в виду — вы вообще в целом откуда? Где вы живете?

— А, — говорит раджа и делает глоток шампанского из стаканчика. — Теперь понял. Я вообще везде живу. А сейчас вот здесь. Так что сейчас местные мы.

Пользовательский интерфейс мадам отображает сомнение, затруднение и внутреннюю борьбу.

— Нет, — говорит она. — Я, экскюзе муа, имею в виду — вы на каком-таком языке разговаривали? Вот с ним только что? — она кивает на меня.

— А, — говорит раджа и подсвечивает радостной улыбкой обильную седоватую растительность на своей физиономии. — Теперь понял. Ну конечно же, мы разговаривали по-русски!

Ну, конечно же. Что же может быть естественней же.

На голове у раджи белая чалма, на самом радже оранжевый китель — то есть, разумеется, это не китель, но как он называется правильно, я не знаю и про себя именую китель кителем. Сочетание чалмы и кителя совершенно не обязательно подразумевает раджу, очень может быть, что набоба или, к примеру, брахмана, но этого я тоже не знаю и про себя именую раджу раджой. У ног раджи красивая леди в сари, похожая скорее на японку, разливает по стаканчикам напитки, а внушительный господин — тоже в кителе, но без чалмы, — наигрывает на барабанах. Про барабаны я точно знаю, что они называются табла. Рядом одна девушка в сари, смуглая от загара, но русоволосая, неторопливо наносит на руку другой девушке в сари, темноволосой, но не смуглой, узор хной. Сидят еще люди, бегают дети. Разложена какая-то нехитрая снедь. Из колонок позвякивает и подстанывает что-то индийское, наверное, ситар. Всё это — барабаны, девушки, снедь с вином, колонки с ситаром — располагается на ярких тканых накидках, а те — на деревянном настиле пешеходного Pont d'Arts. Между озадаченной пожилой мадам, деловитым чехом с профессиональным "кэноном" (чех который год делает книгу про Pont d'Arts, и который раз в этот день снимает раджу с компанией, и каждый раз искренне уверен, что познакомился с ними только что), уличными музыкантами, ямайским негром с дредами и громким портативным регги на колесиках и прочими прохожими — и витыми перилами моста, что увешаны чужими негасимыми любовями и нерушимыми браками в виде разнокалиберных замков, включая велосипедные и чемоданные. За брачными перилами небрежно разбросана Сена цвета хаки, раздвоена острым крейсерским форштевнем острова Сите, — и вдоль полицейской набережной Орфевр, из-под моста то и дело выпрастываются прогулочные французские бато, самодовольные и длинные, как французские батоны. С открытых палуб японцы с "никонами" оказывают чеху с "кэноном" плотную огневую поддержку. Над невидимыми отсюда химерами Нотр-Дама копится мощная грозовая группировка. Через пятнадцать минут она перейдет в наступление, и нам всем во главе с раджой придется ретироваться.

Раджа, предупрежденный о грозе интернетом, спокойно прихлебывает шампанское и подмигивает.

Раджа Слава — Вячеслав Иванович — Полунин, уроженец городка Новосиль Орловской губернии и гражданин мира, отметивший недавно свое шестидесятилетие, многажды названный гениальным, великим, величайшим клоуном нашего времени, и уж точно — один из успешнейших, обладатель очень престижной британской премии Лоуренса Оливье, мексиканской премии Луны, русской премии "Триумф", шотландского "Золотого ангела", испанского "Золотого носа", всяческого высочайшей профессиональной пробы золотого черта в позолоченной ступе, народный артист РФ, забывший захватить паспорт на церемониальную встречу с президентом Путиным и прошедший в Кремль без документов, мим, актер, режиссер, мегаломан, дорогостоящая суперзвезда, въедливый эффективный менеджер, неутомимый генератор идей и проектов, незабвенный Асисяй, создатель брендовых "Лицедеев", постановщик десятков спектаклей, организатор множества фестивалей, президент "Академии дураков" и король Петербургского карнавала, посол Андерсена в России и шевалье искусств Франции, реформатор славной советской школы клоунады, где в пантеоне Карандаш, Попов, Никулин, Енгибаров, фактический творец школы новой, человек, гастролировавший в сорока странах мира, и только в Нью-Йорке — три года, работавший со множеством современных гениев вроде лучшего киносказочника наших дней Терри Гиллиама, автор хитового "сНежного шоу"... — словом, на Мосту Искусств города Парижа Слава Полунин вовсе даже не валяет дурака; он осуществляет тонкую настройку своей жизни.

Нет. Всё неправильно.

Конечно же, Слава Полунин именно и конкретно валяет дурака.

И тем осуществляет тонкую настройку своей жизни.

Потому что все знают: Слава Полунин — великий артист клоунады, а что и делать клоуну, как не валять дурака?

И мало кто знает, что полунинское дуракаваляние преследует некую цель.

Что Слава Полунин на полном, весьма серьезном несерьезе работает над выведением универсальной формулы перманентного счастья.

* * *

— У нас, — говорит Слава Полунин, — четкие принципы.

И даже загибает большой палец, отчеркивая принцип номер раз.

— Мы в семье, — говорит Полунин, — никогда не смотрим телевизор. И никогда не слушаем радио. И вообще отключаем себя от негативной информации. Если что-то действительно важное случится — кто-нибудь из друзей нам расскажет.

Дело месяцем раньше, начало апреля. Мы сидим в маленьком номере маленькой гостиницы под названием “Маленькая мельница” на излете квартала Марэ. Номер декорирован не без артистизма. Весь обит каким-то черно-белым пятнистым ворсом, словно на отделку пустили стадо буренок симментальской породы. А телефон звонит так, словно хор лягушек квакает a cappella.

— Мне, — говорит Полунин, — вообще нужно, чтобы минимум пять близких людей сказали: пойди на этот фильм, почитай этот журнал. Только тогда я иду или читаю. И в театре я всегда сажусь на самый крайний стул в самом дальнем ряду. Сижу пятнадцать минут. И ухожу. Обычно. И только иногда, редко бывает такая радость — когда ты понимаешь, что происходящее стоит того, чтобы остаться, и перебраться в середку, и завтра еще раз прийти!

Полунин делает паузу.

— Мы, — говорит он, — стараемся изъять себя из потока негативной информации. Наш век увеличил информационное давление на человека во много сотен раз. Нам нужно уметь защищаться. И когда мы с друзьями собираемся за столом — а рядом со мной за столом всегда оказывается минимум десяток друзей, иначе не бывает, — то работает закон положительной информации. Мы рассказываем так же, как все люди в компаниях: я видел это, я слышал то, я прочитал в интернете... — но только о хорошем! Что кто-то что-то создал. Что где-то что-то родилось. И ученикам моим я никогда не говорю, мол, что-то плохо, что-то не выходит. Из меня не вытянешь критики. Если хорошего нечего сказать — я смолчу, уйду от ответа. Но стоит углядеть что-то хорошее — вот об этом я говорить буду. За это уцеплюсь. И тогда человек начинает понимать, что ему стоит делать и как. Мы не говорим: тут дырка, тут недоделано... Мы говорим: вот тут что-то начало получаться. И вот здесь — да-да-да, здесь появилось... Мы говорим: вот идея пришла! — а если ничего не пришло, то и нечего говорить, и пошли лучше пиво выпивать. И нам поэтому радостно всегда, понимаешь?

Я пока что не понимаю, понимаю ли я. Но рассчитываю понять. Зря, что ли, я ехал к знаменитому клоуну Славе Полунину за счастьем?

Мне рассказали, что Полунин сконструировал чрезвычайно проработанную систему счастья. Что он живет по этой системе, неукоснительно соблюдая ее правила, и собирается написать о ней пять, нет, семь, нет, двенадцать книг. Что счастье в этой системе является не только конечным продуктом, но и топливом: так сказать, круговорот счастья окрест Славы Полунина. Что поэтому, например, он общается только — и исключительно! — со счастливыми, позитивными людьми. Не делая исключения и для журналистов. Так что я не был вполне уверен, что наша встреча вообще состоится. Даже пару часов назад, когда разглядывал свою помятую, не без щетины, физиономию в зеркале туалета аэропорта Шарль-де-Голль.

Как Полунин отличает счастливых людей от несчастных? Вряд ли у него есть специальный датчик. Может быть, фейсконтроль? Представлялась парочка гламурных бодигардов — отчего-то похожих на Дольче и Габбану. Они досматривали меня брезгливо и выкидывали за порог.

Надо сказать, я с огромным подозрением отношусь ко всем проработанным системам современного счастья. И не столько в силу известного романтического императива — не будешь счастлив по приказу, can't buy me love и прочая лирика, — сколько потому, что в текущем консюмеристском мире счастье явственно мутирует в индустрию с неизбежными признаками потребительского фашизма. Как уже мутировали в тоталитарные индустрии красота (и канули гармоничные дурнушки, которых ценят не за экстерьер, а за веселый добрый нрав), успех (и невозможной сделалась честная, гордая бедность), молодость (и умение достойно стареть пора заносить в Красную книгу). Индустриальное, конвейерное счастье, основанное на утешительном полузнании, что всё суть комбинация химических веществ в наших дорогих организмах — и не более, плохо уже тем, что поддельно. Похоже на настоящее, как елочные игрушки из анекдота, но внутри — эгоистичное самодовольство от выполнения комплекса простых действий, от позитивного аутотренинга пополам с дозированным альтруизмом и нормированной доброжелательностью. О да, конечно: счастье как технология — вовсе не изобретение психологов и авторов околонаучных бестселлеров. Такая технология вложена в базовый пакет любой религии — не исключая страдательного христианства, тем более юзер-френдли буддизма. Вот только религиозные счастья — лишь побочный продукт прорыва индивида к горнему, и в методиках прорыва всегда есть место самоограничению и даже самоотречению, но нет места самодовольству. А в индустриальном счастье нет ничего, кроме него.

На этой ноте я и приехал в "Маленькую мельницу". Бодигардов Дольче и Габбаны там не было. А Слава Полунин с его сокрушительным обаянием, хитрым прищуром и растрепанной растительностью на физиономии (когда-то он говорил, что по растительности можно замерять, сколько он не выходил на сцену, — перед спектаклем клоун бреется) — был.

И действительно выглядел подозрительно счастливым.

* * *

— Ну нифига себе, — говорю я честно месяц спустя, в день капитуляции нацистской Германии. Это первый, но далеко не последний раз восьмого мая, когда мне предстоит сказать эти или какие-то похожие по смыслу слова.

Я сижу в машине, машина стоит перед медленно отворяющимися воротами. Ворота из бугристого, инкрустированного какими-то каменьями, проросшего сказочными буркалами дерева. С двух сторон их подпирают металлические фигуры в широкополых шляпах, не то пугала, не то

Железные Дровосеки, не то маги-громовержцы из компьютерной махаловки Mortal Combat. Ворота сделал Теодор Тэжик — замечательный художник, который, в частности, работал над фильмом “Кин-дза-дза” и изобрел все тамошние гениальные пепелацы, а сам живет в Москве в доме, спроворенном из бывшей трансформаторной будки. А тут за его воротами — Мельница. Тоже Мельница, как и парижский отель, только без уменьшительного прилагательного. Натуральная мельница здесь когда-то и была. А теперь здесь одно из трех примерно мест, где Слава Полунин растит большие, ветвящиеся театральные проекты — ну и живет немножко.

В каком-то другом случае я бы сказал проще: дом. Но здесь это простое слово не подходит.

Нифига себе, говорю я, наблюдая сногсшибательные ворота и уже догадываясь, что визит на Мельницу порядком скорректирует мои представления о полунинской методе тотального счастья.

Ворота открываются, мы въезжаем, и я оказываюсь прав.

Тут вот какая штука: есть инерция восприятия, заставляющая рассматривать клоуна как существо практически бездомное. Такое, чей адрес не дом и не улица, и даже не Советский Союз, а весь мир — с точками временной регистрации в гостиницах и автофургонах. Пытаясь посмотреть “глазами клоуна” и осмыслить увиденное, ты учитываешь что угодно — но не то место, где клоун шлепает босиком в душ и варит себе утром овсянку. Этого места попросту нет в системе координат. Оно не важно.

То, что я до сих пор слышал о Полунине и от Полунина, нисколько не противоречило такому взгляду.

Месяц назад Слава Полунин, излагая мне свою географическую философию, говорил (и ничуть не лукавил), как важно всё время двигаться, ездить как можно больше. “Шарик — штука небольшая, обязательно использовать его по назначению”. Любому, говорил он, надо побывать в Индии: это опыт, который сильно меняет отношение к жизни, дает наглядный пример переключения скоростей и смены ориентиров (Полунин как раз собирался в Индию — вначале гостить на свадьбе в Раджастане, а после — с хорошей компанией плыть пять дней на лодке по ленивым рекам тропического штата Керала). Любому надо бывать в странах, где радость жизни растворена в воздухе, как пузырьки в шампанском, — в Италии, на Кубе. “На Кубе я как-то много часов наблюдал за парнсм, вешавшим в гостиничном холле занавеску, — он приходил, пританцовывая, уходил, возвращался, включал магнитофон, примерялся к карнизу, снова уходил, напевал, прищелкивал пальцами; он повесил занавеску, она перекосилась и упала — он махнул рукой и ушел, абсолютно довольный; он потрясающе, потрясающе провел несколько часов!” Ну а вы, Слава, где все-таки в основном живете, спросил я. “Мы, — сказал Полунин, — нигде не живем, мы движемся, у нас есть несколько бивуаков — в Москве, в Лондоне, где растет «сНежное шоу», здесь, во Франции, где растут новые проекты, еще где-то…" Я покивал: образ бивуака был недурен, цирковым (а клоун — все-таки циркового семени ремесло, даже если, как в полунинском случае, вырастает в полновесный театр) и не положено сидеть на месте, смотри выше. Клоун — это "Караван мира", который Полунин со товарищи сделали в девяностом. Фантастический анабасис десятков ("двадцать мы собрали, а еще сорок прилепились сами") коллективов по Европе, когда "железный занавес" уже обваливался кусками, но еще пугал, и еще не снесли Берлинскую стену, и Вацлав Гавел, будущий президент и тогдашний завлит одного из театров-участников, сидел под домашним арестом, откуда его пришлось вызволять, — а шапито вырастали от Праги до Елисейских Полей, как посольства оттепели, расплавляющей границы, сплавляющей Европу в новое единство. В этом году юбилей не только у Полунина, но и у "Каравана", и будет праздник, ритуальный уменьшенный дубль. Того блицкрига, конечно, не повторить, не входят в один zeitgeist дважды. Однако людям, провернувшим эдакий великий поход на переломе времен, где же и жить, как не по бивуакам?

Не то чтобы я действительно ожидал обнаружить на Мельнице армейские палатки и полевую кухню. Или шапито и кибитки (хотя жил же одно время дизайнер Симачев в юрте, чем не пример?).

Но того, что обнаружил, я не ожидал тем более.

Зато кое-что понял про механику счастья.

* * *

— Ты понимаешь, — говорит Слава Полунин в номере “Маленькой мельницы”, — про счастье у меня нету никакой специальной концепции. Я не очень сильный философ. Словом не слишком хорошо владею, анализом. Я как ребенок: сейчас счастлив — сейчас нет. Если несчастлив — лезу из кожи вон, чтобы это устранить. Это формула моего существования. Если чувствую, что я не в гармонии, не в радостном созидании, — я воспринимаю это как болезнь. Болезнь может длиться день, неделю, год — но весь этот год я стремлюсь из нее выбраться. Это для меня ужас. Я не могу себе позволить быть несчастливым.

Полунин задумчиво смотрит куда-то под потолочную балку, словно там плавает в воздухе невесомый весомый аргумент.

— У меня есть закон, — говорит он. — Называется “ноги в воду”. Каждые три-пять лет надлежит сесть на берегу реки, опустить ноги в воду, ничего не делать, сидеть и думать: что ты сделал за эти годы? Зачем? Нужно ли это было делать? Куда ты идешь?.. Каждые три-пять лет нужно сворачивать. Обновление, понимаешь? Ты не можешь всё время идти вот так, — он прямо и резко рубит рукой. — Даже если идешь к какой-то определенной цели, то идти нужно вот так, — рука выписывает змеиный зигзаг. — Идти всё время по одной дороге — скучно, неинтересно, неправильно. Ужас повторения: здесь уже сидел, здесь лежал, с этим пил, с этим ел, с этим плясал. Невозможно. Словом, ты должен устраивать себе ревизию: счастлив ты или нет. Этот самоконтроль — регулярная, обязательная процедура. Как умывание. И если ты чувствуешь на теле чесотку несчастья — ее необходимо устранить.

— Ну хорошо, — говорю я. — Вот Слава Полунин просыпается поутру, смотрит в зеркало и думает: хм, чегой-то я несчастлив. И что дальше?

— Дальше, — говорит Полунин, — Славе Полунину нужно понять, почему он несчастлив.

— И всегда можно понять? — не верю я.

— Всегда, — говорит Полунин твердо. — Пусть не за один день, но можно. Вот смотри. Я работал в цирке "Дю Солей". Это лучший цирк в мире. И я — звезда великого цирка. Это гастроли в Нью-Йорке. И я — главный персонаж. Мечта, вершина карьеры… И — мне скучно. Неинтересно. Несчастливо. Почему? А — кончилось творчество. Я ежедневно повторяю одно и то же. Развития нет. Не дают развиваться, нельзя, потому что формула коммерческого успеха — закрепление и повторение. И у меня начинается депрессия. Что-то неверно. Я нахожусь не там. Депрессия длится несколько месяцев — страшная, тяжелая… Хотя всё идеально, меня все любят, меня на руках носят! И вот я ищу возможность вырваться из этого прекрасного, выгодного, перспективного контракта. И вырываюсь. И депрессия проходит. А раньше — еще в советские времена — был у меня идеальный партнер, Саша Скворцов. Мы с ним были абсолютная пара десять лет кряду, а то и пятнадцать… И вот однажды я сказал: нет, Сань, давай мы с тобой расстанемся — и каждый пойдет своим путем. Все цирковые люди крутили пальцами у виска: ты что, сумасшедший, найти партнера — профессиональная мечта!!! Но мы все друг другу сказали, всё сделали, и я понимал: теперь мы стоим на месте и держим друг друга, не даем двигаться. И надо было решиться уйти — неизвестно куда, неизвестно зачем. И я решился. То есть нужно понять, что именно и в каком месте неправильно, — это раз. И найти в себе силы сделать из этого места шаг — это два. А это всегда очень больно. Очень непросто. И абсолютно необходимо.

* * *

К моменту, когда он это говорит, я уже и сам убеждаюсь: ни в Полунине, ни в полунинской "системе счастья" нету самодовольства — дурного гена индустриальной благости, главной беды и главного греха успешных и знаменитых. И мания величия, в которой Полунина любят уличать недоброжелатели, особенно менее удачливые коллеги, — это тоже не про него. Иное дело — комплекс бога; но у какого ж всерьез состоявшегося творческого индивида нету комплекса бога?.. Но и моцартианский аватар большого ребенка, который прыгает на одной ножке от удачи к удаче, словно беззаботно играет в классики, меня чуть смущает. Его явно предпочитают говорящие о Полунине; однако он не то чтобы фальшив — он явно неполон, недостаточен. Полунинская жизненная траектория, полунинская карьера, количество и качество взятых им высот — всё это явно предполагает не только огромную, постоянную, упорную и временами на разрыв аорты работу; это как раз понятно любому, кто хоть что-то знает о механике творчества. Но еще это подразумевает и жесткость воли, и целеустремленность, и способность отбрасывать второстепенное ради главного. Инфантильные идеалисты не бывают гениальными менеджерами собственного дара. Инфантильные идеалисты не становятся звездами "Дю Солей" — а главное, не уходят из звезд "Дю Солей" вопреки расслабляющим обстоятельствам. Больше того: как трудно мне вообразить карьерный успех без сжатой энергии борьбы и прорыва, так трудно представить успех творческий без примеси сумрака и боли — сотканный из одной лишь игры добра и света (ну и работа, работа, много работы — в уме).

— Слава, — говорю я, — а состояния творчески продуктивного НЕсчастья у вас никогда не бывает? Ну — плохо вам, муторно... а потом из этого что-то стоящее рождается?

— Я, — говорит Полунин, — жаловался как-то Райкину, Аркадию Исааковичу: мол, вот, сделал спектакль, а что-то не то, публика не понимает... А он мне на это: дурак ты, дурак, учиться тебе еще и учиться. Вот сегодня ты наконец-то сделал шаг в правильном направлении. Ты натолкнулся на препятствие. И теперь тебе придется думать. Придется понимать: что, и почему, и как. А до этого ты делал всё интуитивно, "попал — не попал", и цена этому грош. Так что без дискомфорта никуда не уедешь. Но несчастье нужно только для того, чтобы сказать себе: я хочу быть счастливым. И — шаг за шагом идти к счастью. Счастье не может быть каждый день. Это нам хочется, чтобы каждый день. А на деле дорожка к счастью — трудоемкая дорожка. Но само стремление дает тебе вдохновение. И когда ты выходишь наконец на желанную полянку и вдыхаешь полной грудью — ты говоришь себе: о, всё правильно, всё сошлось. А до того — зубы сжал, стиснул, и прешь, прешь, прешь... аж трещит всё. И после — то же самое. Без этого самоистязания, без удовольствия преодоления себя ничего не будет.

— А как насчет того, — говорю я, предположив, что момент вызрел, — что вы общаетесь только со счастливыми людьми? Это правда, что ли? И как же вы их, так сказать, сепарируете от несчастливых?

— О! — Полунин оживляется. — Это великая история! Потому что на деле плюс притягивает плюс, а не наоборот. Как выяснилось, физические формулы, в которых плюс притягивает минус, не работают в человеческом пространстве. Чем больше плюсов ты собираешь, тем больше плюсов на выходе, и никак иначе. Чтобы создать спектакль, мне надо сначала создать пространство спектакля. Иногда на это требуется год-два. Пока я не найду идеальное место, идеальных людей, не вычислю их идеальную личную заинтересованность — я не могу ничего делать. Потому что мне нужна энергия вдохновения каждого. Когда я создал это пространство — я легко, как бы между прочим, начинаю что-то по нему вышивать. Вот это и есть креативный идеал. И однажды я понял, что это надо делать не только для достижения художественного результата. Это надо делать для жизни. И теперь у меня удивительная коллекция вдохновенных, счастливых, радостных людей. Кто-то думает, что счастливые люди — это те, кто ДОБИЛИСЬ. Чем дольше живу, тем больше понимаю, что всё наоборот. "Добился" — это когда взобрался на вершину, видную отовсюду. Водрузил знамя, получил медаль, премию, прославился, обронзовел в памятник. Чушь. Меня интересуют те, кто добился чего-то внутри себя. У меня сейчас больше десятка друзей, которые все — удивительно счастливые люди. Так счастливы, что ищут — с кем бы поделиться, разбрасывают счастье пригоршнями и охапками. Они — мои учителя. Хотя я как раз вроде бы чего-то "добился". А они ухитряются транслировать это счастье независимо от того, каковы их формальные достижения, сколько у них денег, есть ли у них трудности. Они сильнее мира. Они не зависят от мира, а помогают ему.

Я согласно киваю в ответ; Полунин все-таки здорово всё объясняет, даром что не философ и с анализом не в ладах. Лишь потом, позже, я понимаю, что про технологию отделения плюсов от минусов и счастливых от несчастливых он так ничего и не сказал. Наверное, как в любой алхимии, это тот неудобосказуемый, не слишком-то приятный секретный компонент, тайный ингредиент, без которого не выйдет никакого Великого Делания — и секретом которого не делятся ни с кем никогда.

* * *

Когда Слава быстрым аллюром проводит меня по своей Немаленькой Мельнице, я всё пытаюсь понять: в чем тут секретный компонент, тайный ингредиент? Как всё это получается?

Потому что я никогда не видел более волшебной обитаемой среды.

Непонятно даже не то, как на всё это хватило денег; я знаю, что до пятидесяти лет Полунин и впрямь практически жил в автофургоне и имущества имел пару чемоданов, — но все-таки теперь (и уже довольно долго) он в когорте самых востребованных и успешных артистов мира... Непонятно, как хватило времени, упорства и фантазии — всего-то за восемь, что ли, лет, которые Слава с женой, близкими, соратниками и друзьями превращают Мельницу в уникальный дом — творческую лабораторию.

И главное, непонятно, как сам я мог пытаться поглядеть "глазами клоуна" и понять Славу Полунина, не поглядев на этот его бивуак.

Мельница лежит среди зарослей, и садиков (есть Белый, с прудом, есть Черный, в котором все растения — с фиолетовыми листьями, наперекор ботаникам прижившиеся во французской почве), и прудиков, и странных объектов, и не похожих ни на что резных, вычурных беседок; за забором, где у каждой доски своя любовно выточенная голова; за воротами работы Тэжика; на берегу реки, неширокой, но всамделишной, с тихим гулом соскальзывающей по искусственному порогу. Один бок у Мельницы ярко-желтый, в диковинных подпалинах виртуозных граффити: Синяя Птица, инопланетные существа явно клоунского происхождения. "Это я познакомился с такими чудесными ребятами бразильскими, граффитистами, — объясняет Полунин, — они теперь знаменитые, что-то расписывают в Tate Gallery". Другой бок — палевый, скромный, глядящий в бесконечный диковатый сад. "Тут после урагана девяносто пятого всё было завалено поломанными деревьями, — объясняет Полунин. — Мы, когда сюда пришли, пришлось всё расчищать. Ну, мы из этого дерева много чего сделали". Он стремительно тащит меня по саду, показывая это самое много чего. Самый актуальный полунинский проект — из того десятка проектов, которыми он занимается одновременно, трезво положив за правило, что проектов должно быть много, потому что встретится с деньгами и до воплощения дойдет хорошо если каждый пятый, — называется "Пейзарт". Попытка вытащить спектакль, клоунаду, лицедейство, живительный карнавал не только из режимного пространства театра — но и из урбанистического контекста вообще; влить его в природу, в живую жизнь, в дышащую и цветущую спонтанность, в незащищенное восприятие зрителя и соучастника, только так и способного ощутить, как счастливая цирковая дурь вымывает из сознания свинцовую глупость будней. Тут для этой попытки — полигон, мастерская и будущая сцена. Вот здесь, объясняет Полунин, будет стоять большое шапито. А вот здесь будет зрительский амфитеатр — и сцена в виде островка, с этой вот сосной посередине. А вот тут будет как бы гнездо из этих вот бревен — и через край зрители будут заглядывать внутрь, а там будет яйцо, а вокруг будут бродить настоящие куры… — и тут же через гнездо гордо дефилирует всамделишный петух невиданной лейб-гвардейской породы, с хохолком и пышными галифе. А вот тут цыганская кибитка, совершенно натуральная, — это мы постарались воссоздать родной дух, дух настоящего кочевого цирка, вот, заходи внутрь, смотри, как тут всё здорово сделано, — а как в ней славно просыпаться утром, когда птицы поют! А вот тут еще одно яйцо… — и Полунин показывает конструкцию из гнутых, как корабельные шпангоуты, досок; его нам отличные ребята спроектировали, объясняет он, а сейчас они стали лучшими европейскими архитекторами года, вот так, да. А вот здесь то яйцо, которое будет в гнезде, — и показывает уже самый настоящий перевернутый корабельный корпус, найденный где-то, распиленный и перевезенный на Мельницу. А вот это тоже самый настоящий маленький храм из Кореи, его там десять художников расписывали четыре дня… — и впрямь, миниатюрная недопагода, яркие краски, драконы, жутко представить, как сюда везли.

Как-то на отшибе, чуть отдельно от всего, стоит на вечном приколе старый потертый минивэн навроде древнего “Каравана” или рижского “Рафика”.

— А это наша машина, — говорит Полунин нежно. — Мы на ней как минимум полмира объехали по гастролям. Вот к ней еще прицеп такой же крепился — и дом был, и штаб, и всё что угодно.

Я замечаю, что на правом переднем зеркале минивэна висит небольшая кожаная сумка, такая же старая и потертая, как само авто.

А Полунин уже увлекает меня дальше, дальше: в нутро Мельницы, ни на что не похожее, и ни одна комната не похожа на другую, и в одной царит индийский стиль, а в другой какое-то гжельское узорочье, и изукрашенная бело-синим каминная решетка с блошиного рынка оказывается рамой для телевизора, и в “детском мире”, от вида которого меня в детстве хватил бы счастливый преждевременный инфаркт, прозрачный потолок, он же пол для будущей библиотеки, и с петрушечьей пестротой костюмерных мастерских спорит строгость кабинета, от пола до потолка заставленного богатейшей полунинской карто- и видеотекой по вопросам театра, цирка и клоунады, и верхний, еще не отделанный этаж словно сложен из витиеватых раковин, а на площадке, выходящей на реку, стоят тяжеленные кресла-троны из плавника родом из Новой Зеландии и тлеет очаг, в девичестве огромная посудина, в которой в Индии на целую деревню готовят по праздникам прасад.

“Просто мы поняли, что из Индии один раз притащить дешевле, чем покупать в IKEA”, — говорит Полунин. Верю, поняли, притащили; но ведь всё это кто-то придумал, нафантазировал, спроектировал; вот к этому замечательному объекту приложил руку маэстро Михаил Шемякин, кстати, почти сосед — живет неподалеку; а вот эти витые раковины стен соорудил не вызванный с того света дух Гауди, а Андрей Бартенев, друг и частый гость. Полунин рассказывает и показывает — и за этой экскурсией проступает ладно бы полуниноцентричная (все большие артисты эгоцентричны), но — чудесно полуниностремительная картина мира. “Я познакомился с таким потрясающим чехом (бразильцем, голландцем, японцем, граффитистом, архитектором, художником)” — и вот уже этот чех-японец-граффитист-художник, плюнув на дела и планы, с радостным блеском во взоре строит деревянное яйцо, умышляет дизайн репетиционного зала, растит сад, готовит шоу в рамках “Пейзарта”. Как же он этого добивается, что же он с ними делает, думаю я. Хорошо бы, думаю я, Полунин познакомился уже со всеми — то есть вообще со всем населением земшара: глядишь, бросили бы свои глупости — политику, терроризм, бизнес, распил бюджета, борьбу за национальную независимость и суверенную демократию — и занялись бы делом; вон, и верхний этаж Мельницы до ума не доведен, и вдоль дощатой дорожки еще полно свободного места под карнавальные проекты живого театра.

* * *

— Любовь, — говорит мне Полунин в номере "Маленькой мельницы", — любовь и положительная энергия — это закон клоунады. Чем больше ты любишь всех — тем больше тебе возвращают. Сколько отдал — столько получил. На этом равновесии всё и держится. Все талантливые клоуны — электростанции любви. И только потому они получают энергию в ответ.

Я бы рад ему поверить, но уж больно благостно всё глядится. Вот клоун, вот зритель — и промеж них циркулирует экологически чистый ток обожания, беспримесная энергия обоюдного счастья. Ноль негатива, сплошной позитив.

Я бы рад ему поверить, и уж подавно я готов отнести коулрофобию — реальное психическое расстройство, боязнь клоунов, — в область курьезов: мало ли чего боятся измотанные граждане мегаполисов, рабы корпоративной и жертвы массовой культуры. Кризиса, секса, детей, интернета, домашних животных, пробок, терроризма, генно-модифицированной еды, правительства, революции, соотечественников, инородцев, телевидения, инопланетян, сглаза, плохого фэн-шуй, завтрашнего дня. Покажи им клоуна — испугаются и клоуна.

Я бы рад — но даже я, не бывший в цирке с детства и видевший полунинские шоу только в видеозаписи, хорошо понимаю амбивалентность клоунады. "Я смеюсь, но в душе я плачу", — не об этом ли говорил Бэтмену злодей-провокатор Джокер, не случайно выбравший из всех возможных личин клоунский прикид. Клоун пользуется древним и темным правом прямой коммуникации, которое еще короли даровали шутам — и часто раскаивались, но редко отменяли. Минуя все иерархические этажи искусства и все классовые блокпосты, проскальзывая сквозь опутанные оптоволокном линии Мажино, воздвигнутые новыми технологиями, клоун обращается напрямую к Маленькому Человеку, живущему внутри даже самых больших и важных людей. Он подносит зеркало к его сморщенному лицу — и отражение в зеркале едва ли назовешь просто забавным. Отражение, черт возьми, как минимум неоднозначно. Так над чаплинскими персонажами принято точить политкорректную слезу, умиляясь трогательной жалкости; точащие давно не пересматривали хотя бы "Золотую лихорадку" — герои Чаплина сколь трогательны и смешны, столь же и страшноваты. Маленький человек, возведенный в символический масштаб, вообще страшноват: так пугает всё маленькое, увеличенное невместно и несообразно, — паучок под лупой, бактерия под микроскопом, игуана, разросшаяся в Годзиллу, или Башмачкин, вымахавший с Медного Всадника.

Парадоксальным образом это вовсе не противоречит тому, что история культуры знает множество примеров замечательных произведений, в которых симпатичны мелкие бедные неудачники и антипатичны корпулентные богатые везунчики, и чрезвычайно мало примеров, в которых наоборот. Так работает христианская матрица, определившая Иисуса на крест, а не в вип-апартаменты, и тем задавшая главную коллизию своей культуры.

Клоун, паяц, шут здесь на особом положении; он сам себе и художник, и герой, и наблюдатель, и персонаж, и палач, и жертва: кто взял на себя грехи маленького человека, тот не обязан льстить маленьким людям. Клоун — фигура не сусальная, а мистическая, его смех трагичен, его ухмылка не обязана быть доброй: он оплатил это право дорогой ценой. Он отчаянно смеется над открытым переломом мира, потому что в нем самом — скрытый надлом, резонирующая с глобальным провалом тайная трещина. Коллеги-художники об этом отлично догадываются, между прочим. За последние полвека написаны два значительных романа, в которых главный герой — паяц: “Глазами клоуна” Генриха Бёлля и “Тишина” Питера Хёга. И там и там герой вроде как положительный и даже наделенный сверхчуткостью к высшим гармониям, но ни в одном глазу не благополучный. Сложно назвать благополучным потерявшего любимую женщину алкоголика (кто чувствует холодный ток из пробоины в мироздании, тому мудрено не пить) в нижней точке кризиса веры и финансового краха, на грани суицида. Ей-ей, и у Бёлля так, и у Хёга; и уж, наверное, неспроста — потому что и судьбы реальных, не литературных великих клоунов сплошь и рядом выглядят так же, взять хоть Енгибарова, которого Полунин всегда поминает среди главных своих учителей.

Клоун, наверное, прав и в своем праве — но разве же у клоуна может быть всё хорошо? Несчастье, возможно, и впрямь болезнь — но в человеческих ли, в клоунских ли силах назначить самому себе и заодно окружающим терапию перманентного счастья? Вот что я пытаюсь сказать Полунину. Но то ли я говорю недостаточно внятно, то ли Полунин давно прожил это и продумал и нашел изящный выход из того, что кажется мне мрачным тупиком.

— Клоуны, — говорит он мне почти ласково, — они же интуиты. Они никогда не знают, что делают. Они существуют, как ребенок. Они идеальная мембрана и поэтому резонируют с тем, что другим, даже умным, не очевидно. Но чаще всего они от этого не умеют строить формулу своего развития, выбирать свой путь. И живут, сколько живут. А потом раз — попали в нехорошую ситуацию… и всё, они беспомощны, не могут проявить силу. И поэтому пьянство — да, очень частая вещь среди клоунов. Половина клоунов заканчивает пьянством. Как минимум половина. И самоубийство — нередкая вещь. Именно потому, что они не приспособлены к этому миру. Их талант — именно в неприспособленности. Понимаешь?

Полунин смотрит на меня внимательно.

— Но МОИ дураки, — говорит он мне так, словно это всё ставит на свои места, — мои дураки, которых я люблю и у которых учусь, ухитряются из всего делать счастье. Они постигли: для того чтобы быть ПРОСТО счастливым, не надо переворачивать свою жизнь. Надо только захотеть, чтобы счастье было. И ценить. Друзей, детей, тишину, погоду. Просто внимания больше — и всё.

"Дураки" — любимое слово Полунина. Оно нагружено предельно позитивными коннотациями. Не зря он сует его в названия половины своих затей. "Конгресс дураков". "Корабль дураков". Полунинский дурак — не придурок какой-нибудь, не серая нелепая личность, спроектированная для смехотерапии столь же серых, но куда более хватких бюргеров, о нет; напротив, он тот настоящий и цветной, кого мир бюргеров и серых личностей ловил, но не поймал. Потому что траектория движения настоящего, в высоком смысле дурака слишком непредсказуема для корявых пальцев серого мира.

Просто внимания больше, ага.

— И всё? — спрашиваю я сварливо.

— Да нет, не всё! — Полунин ухмыляется. — Дальше начинается сто-о-олько градаций! Счастье же бывает любой сложности. Можно вот и синхрофазотрон соорудить. Адронный коллайдер счастья!

"Чернобыль счастья", — заканчиваю я мрачно про себя и спрашиваю — повинуясь скорее интуиции:

— Слава, а вы встречали по-настоящему злых людей?

— Наверное… — говорит Полунин неуверенно. — Наверное. Пытаешься их всегда оправдать — что, мол, судьба им не дала чего-то или, наоборот, дала по шеям, и оттого всё. Но до конца их понять сложно. Наверное, их мир все-таки очень больно ударил — мамой, папой, детством, чем-то еще. Или чего-то очень недодал. И они потому не задумались о том, что важно в мире. И не могут почувствовать боль других... Но ведь мы — мы же и производим то, что кладется на другую чашу! Чем больше будем стараться — тем больше она будет перевешивать. Это единственный способ. Я другого не знаю.

— А как, — настаиваю я, — насчет противления злу насилием?

— Ну, это же, — говорит Полунин удивленно, — предназначение. У каждой личности свое. Один борец, другой творец, третий философ. Кто-то берет меч, кто-то иначе действует. Ты рождаешься с этим уже. Это нормально. Я вот не борец. Меня революционные действия напрягают и пугают. Это все-таки не мое. Я к Толстому ближе, что ли. Мое — это вот... в отшельники. И в кругу своих друзей вести жизнь, которую я считаю правильной. А круги расходятся. И кому-то помогают. Поэтому я и ищу не битвы — а ситуации, где могу проявить свою силу восторженности.

* * *

Вечером на Мельнице, в кругу своих, генератор восторженности работает на малых, спокойных, умиротворяющих оборотах. Пахнет жареным мясом. Пахнет сандалом курительных палочек, пахнет масала-чаем из китайского термоса в цветочек. Пахнет негасимыми свечами, изготовленными по индийской технологии: каждая обернута в пропитанную воском бумагу. Кто-то притаскивает пойманного в реке угря — толстого, в руку, мощно извивающегося: угорь соблазнительно выглядит в копченой перспективе, но все-таки его решают отпустить. Крутится на проекционном экране записанное в Индии видео, бесконечно плывет снятый с лодки тропический берег штата Керала — вьющийся, курчавый, обнадеживающе одинаковый, как медитативная зеленая мантра. Слава Полунин в ветровке и оранжевой шапочке полудремлет в приемистом новозеландском кресле из корявого плавника, словно взятом из бутафории "Властелина колец"; индуистский джетлаг, срубающий не то Гэндальфа, не то Сарумана.

— Слава, — спрашиваю я его, — мне вот рассказывали... А вы и впрямь собираетесь написать пять, или семь, или двенадцать книжек про свою технологию счастья?

Полунин глядит на меня непонимающе.

— А, книжки, — говорит он наконец. — Нет, ну у меня просто накопилось очень много архивов. Про все проекты, про шоу, про ремесло — ну и так далее. Ну, ты же сам видел у меня в кабинете. Так что мы хотим это всё как-то издать. Книжки — они как бы уже готовы, да, столько всего было, ничего не надо придумывать. Так что пять-десять выпустить за год было бы здорово. Если выйдет. И еще хотим сделать серию видеофильмов, таких как бы уроков...

Он замолкает, и разводит руками, и как будто повисает в воздухе: как же все-таки легко перепутать технологию счастья с техникой профессионального мастерства. И то сказать: а кто возьмется отделить одно от другого?

В этот момент всё как-то срастается, становится на свои места. А может, это действуют несколько — пять? семь? девять? — стаканов шардоне, нацеженных из удобного, с краником, тетрапака.

Полунинская система счастья не работает сама по себе, без творчества. В творчестве ее суть и цель, ее потайная начинка и явное оправдание, внешний выход и внутренний движитель. В творчестве и только в нем — то ноу-хау, тот секретный компонент, тот алхимический магистериум, которым Полунин пытается претворять чесотку несчастья в счастливую щекотку ежеминутной радости.

Всё, может, формально и не так, как в написанном Стругацкими в пору Славиной юности "Понедельнике", который начинается в субботу, — но сущностно так же.

Только творчество и осмысливает всё это. Только ради творчества всё это и нужно — и невероятно изобретательный "дом-театр, сад-театр", и бесчисленные друзья-волонтеры, превращающие Мельницу с ее скучной кулацкой родословной в разноцветный праздник, и миллион полунинских проектов, попеременно отображаемых на шести рабочих досках-панно в его кабинете, и попойки, и посиделки, и завиральные затеи, и развеселая настройка собственной жизни на Pont d'Arts и во множестве других мест силы, и сонмы веселых неуловимых дураков, спускающих на воду корабли и затевающих конгрессы. Технология счастья Славы Полунина — это попытка технологии бесперебойного творчества. Со своими пиками и спадами, но — непрерывного, как ядерная реакция или процесс выплавки чугуна: стоит на секунду прервать творчество-игру, творчество-посиделки — и заглохнет реактор, и остынет мартен; а если не заглохнет и не остынет, то есть шанс получить на выходе из игр и посиделок полноценное, мощное созидание. Синхрофазотрон или адронный коллайдер счастья.

Так в нормальной жизни, конечно, не бывает: чугун чугуном, а творчество творчеством. Но Полунин давно заработал себе право на ненормальную жизнь. То, чем он занимается, и впрямь сродни алхимии, магии, вуду — только с заданным в условиях знаком плюс. И Мельница его, и все его проекты — попытка выстроить эффективный микромир, от точечных манипуляций с которым будет зримо меняться мир большой, макро-. Ну или, иначе говоря, попытка сконструировать гиперболоид вроде того, что придумал толстовский инженер Гарин. Систему зеркал, способную слабый, неконкурентоспособный свет, типа света отдельной свечи, сгустить в энергетический шнур, обладающий огромной силой: у Гарина разрушительной, а у Полунина, хотелось бы ему, созидательной.

Я не уверен, что у него получится. Пока что особо ни у кого не получалось. Но за попытку, да, спасибо.

* * *

Уже совсем темно. Слава Полунин борется с джетлагом в новозеландском троне. А его жена Лена, которой удивительно идет ее театральное прозвище Фудзи, ведет меня и ватагу прочих визитеров на еще одну, ночную экскурсию по территории Мельницы, по одной из главных стационарных частей гиперболоида клоуна Полунина. Мимо садов, и каркасов будущих театральных подмостков, и цыганской кибитки, и корейского храма. Оказывается, что дощатая дорожка вдоль реки и будущей территории “Пейзарта” частично превращена в Млечный Путь. В дырочки и щели вставлены светодиоды — и теперь мерцают радикально голубым. Визитеры увлеченно обсуждают оптимальную плотность огоньков — чтобы и впрямь казалось, что ты шагаешь по звездной дорожке, но не кружилась голова.

Лена подводит меня к сиротливому минивэну.

— А вот на этой машине, — говорит она, — мы объехали как минимум полмира. По гастролям. И еще у нас был прицеп…

Я собираюсь сказать, что мне об этом уже говорил Слава. Но не говорю.

— А вот видишь эту сумку? — Лена показывает на нее, висящую на правом переднем зеркале, потертую ничуть не меньше самого авто. — Машина у нас раньше долго стояла в другом месте. И какая-то птица сделала в этой сумке гнездо. И вывела птенцов, да. А потом мы всё передвинули и были уверены, что птица, конечно, больше не прилетит.

Но на всякий случай решили повесить сумку. И вот — посмотри.

Она отгибает клапан. И я опять ничего, ну совсем ничего не говорю. Ни про то, как ловко всё всегда обставлено с реквизитом у цирковых. Ни про то, а как, собственно, отгибает этот самый клапан верная своему гнездовью упрямая птица. Я ничего не говорю, потому что в сумке светятся крапчатым светом несколько крепеньких, овальных яиц, из которых теоретически должно вылупиться пушистое, горластое, наглое, беззащитное будущее.

И эти яйца, не иначе прообраз многочисленных яйцевидных конструкций Мельницы (из которых ведь тоже должно вылупляться будущее), — они на вид абсолютно настоящие, правда.

Пожалуй, я верю, что так и есть.

ФОРС-МАЖОР

Утопия Теодора Курентзиса: пермские боги перемен

(2011)

Дирижер Теодор Курентзис — грек, живущий в России семнадцать лет, — самая экзотическая фигура русской музыки; для кого-то он — визионер-новатор, для других — дутая величина... С недавних пор Курентзис — художественный руководитель Пермского академического театра оперы и балета, а значит, вскоре он неизбежно станет частью той "культурной революции", которая длится в Перми уже больше двух лет. Пермская революция и сама для кого-то — грандиозный прогрессорский эксперимент по модернизации целого города, для кого-то — тоже грандиозное, но надувательство. Что станет результатом встречи двух раскрученных, но неоднозначных мифов?

Среди генералов мировой гвардии Большой Музыки у Теодора Курентзиса, в возрасте двадцати двух лет сорвавшегося из Афин в Россию, чтобы в России остаться, характерная роль молодого дерзкого майора-герильеро, фотогеничного и самоуверенного, амбициозного и амбивалентного: дирижирует вызывающе буйно, на всё имеет свой взгляд, ссорится с цеховыми авторитетами, то пишет стихи, то играет в кино, то рассуждает о Боге, то снимается полуобнаженным (зато в виде ангела, с крыльями) для глянца, то живет с музыкантами чуть не хипповской творческой коммуной. Одни восторгаются им как уникальным носителем божественно-революционного духа искусства. Другие уличают в нарциссизме и экстремизме, гламурности и диктаторских замашках. И тем и другим Курентзис охотно подкидывает всё новое топливо для поддержания градуса обожания и ненависти, сам же упорно придерживается партизанской тактики: окопаться подальше от столиц и наносить удары оттуда. Семь лет, с 2004-го, он руководил Новосибирской оперой, основательно перепахал музыкальный ландшафт академического центра Сибири, создал там ансамбль и хор, стал возить их на мировые гастроли, обосновался, укрепился… И вдруг — внезапный уход на новую базу, в Пермь: формально даже не повышение в должности — но на деле резкое повышение ставок в игре. Причем уход, сдирижированный в духе шпионского детектива: с утечками информации в прессу и их опровержением, со слухами в блогосфере и тремором в профессиональном сообществе, с ажиотажем фанатов и ропотом недоброжелателей.

В самой Перми его отнюдь не все ждали с распростертыми объятиями. Может быть, именно поэтому Курентзис начал действовать очень, очень быстро.

* * *

— Я теперь хочу тоже говорить тост, — произносит Курентзис, подняв стакан с рыжим “Чивас Ригалом”. Русский язык у Курентзиса удивительный для человека, прожившего в России семнадцать лет и называющего ее своей второй родиной, а себя — “Федором Ивановичем Курочкиным”: словарно и образно богатый, он порядком перекорежен грамматически, а главное — милый, но могучий акцент, столь странный для индивида с совершенным музыкальным слухом. Так что люди, знающие Курентзиса давно, шутят: мол, Теодор прогрессирует — изъясняется по-русски всё хуже и хуже.

Здесь все говорят тосты. Это Пермь, это 2 марта 2011 года, только что прошел концерт, очередная (вторая по счету за два месяца — а между уместились крайне успешные выступления “Musica Aeterna” в амстердамском “Концертгебау” и венском “Музикферайне”) демонстрация силы нового худрука и его команды. Настроение — как после тактической, но безусловно успешной боевой операции, адреналин гудит в крови, кажется, у всех: у самого Курентзиса, его правой руки Алексея Трифонова (с сентября — худрука Пермской филармонии), его другой правой руки Виталия Полонского (директора оперной труппы), его прочих правых рук, главного балетмейстера Пермского балета Алексея Мирошниченко, статусной в Европах vocal coach Медеи Ясониди, музыкантов из оркестра Курентзиса “Musica Aeterna”, сопрано Ларисы Кель, Вероники Джиоевой и Ирины Чуриловой, баритона Максима Аниськина, приглашенного тенора Михаила Векуа, и так далее, и тому подобное. Вся эта бодро усталая, слегка взвинченная компания сидит вокруг большого стола в кафе Pravila. Кафе тоже по мере сил старается работать на атмосферу ставки успешной армии вторжения, по определению малость отдельной от окружающего ландшафта и контекста: своим русско-латинским лейблом, своим лаконичным черно-белым дизайном, своим глобалистским меню (сибас, салат “цезарь”, тигровые креветки), блюда из которого котируются по-московски недешево, и несут их милые юные официантки по-московски нескоро.

Курентзис говорит тост. Он говорит про то, как много предстоит сделать. Про то, какая уникальная возможность открыта здесь присутствующим — возможность выстроить “в нашем гнилом мире”, живущем по законам порнографического потребления, оазис настоящего искусства, обитель творческого духа, причем на благодатном укрепленном плацдарме, населенном эмоциональными людьми, жаждущими чуда. Он говорит про то, какой это шанс и какая это работа. Он говорит немного сбивчиво, но, кажется, весьма искренне.

— А если мы не сумеем, — заканчивает он драматически, — то все мы через десять, а то и через пять лет будем эмигрантами в Европе.

* * *

Это, конечно, звучит немного странно из уст грека и гражданина Евросоюза, проводящего к тому же в ЕС изрядную часть своего личного и профессионального времени. Я его и вижу впервые в жизни именно там — в декабрьском Баден-Бадене, где Курентзис готовит к премьере моцартовскую "Cosi fan tutte". Первое, о чем меня спрашивает Курентзис, пока мы чавкаем ботинками от местного Фестшпильхауса (второй по размеру оперно-концертный зал в Европе) к Тринкхалле (почтенное питейное заведение), — а что творится в Москве и чем это всё кончится? Дело через пару дней после Манежной площади, и Курентзис — длинный, тонкий, прямой, весь в черном, в каком-то сногсшибательном бархатистом сюртуке, дистиллированно байронический тип, — выглядит озабоченным.

— У тебя нет ощущения, что на Россию надвигается новый тоталитаризм? — спрашивает он очень серьезно.

У меня нет ощущения (говорю я ему), что надвигается тоталитаризм, — для того, что надвигается, нужно какое-то другое слово. Зато у меня есть ощущение (не говорю я ему), что дирижер Курентзис — чертовски странный персонаж, ходячее противоречие, очень, действительно, фотогеничный оксюморон ростом под два метра, и его длящийся роман с Россией играет в этом моем ощущении не последнюю скрипку.

Он приехал в Россию в 1994-м; тогда сюда ехали многие, но за другим. Ехали за острыми ощущениями (имея в виду кто ветер перемен, а кто и любительский стриптиз на стойке клуба “Hungry Duck”, дешевый секс и быстрый алкоголь). Ехали за запахом фронтира, за лихорадочным призраком больших и легких денег, за натуральными ресурсами, за художественной фактурой. Теодор Курентзис приехал в Россию учиться.

Так-то у него и в Афинах всё складывалось неплохо. Красавчик, баловень судьбы, родившийся в нерядовой семье: род, восходящий к византийским аристократам, дедушка — глава крупной торговой компании, папа — человек с богатой биографией, успевший побывать и корабельным инженером, и полицейским чиновником, мама — видный музыкант, а после — преподаватель консерватории. Сам — музыкальный вундеркинд: фортепиано с четырех лет, скрипка с семи, консерватория с двенадцати, в тинейджерском возрасте — сложносочиненный индастриал в афинской инди-группе, созданной на пару с братом Эвангелосом, Вангелино (он теперь композитор и живет в Праге), успешная дирижерская карьера с юности (в девятнадцать лет возглавил ансамбль, в двадцать стал главным дирижером Летнего международного фестиваля)...

Но Курентзис хотел учиться у Ильи Мусина, легендарного питерского дирижера; и у Курентзиса всё получилось. Говорят, Мусин называл его своим любимым учеником и даже гением — а в воспитанниках у мэтра, на минуточку, значатся Темирканов, Бычков, Гергиев. Говорят также, что после смерти Мусина в 1999-м Курентзис в Петербурге большой карьеры не сделал по причине чрезмерной своенравности и невписанности в музыкальную тусовку. При этом в начале нулевых Курентзис успел посотрудничать чуть не со всеми статусными коллективами страны, от "Виртуозов Москвы" до Большого симфонического и Российского национального, поучаствовать во множестве громких затей, совершить немало зарубежных вояжей.

Но настоящий карьерный взлет начался для него в 2004-м, когда бесстыдно молодой (тридцать два года), неприлично красивый грек Курентзис сделался музыкальным руководителем и главным дирижером Колизея, как именуют аборигены Новосибирский государственный академический театр оперы и балета за пышную колоннаду и титанические размеры, быстро создал на базе театра и очень эффективно раскрутил ансамбль "Musica Aeterna" и хор "New Siberian Singers", и несколько его постановок прогремели на весь мир, заставив говорить о Курентзисе в России и за ее пределами. Это был крутой маршрут по карте: из греков — не в варяги, но в гипербореи. Это был неевклидов ход в профессии: через сибирское музыкальное воеводство — не только во всероссийски прославленные, но и в европейски востребованные звезды.

Эта неевклидовость, стремление — едва ли неосознанное — непременно завязывать параллельные прямые вызывающим и двусмысленным бантиком — вообще, сдается, бренд Курентзиса, его ноу-хау: такова вся его карьера, таковы его имидж и репутация. Он вписан в музыкальный истеблишмент, он с модным режиссером Дмитрием Черняковым ставил новосибирско-парижского "Макбета" и нашумевших "Дон Жуана" и "Воццека" в Большом, его график расписан надолго вперед от Мадридской оперы до Ковент-Гардена и от Мюнхена до Сиэтла; но едва ли еще у кого найдется в профессиональной среде столько влиятельных и, главное, заслуженно уважаемых врагов. Он уникальный в мире русской академической музыки персонаж, чья популярность больше подошла бы скандальной рок-звезде — со шлейфом слепого обожания, с преданными фанатами и фанатками (помимо всего, у Курентзиса еще и репутация завзятого донжуана, про его театральные романы завистливо сплетничают); и при этом он безусловный чемпион среди коллег по количеству адресованных ему гадостей в прессе и блогосфере. На каждую похвалу влиятельного музыкального эксперта за экспрессивную манеру дирижирования (Курентзис управляет оркестром при помощи всего, кажется, тела, делая этот процесс похожим на языческую пляску) или за эксперименты с аутентичным исполнением (когда классические сочинения надцатого века играются в манере и на инструментах, соответствующих времени создания, — струны из воловьих жил и всё такое) приходится хула другого знатока, проходящегося насчет "дирижера-брейкдансера" или нелестно аттестующего "курентзисовский аутентизм".

Спрашиваешь его об этой амбивалентности — равнодушно пожимает плечами, мол, пусть говорят, мне всё равно, мой главный союзник — божественная искра искусства, мой главный противник — я сам и вообще косность человеческой натуры, в таком примерно роде. Но я с подозрением отношусь к сверхуспешным, чрезвычайно эффективным романтикам; сдается, чтобы сочетать несочетаемое, нужно иметь в загашнике очень, очень солидный стабфонд прагматизма и умения манипулировать людьми. А уж дирижеры точно манипуляторы из манипуляторов — не в этом ли вся соль профессии? Так что Курентзис, подозреваю я, отлично умеет эту свою публичную амбивалентность использовать — хотя бы чтоб "поддерживать угли в камине горячими", как выразился другой романтик, еще викторианский.

Вот в чем я вовсе не уверен, так это что сам он до конца понимал, насколько серьезный шаг делает, форсируя Урал. Принимая предложение перебраться из покоренного, прирученного Энска в Пермь. Потому что в этом камине угли раскочегарили до белого каления и без него.

* * *

Первые (и надолго — единственные) знаки пермского революционного процесса встречаешь еще по дороге из аэропорта. Таксист меланхолично склоняет москвичей, которые после "прошлого кризиса" понаехали-де с чемоданами нала и скупили всю местную индустрию. Вдоль обочины тянется неодолимая линия Мажино из спрессованного снега, над ней то тут, то там "Окна РОСТа": красные билборды, на которых трафаретный сапиенс мужского пола справляет пунктирную малую нужду, пунктир жирно перечеркнут, слоган гласит: "Пермь меняется. Меняйся и ты!". Ниже — помельче: "Мы — культурная столица". Доходчиво — и проблемы обозначены, и ориентиры, и желанный шаг от первых ко вторым. Конечно, от столичных копирайтеров из гельмановского спецназа можно было ожидать и чего-то позабористей, попелевинестей — скажем, "Не ссы — прорвемся!". Но, может, работает и так?

Работает так себе. Убеждаешься, поднявшись по Комсомольскому проспекту к Спасо-Преображенскому собору. Собор аккуратный, подновленный, квартирует в нем главная городская художественная галерея (в том числе и коллекция знаменитой пермской деревянной скульптуры). Изучаешь распахнувшийся с Соборной площади безбрежный вид на широченную Каму, на пустой противоположный берег, сворачиваешь вдоль реки направо, на Окулова, в сторону Речного вокзала (где теперь музей современного искусства PERMM), и сразу попадаешь в другой мир, дореволюционный и вообще, кажется, доисторический. На снежных брустверах узнаваемые желтые метки, и, судя по высоте, половина их принадлежит собратьям плакатного сапиенса — ну разве только в Перми большая популяция собаки Баскервилей. В десятке метров от парадной "Соборки" — череда сталинградских фасадов: выбитые окна, выщербленный кирпич. А вот и вовсе от дома осталась одна стена, на стене размашисто написано: “Здесь жили люди. Это — факт!”. Дальше глухой серый забор, написано и на заборе: “Машины не ставить, просим вести себя прилично, туалет под окнами не устраивать”. Не прислушиваются: ныряешь на пару минут в плотную волну аммиачного запаха и задерживаешь дыхание. Дыхание восстанавливаешь, вынырнув обратно в цивилизацию: монументальный купеческий особняк “Пермьэнерго”, граненый новодел Сбербанка, на той стороне улицы Орджоникидзе — вывески: “торговый дом Мясо” и “Мужской клуб City Cats”, широкий диапазон мясного товара, ага. Всё рядом в городе-миллионнике Перми, и девятнадцатый век, и девяностые годы двадцатого; от эталонной разрухи до цитаделей русского капитализма или амбиций европейского культурного мегапроекта — даже не один метафорический шаг, а несколько физических.

Интересно, думаю я, форсируя Орджоникидзе, действительно ли Курентзис уверен, что со своим музыкальным отрядом способен перекроить, перестроить эту тяжелую и плотную материю провинциального городского бытия? Да и всерьез ли намерен перекраивать и перестраивать?

* * *

— Твой переход в Пермь — это ведь часть “культурной революции”? — спрашиваю я Курентзиса еще в декабре в Бадене.

— Ну, можно сказать и так. Но это вообще не главное, главное — мне, нам предложили огромную возможность: не просто осуществить какие-то проекты, а выстроить целый комплекс, здание искусства, всерьез поменять музыкальную жизнь в городе, и не только.

— А ты часто бывал в Перми?

— Нет, вот недавно в первый раз... — пожимает плечами Курентзис.

Понятное дело: значит, вряд ли знает, сколь напряженно и неоднозначно относятся к "культурной революции" в самой Перми. То есть большинство-то пермяков не относится никак: изменений в своей жизни они не замечают. Но вот меньшинство, причастное к культуре или выделяемым на нее из краевого бюджета деньгам, разделилось яростно и полярно.

То, что начиналось как амбициозный проект сенатора Сергея Гордеева по реформированию городского пространства и строительству в Перми филиала Музея Гуггенхайма (с целью превратить Пермь в "уральский Бильбао" и туристическую мекку), за два с половиной года "революции" мутировало почти до неузнаваемости, но амбиций не растеряло. От гуггенхаймизации Перми давно отказались (хотя бы потому, что цена вопроса исчисляется сотнями миллионов, и не рублей). Теперь в планах у губернатора Олега Чиркунова, вице-премьера Бориса Мильграма, главного идеолога революции Марата Гельмана и его команды "варягов" (начиная с нового министра культуры, политтехнолога Николая Новичкова, который сменил на этом посту Мильграма, закончивая многочисленными творческими "легионерами", импортированными из Москвы или набранными тут) — превращение Перми в место, где происходит перманентная "культурная движуха", в город, куда должны стекаться динамичные деятели искусств с идеями. А заодно — получение официального звания "культурной столицы Европы" в 2016-м: с этим планом уже ознакомлен премьер Путин, этот план революционеры намерены всерьез лоббировать на европейском уровне — даром что обычно культурные столицы выбираются из городов стран ЕС; но для Перми, лежащей вне Европы политической и на самой кромке Европы географической, могут и исключение сделать, считают они.

Пока же, говорят они, вот вам плоды революции более скромные, но очевидные. Музей современного искусства PERMM (в частично отреставрированном здании Речного вокзала) провел несколько громких выставок, начиная с нашумевшей "Русское бедное", укомплектован работами мастеров от Комара до Пригова и от Пепперштейна до Рубинштейна, и в год его посещают сто тысяч человек. Центр дизайна под водительством Артемия Лебедева разрабатывает новый облик города. Ставит пьесы в театре "Сцена-Молот" Эдуард Бояков. Проходят бесчисленные культмероприятия, высаживаются бесчисленные десанты гостей, от режиссера Лунгина до "митьков", движуха налицо.

А теперь вот еще и дирижер Курентзис, причем не один, а со своей командой: он уже перетаскивает на ПМЖ в Пермь большую часть своих оркестра и хора (и они будут существовать не вместо, а вместе с оркестром и хором Оперы), а кто-то приедет сюда жить из Москвы и Петербурга, а кто-то — и из Парижа, Берлина и Амстердама, плюс, разумеется, приглашенные оперные звезды, плюс известный продюсер и организатор музфестивалей Марк де Мони... Всё только начинается, но первые концерты Курентзиса и Ко уже проходят с аншлагом. А в недавнем общении с губернатором Чиркуновым экспансивный Теодор, говорят, практически убедил его в том, что Перми как воздух нужна и своя консерватория, которой тут тоже пока нет.

* * *

Всё это глядится очень недурно — но, как и год назад, как и два с половиной года назад, изрядная доля пермской интеллигенции ходит в махровых контрреволюционерах. То есть кто-то и не против "движухи" — но страдает аллергией на Гельмана и его "гельманоидов" и "перминаторов". А кто-то не приемлет происходящего абсолютно. Самый радикальный и харизматический голос пермской контры — Алексей Иванов, автор романов "Золото бунта", "Географ глобус пропил", "Сердце пармы", "Блуда и МУДО" — все про разные времена, но все про это место, как и парочка блестящих краеведческих нон-фикшнов вроде "Горнозаводской цивилизации", как и "Хребет России", телепроект Леонида Парфенова, в котором Иванов был соавтором и главным действующим лицом; словом, эталонный “патриот и певец своей малой родины”.

С Ивановым мы пьем кофе в лобби главного пермского отеля “Урал”. От разговора под диктофон он отказывается: “Зачем мне это — меня и так уже сто раз выставили дремучим ретроградом… Кроме того, я журналистам не верю, и вам, Саша, тоже не верю, уж извините: всё равно напишете, что Гельман — это здорово, а я — чудо-юдо и ископаемый почвенник… Кроме того, я уже давно всё про это сказал”.

Это точно — и Иванов сказал, и его единомышленники, так что вполне можно обойтись без диктофона. Если коротко и грубо, с их колокольни всё выглядит так. Во-первых, пермская “культурная революция” — это распил денег из краевого бюджета, прямой и косвенный, через захват варягами всех командных высот и финансовых потоков. Во-вторых, никакой “пермской революции” на деле нет — есть имитация бурной деятельности, позволяющая губернатору Чиркунову поддерживать политическое реноме (а заодно прикрывать реальные проблемы в крае), а культтехнологу Гельману — эксплуатировать провинциальный плацдарм самыми колониальными методами. В-третьих, претензии на роль культурной столицы и туристического кластера — это бред и блеф, потому что никто не поедет в Пермь смотреть на современное искусство, которого и в Москве, и в Европе хоть отбавляй, а город, в котором наездами тусуются деятели культуры, вовсе не становится культурным центром, как не становится им гостиница, в номере которой сочиняет роман Хемингуэй или Набоков. В-четвертых, скоро Чиркунова попрут, Гельман катапультируется в новые угодья, и "культурная революция" пройдет, как дурной сон, оставив, однако, по себе бюджетные дыры. В-пятых, чтобы реально поднять и продвинуть Пермь, надо использовать уникальные, а не заемные ресурсы (от деревянной скульптуры до Кунгурской пещеры), надо развивать реальную инфраструктуру (дороги, отели и т.д.) и финансировать местных, а не пришлых. Точка.

И Курентзис на взгляд с этой радикальной колокольни ("умеренные"-то как раз относятся к Курентзису, который к тому же не гельмановский ставленник, куда спокойнее — особенно после двух ярких и удачных концертов) — тоже часть той силы, что блага не хочет и не совершает, пускай даже сам он не ведает, что творит. Потому что Пермский театр оперы и балета, под двадцатилетним владычеством предыдущего худрука Георгия Исаакяна переживший тяжелые времена не то чтобы славно, но достойно, давно уже не хватающий мировых звезд с неба, но по-прежнему крепкий и с традицией, Курентзис, конечно же, перестроит под своих людей и свои проекты — ну да, может, и яркие, но одноразовые; а то и вообще введет европейскую систему stagione, когда от постоянного коллектива остаются рожки да ножки, а каждый проект собирается "на раз" из приглашенного люда, идет, пока на него ходит публика, и после закрывается навсегда, — но что в Европах хорошо, то русскому репертуарному театру смерть (правда, сам Курентзис не раз говорил, что полновесной системы stagione в Перми не будет, но кто ж у нас верит словам?). А потом — потом Курентзис, небось, и вовсе уедет еще куда-нибудь и всех стоящих уведет с собой — вот разве и с Новосибирском не так вышло, почитайте, что там в газетах и блогах пишут? Да и вообще, все великие свершения пока в будущем и под вопросом, а Курентзис и его команда обходятся городу и краю в копеечку уже сейчас — в тридцать миллионов рублей, говорят, оцениваются затраты на переселение новосибирских варягов, а у самого Курентзиса, говорят, зарплата ого-го, хоть в рублях, но шестизначная, хотя по контракту он всего-то треть своего времени обязан проводить в Перми, а остальное — то в Мадриде, то еще где, а когда он в Перми, говорят, то живет в президентском номере "Урала" по четырнадцать тысяч в сутки, ну и не разорение ли всё это, скажите на милость?

Может, и разорение, думаю я, сидя в пятьсот первой аудитории Пермской оперы; завтра концерт, идет репетиция, Курентзис вот уже четвертый час выжимает из своих теноров и сопрано скрытые ресурсы, словно гонщик из формульных болидов. Может, и разорение — если мерить меркой жалованья условного пермского оркестранта, в месяц, может быть, зарабатывающего аккурат на сутки в президентском сьюте отеля "Урал" (в котором Курентзис, по его словам, и прожил-то всего два дня, а после переехал в бюджетный отельчик "Виконт"). А с другой стороны, та ого-го-получка нового худрука, про которую мне говорил каждый противник пермского воцарения Курентзиса, — это ведь зарплата приличного менеджера (причем без приставки топ-) или средней, очень средней руки футболиста провинциального клуба — в пермском же “Амкаре” игроки зарабатывают в разы больше... Странно ли, что глава одного из крупнейших театров страны, дирижер с европейским именем получает не меньше менеджера или футболиста? Точка отсчета, думаю я, всё зависит от точки отсчета — и вовсе не только в денежном вопросе. Точка отсчета — главное и во всей истории пермской “культурной революции”: что правильнее — сохранять то, что есть, и помаленьку латать дороги и зарплаты? Или взорвать ситуацию, попытаться переломить вектор — надеясь, что переломленная кривая потащит вверх, к небывалым высотам, но рискуя преуспеть исключительно в ломке?

Точка отсчета — главное и в частной пермской истории с призванием на музыкальное княжение греко-варяга Курентзиса: что вернее — положиться на инерцию большого, тяжелого корабля Пермской оперы, которая вывозит же как-то не первое десятилетие — и дальше, даст бог, будет вывозить? Или сменить разом двигатель и курс, рискуя растерять по ходу ремонта ряд опытных матросов и пропороть брюхо о риф?

И чтобы найти эту точку отсчета, очень надо бы понимать, насколько люди, предлагающие и делающие выбор, честны, серьезны и упорны в своих намерениях...

— Нет, ты убери, пожалуйста, изо рта горячую картошку, ты не делай вот это вот “о-о-о-о-о!”, —

говорит Курентзис очередной жертве. Жертва явно измучена, но глаза у нее горят; это, наверное, хороший признак.

Красавчик Теодор с его ямочкой на подбородке, пухлыми губами и улыбкой балованного ребенка умеет быть сверхтребовательным и жестким. Он определенно не умрет от скромности: не запинается, говоря что-нибудь типа "так, как я работаю с певцами, не работает больше никто — ни в России, ни в Европе". На ночном разборе полетов он расслабленно полулежит в кресле, курит, прихлебывает пиво — и почти не перебивает помощников, яростно спорящих о планах весенней кампании, о деньгах, сроках и персоналиях; но когда перебивает — это практически всякий раз лаконичное и безапелляционное указание: будет так, так и так. Он чертовски самоуверенный и целеустремленный тип, этот Федор Иванович Курочкин. И это, наверное, хорошо для него — и даже, кажется, неплохо для его подопечных, которых новые требования побуждают изыскать в себе новые возможности; а вот как скажется курентзисовская целеустремленность на культурном балансе пермской среды, да и на самой этой среде в конце концов?

— Ну вот, ты теперь провел в Перми не так мало времени, — говорю я Курентзису, пока ночью после концерта мы ждем еды в кафе "Pravila". — И какие у тебя ощущения от города?

— Для меня ведь город — это местное музыкальное сообщество, — отвечает он дипломатично. — А от него у меня ощущения самые хорошие.

— А ты знаешь, что тут довольно многие относятся к твоему приходу без восторга? — говорю я.

— Да, я сам не читал, но мне рассказывали, — он качает головой. — Слушай, это какие-то странные люди. Ладно, они против меня... Но они, например, против консерватории. Как можно не хотеть, чтобы в твоем городе была консерватория?

— Ну, — говорю я осторожно, — дело же не в консерватории... Эти люди считают, что ты реализуешь свои проекты — но эти проекты будут твоими, а не пермскими; а кто-то другой заработает или украдет денег — но Перми не будет от этого никакой пользы, потому что это как финансовый пузырь, одна видимость; а потом пузырь схлопнется, варяги разъедутся, а город останется у разбитого корыта, и будет как раньше, только хуже.

— Это странно, — говорит Курентзис. — Мы ведь идеалисты! Мы не собираемся заработать тут много-много денег, тем более не хотим ничего украсть. Мы хотим — и у нас есть шанс — построить тут уникальную творческую лабораторию, которая будет производить чудо искусства. И в этом производстве будут участвовать местные люди, и пользоваться его плодами тоже, как же это им не будет никакой пользы? Я уж не говорю про консерваторию. Это же их талантливая молодежь будет в ней учиться, а другая талантливая молодежь — приезжать к ним... Что тут плохого?

— А в Новосибирске, знаешь, многие обижены, что ты уехал от них — и увозишь своих музыкантов... — захожу я с другой стороны. Мне рассказывали — соратники Курентзиса, но не сам Курентзис, — что в Новосибирске в последние года три все масштабные идеи худрука “спускались на тормозах” дирекцией; что выбор в пользу Перми был обусловлен в первую голову возможностью самостоятельно формировать творческие планы и создать полноценный симфонический оркестр — то есть именно тем, что обещали, но так и не дали в Энске… Но публика об этих нюансах не осведомлена, и многие действительно обижены.

— Что ж, — взгляд Курентзиса не теряет твердости, а сам он не пускается в объяснения, — я думаю, они должны понять меня. Понять: то, что я делал в Новосибирске, я делал не только для них, а для всей страны и всего искусства.

* * *

Мы много говорим об искусстве двумя месяцами раньше, бродя по Баден-Бадену, утопающему в мокром снегу. Мы петляем по старым улочкам, помнящим всю и европейскую, и русскую элиту золотого века наперечет, а потом у Курентзиса прихватывает спину: повредил межпозвоночный диск, снимаясь — еще одна грань — в роли гениального физика Ландау в кинопроекте “Дау” Ильи Хржановского. Хржановский — маньяк-перфекционист еще покруче Курентзиса, съемки “Дау” длятся уже несколько лет и съели несколько плановых бюджетов, в Харькове под фильм выстроен целый микромир а-ля Москва начала пятидесятых, куда даже журналистов пускают, только приведя их в соответствие с условным временем проекта: стрижка по тогдашнему фасону, одежда по тогдашней моде, а в ночи может приехать "воронок" и увезти тебя в гэбуху... Курентзис от этого зазеркалья в восторге: не разыграть, но прожить, печенками прочувствовать творческий акт — это же его собственная идеология. Но сам он тоже пал жертвой перфекционизма: снимали сцену драки в куче рассыпавшихся капустных кочанов, и не то Хржановский, не то лично Курентзис (свидетельские показания расходятся) настаивал на максимальной достоверности — мол, давайте, ребята, лупите посильней; ну и настоял. Теперь Теодор мучается и ходит в корсете, и корсет, заужая талию, окончательно превращает греческого романтика в гламурно-готического персонажа вампирской саги.

Мы сидим в кафе "Гарибальди" в табачном дыму и говорим в основном об искусстве, которое для Курентзиса (и я, пожалуй, ему верю, когда он рассказывает об этом) — манифестация высшей внутренней свободы, но такой свободы, которая собрана в концентрированный энергетический пучок и нацелена строго вверх, в горние выси, в области абсолюта — чтобы очищалась душа играющего и слушающего, чтобы "ангелы пели". Мы говорим о вере, которая при таком подходе от искусства неотделима, а Курентзис и вовсе считает свою встречу с православной духовностью чуть не самым важным событием жизни, себя же полагает грешником, безнадежно стремящимся к праведности. Мы говорим о любви, разумеется, божественной, но также и земной, — и Курентзис вспоминает с мечтательной улыбкой, как путешествовал со своей первой настоящей любовью по Восточной Европе времен крушения соцлагеря: какие-то странствия с цыганами, наэлектризованный ожиданием перемен воздух, удивительные затерянные места... Мы говорим о том, каким мир стал (а стал он, по Курентзису, отвратительно унифицированным местом, в котором людские массы со стертой индивидуальностью управляются простейшими импульсами похоти, зависти и потребительского голода), и о том, каким он был: Курентзис (утверждающий, что помнит все чуть не с первых дней жизни) вспоминает ностальгически свое афинское детство, пришедшееся еще на диктатуру "черных полковников", и то, какими непохожими друг на друга были даже соседние кварталы города, и как разнились и дразнили запахи, краски и звуки, и как люди, чтобы пообщаться, шли в маленькие таверны, а не в социальную сеть.

— Так ты, получается, антиглобалист? — говорю я.

— Антиглобалист? — переспрашивает он. — Да я ненавижу глобализацию! Я и Россию полюбил, думаю, потому, что она другая, отдельная, тут люди не похожи на одинаковых европейцев, тут много грязи, много ужасного, но тут одно место отличается от другого, и все остаются самими собой, и на какое угодно ужасное можно найти какое угодно прекрасное!

Он говорит про Россию “тут”, хотя мы сидим в Баден-Бадене, самом средоточии немецкого орднунга и европейского комфорта. Я мог бы, конечно, возразить, сказать, что он малость идеализирует Россию — ну, или преувеличивает ее отдельность. Но я этого не делаю: это будет вопрос с подковыркой, а я уже заметил, как ловко — рефлекторно, явно не думая, словно боец кунг-фу, — он уходит от вопросов с подковыркой, скрывается за общие места или свой милый акцент, а прямо отвечает только на избыточно серьезные (творчество, вера, смысл жизни) или совсем пустяшные. Приятно, право, работать с профессионалом.

— А ты, часом, не играл тут в казино? — задаю я совсем пустяшный вопрос.

— О нет, — говорит Курентзис. — Но я когда-то играл в казино, да. В Петербурге. Я играл от бедности, потому что мне нужны были деньги. И знаешь, я всегда выигрывал. Я был просто монстром рулетки!

— А почему теперь не играешь? — спрашиваю. — Больше не получается?

— Наоборот, — говорит он. — Слишком хорошо получается! Потому и не играю. Я вообще стараюсь не заниматься вещами, которые получаются у меня слишком хорошо.

— А как же музыка? — интересуюсь.

Это вопрос с подковыркой, и Курентзис немедленно ставит блок и уходит в общее место.

— Музыка, — сообщает он, — это не занятие. Музыка — она везде, растворена во всей жизни.

* * *

Конечно же, дело еще и в этом, думаю я, двигаясь по прямоугольной сетке пермских улиц. Дело в азарте. Коммерчески успешный романтик, православный донжуан, русский грек, глобальный антиглобалист, эффективный анфан террибль, самоуверенный и самовлюбленный рыцарь чистого искусства, дирижер-оксюморон Теодор Курентзис — еще и очень азартный человек, желающий непременно выиграть. Не в том смысле, конечно, чтоб распилить какой-то бюджет или даже сделать карьеру нового фон Караяна. А в том смысле, чтоб триумфально навязать миру свое представление о настоящем искусстве, о том, что истинно, а что нет, что от Бога, а что от телевидения. Но поскольку азартный человек Курентзис еще и очень расчетливый человек, он выбирает удивительно рациональные пути к своей цели.

Я прохожу угол Комсомольского и Петропавловской (звучит как место "стрелки" двух цивилизаций — да так оно и есть в каком-то смысле), где стоит часовня Стефана Великопермского — в двадцатые в ней был воспетый еще одним знаменитым пермяком, писателем Леонидом Юзефовичем, клуб "Эсперо", здесь изучали эсперанто и грезили о новом мире, в котором все говорят об одном и на одном языке.

В Баден-Бадене (Мадриде, Лондоне, Париже, Вене), думаю я, любят дирижеров, любят и ценят их — это да. Но в Баден-Бадене (и далее по списку) Курентзис всегда будет просто нанятым профессионалом, подчиненным чужой разумной и стабильной системе, играющим по чужим адекватным, но ограниченным правилам. Есть, разумеется, Москва. В Москве можно многое, да. В Москве правила текучи и гибки. Но чтобы играть и выигрывать в Москве, нужно стать всамделишной акулой. Нужно отрастить себе три ряда зубов и всегда быть в движении. Причем движение это будет не к горним высям искусства, а в непрерывной и жестокой конкуренции за административный ресурс, и скоро средство сделается целью, и ты, играя и выигрывая, поймешь, что участвуешь в совсем другой игре, а после поймешь, что это вообще уже не ты.

Вот поэтому, думаю я, Курентзис и выбирает вначале Новосибирск (и в Москву осуществляет лишь короткие набеги), а после — Пермь (и вообще отказывается от планов сотрудничества с Большим театром, сославшись на загруженность и состояние здоровья). Потому что в Энске, а пуще того — в Перми он не наемник среди наемников и не акула среди акул. Здесь он полноправный и уникальный полевой командир, икона пермской "культурной революции" и боец собственной. Фотогеничный герильеро. Здесь Курентзису не надо непрерывно драться за административный ресурс: ресурс входит в стартовый пакет. Здесь Курентзис имеет шанс накопить достаточно сил — и сорвать банк в свою русскую рулетку.

* * *

Я карабкаюсь на пешеходный мостик, ведущий через рельсы железнодорожной станции Пермь-1 к Речному вокзалу, музею PERMM. Но тогда, думаю я, можно понять и тех, кто не видит ничего хорошего в приходе упертого и амбициозного Курентзиса в Пермскую оперу. Потому что его война — не вполне их война, и его триумф будет не вполне их триумфом.

Курентзису нужен "иппон", чистая победа по гамбургскому счету. Но русская провинциальная интеллигенция и культура никогда и не пытались побеждать по гамбургскому счету. Россия — страна центростремительная; так было во времена пермяка Дягилева, который не здесь ведь устраивал свои "русские сезоны" — нет, он уехал отсюда в Петербург и дальше; так есть сейчас. Самые талантливые, самые амбициозные, самые динамичные уезжают, чтобы не вернуться. Даже успешный писатель Иванов, который сидит в Перми и пишет про Пермь, работает "гением места", не сходя с места, — даже он редчайшее исключение. У провинциальной русской культуры другой, свой алгоритм: не абсолютная победа — но выживание в среде, где и климат, и уклад — всё против тебя; не экспансия, удел непоседливых одиночек, — но коллективное сбережение имеющегося. И в этом алгоритме есть своя мудрость, спрессованный опыт поколений — потому что так было не только в последние двадцать лет, но и до 1991-го, и даже до 1917-го, и ни одна революция ни разу ничего тут не изменила, и всякий амбициозный и упертый одиночка, вознамерившийся переломить об колено ход вещей, в итоге либо тонул в местном климате и укладе, либо уходил в другой климат и другой уклад, оставив после себя пару городских легенд и несколько новых руин, — и с чего бы думать, что Теодор Курентзис станет исключением из правил?

Я выхожу через какие-то подворотни к музею современного искусства PERMM. У входа в музей столб — а на нем торчащие под разными углами указатели, где написаны названия разных музеев современного искусства и указано расстояние до них. До лондонской Тэйт Гэллери и парижского Центра Помпиду — по четыре тыщи двести километров, до нью-йоркского Гуггенхайма — восемь тыщ с гаком; мораль, наверное, в том, что все мы, невзирая на расстояния, братья по разуму, — но подсознание, подавленное километражем, бурчит что-то прямо противоположное. Билет стоит сто рублей. Внутри стильно и пусто, пара посетителей (ну, не сезон), на стенах Пепперштейн, Рубинштейн, Пригов, Комар и Меламид. На втором этаже — детское творчество, результат мастер-класса, проведенного в рамках "культурной революции" приезжими "митьками" с местной юной порослью. Я спускаюсь по лестнице к выходу, между пролетами человек в кожаном пальто страшным шепотом говорит в мобильный телефон: "Я же ему, дебилу, ясно сказал — не работай больше праворульные, ёпть!.."

На фасаде вокзал-музея неподалеку от выхода обнаруживается самый концептуальный образчик современного искусства в Перми; не знаю уж, принадлежит его авторство приезжим художникам или местному населению. Тут на стене зияют две овальные проплешины: раньше висели таксофоны, потом таксофоны сняли. А потом к проплешинам кто-то пририсовал углем крученый шнур — и кудрявую тетеньку с трубкой в руке.

Это недружественная, но пока самая точная метафора пермской "культурной революции".

Когда-то на этом месте был некий механизм. Неказистый, с хреновым дизайном на входе и плохим качеством работы на выходе. Он вовсю глотал монету — но лишь изредка обеспечивал результат. Но все-таки он как-то работал, и на этом во многом строилась вся окрестная жизнь. Потом пришли новые времена, и механизм испортился и сделался нерентабелен — в произвольном порядке. На его месте осталась дыра. И долго было так. Но потом пришли сверхновые времена — а с ними веселые и хваткие ребята с фантазией и, возможно, благими намерениями. Они не собирались, да и не могли соорудить на этом месте новый механизм — у них на это не было ни времени, ни денег, ни полномочий. Но они нарисовали здесь эту картинку, постмодернистский образ кудрявой тетеньки, которая виртуально пользуется тем, чего реально нет. Они превратили просто дыру — в дыру как акт искусства, в надежде, что теперь дыра сама собой заполнится художественными смыслами и общественным энтузиазмом, а из смыслов и энтузиазма сам собой вырастет новый механизм, и он будет больше похож не на советский таксофон, а на спутниковое средство связи с Гуггенхаймом, Тэйтом и Центром Помпиду.

По крайней мере, думаю я, в истории "Теодор Курентзис покоряет Пермь" есть одно важное отличие от контекста прочей пермской "культурной революции". В ней есть обещание нового механизма, а не только концептуальный отыгрыш дыры на месте старого. В ней есть реальные процессы, конкретные люди, предметная музыкальная машинерия, подробно прописанные планы — за год три-четыре оперные постановки (и среди постановщиков — Дмитрий Черняков, Анатолий Васильев), не меньше десятка симфонических программ, не меньше двух десятков камерных... В ней есть гипотетическая консерватория, наконец. В ней есть шанс. Я не знаю, велик ли он. Я не знаю, будет ли успешно реализован не только проект "Курентзис", в котором есть уровень "Пермь", но и проект "Пермь", в котором есть уровень "Курентзис". Я не знаю, получится ли в итоге доказательство того, что инновация и модернизация силами группы молодых и амбициозных индивидуалистов и впрямь возможны, если дать им соответствующий ресурс и достаточную свободу, — или доказательство прямо противоположного. Я не знаю — и не могу поставить на красное или черное.

* * *

Когда в кафе "Pravila" Теодор Курентзис говорит всей честной компании свой тост про то, что предстоит совершить и преодолеть присутствующим, чей-то довольно юный голос после коды про эмигрантскую долю в случае неудачи тихонько хихикает и повторяет: "Через пять лет будем эмигрантами в Европе... ха..."

В этом голосе звучит почтительный сарказм, и не только от того, что тост произносит полноправный еврожитель Курентзис.

В этом голосе звучит: да, это ты загнул, маэстро Теодор, вот, значит, каков жалкий удел проигравших — эмиграция в Европу!

В нем звучит: ну а я бы, пожалуй, попробовал.

В нем звучит: а может, это и лучше — жить эмигрантом в настоящей, уже готовой Европе с ее соборами и поборами, оперно-филармонической индустрией, бытовым орднунгом, вежливыми скупердяями-бюргерами; может, это и лучше, чем в революционных судорогах взбивать, на манер притчевой лягушки, энтропийную пермскую реальность до малореальной консистенции европейских культурных сливок.

Тут как раз официантки начинают нести еду, и пока на стол переправляются салат "цезарь", сибас, тигровые креветки и прочие аутентичные уральские деликатесы, я успеваю подумать: ну что ж, дорогой Федор Иванович Курочкин, у тебя, пожалуй, есть эдак пять лет, чтобы попытаться переубедить этого парня.

И далеко, далеко не его одного.

ВИДЫ НА ЖИТЕЛЬСТВО

Утопия Марии Амели: из войны в варяги

(2011)

Мария Амели написала про свой крутой маршрут нелегального иммигранта бестселлер “Ulovlig Norsk” (“Незаконная норвежка”) — и прославилась на всю страну. И вот тогда-то ее арестовали и депортировали в Россию.

Сегодня Мадина Саламова, ставшая Марией Амели, пробует новые социальные роли. Изгоя; главного медийного героя Норвегии за последние десять лет; причины громкого политического скандала, из-за которого сотрясается парламент и оправдывается премьер; “девушки, которая нагнула целое королевство”, как сформулировал топ-блогер Drugoi…

И всё это роли, которые ей не нужны.

Это только сначала кажется, что история Марии Амели — это история про человека, который вынужден искать себя и свое место в катастрофически меняющемся мире. На самом деле это история про человека, который нашел и себя, и свое место. Только вот найденное приходится отвоевывать заново — потому что справедливость и здравый смысл “за”, но “против” закон.

* * *

— А трупов-то сколько? — нервно спрашивает фотограф у оператора.

— Точно не знают, но много, — оператор щелкает сотовой “раскладушкой”. — Говорят, кровища везде, руки оторванные, жуть... Раненых не меньше сотни...

Фотограф качает головой.

— Так чего случилось-то? — встреваю я.

— В Домодедове бомбу взорвали, — откликается фотограф. — В зале прилета!

Мы — я, и фотограф, и оператор, и еще десятка два фотографов, операторов, людей с диктофонами-микрофонами — тоже стоим в зале прилета. Только в Шереметьеве, потому что именно сюда скоро прибудет борт “Аэрофлота” из Осло. А на борту — Мадина Саламова, она же Мария Бидзикоева, она же Мария Амели. Девушка, которая недавно прославилась на всю Норвегию, написав книгу о том, каково ей жить там нелегальным иммигрантом. Девушка, которая только что, двенадцать дней назад, прославилась на всю Европу и даже мир, потому что тут-то ее — на взлете норвежской известности, в полушаге, казалось, от достижения заветного легального статуса, — и арестовали, а теперь депортировали. И вот мы все стоим в зоне для встречающих и ждем, когда приземлится самолет и выйдет Мадина-Мария со своим бойфрендом Эйвиндом Трэдалом, молодым норвежским редактором, который полетел в Россию вместе с ней.

В зале милиционеры перекрывают ленточкой все входы-выходы кроме одного, включают рамку металлоискателя и выставляют кордон. Рейс из Осло прибывает. Ватага папарацци подтягивается поближе к воротам. По залу бредут двое грустных милиционеров с унылой собакой.

— Убитых не меньше двадцати, — транслирует сводки оператор где-то за моим плечом.

Пассажиры из Осло уже давно выходят. Косятся на камеры, кто-то улыбается и машет рукой. Ни Марии, ни Эйвинда не видно.

— Ждите, ждите! Чего она вам сдалась-то? — сварливо бросает какая-то олд леди, катящая мимо нас хеопсову пирамиду дорожных кофров. — Из самолета выходить не хотела, задерживала всех!..

На самом деле очень даже хотела, будет она рассказывать потом. Это ее не выпускали — с ее выданными российским консульством бумажками, одноразово заменяющими паспорт.

Проходит еще не меньше получаса, и из ворот появляются Мария и Эйвинд. Она круглолицая и чуть раскосая, но как-то на скандинавский, северный лад, больше и впрямь похожая на Бьорк или

Смиллу из романа Питера Хёга, чем на осетинку. Он — симпатичный нордический блондин. Всё точно как в фоторепортажах, которыми были заполнены последние полторы недели все норвежские таблоиды.

Папарацци принимаются судорожно сверкать блицами, репортеры тянут микрофоны. Мария и Эйвинд — губы сжаты, взгляд ни с чьим не пересекается — рвутся сквозь толпу, таща за собой чемоданы, не реагируя на микрофоны и блицы. В папарацци срабатывает инстинкт хищника, и они бросаются вслед. Человеческий ком, стрекоча и высверкивая, некоторое время рикошетит по залу, потому что выходы-то перекрыты. Выглядит это нелепо и как-то неприлично.

Наконец Мария и Эйвинд попадают в открытую дверь, вылетают в московский холод, прыгают в такси и уносятся. Несколько самых настырных папарацци прыгают в другое такси и уносятся за ними. Прочие, потоптавшись, начинают рассасываться.

— Ну вот, — меланхолично констатирует фотограф, пакуя камеру. — Надо было в Домодедово ехать. Кто ж знал.

* * *

— Полицейские пришли меня арестовывать впятером, — говорит мне Мария Амели неделю спустя (у нее вполне живой русский — с легким скандинавским акцентом). — Как будто я какой-то опасный преступник, представляешь? Как будто я скрывалась, и меня надо ловить. Хотя я ведь ездила по всей Норвегии с выступлениями, и график был всем известен. Я просто не понимаю, зачем надо было так делать.

Примерно об этом же еще неделю спустя, в Осло, мне будет говорить Эгил, один из норвежских друзей Марии, активно участвовавших в кампании по ее защите. Мы будем сидеть в богемном райончике Грюнерлёкке, в кабачке с подозрительно знакомым названием "Sounds of mu", и Эгил будет объяснять мне: понимаешь, норвежцы очень болезненно относятся к неоправданной грубости государства по отношению к личности. И то, что Марию арестовали, — то, как ее арестовали! — насторожило даже людей, изначально ей не симпатизировавших...

А сейчас мы с Марией и Эйвиндом сидим в кафе через улицу от Консерватории, и они уже спокойны, расслабленны и по-европейски корректны. Они с аппетитом едят и заказывают по бокалу шампанского, потому что сегодня утром Мария получила первый в своей жизни паспорт, внутренний российский, — она показывает коричневую "корочку", в которой не похожа на себя фотографией и в которой ее зовут Мадина Хетаговна Саламова: не Бидзикоева и уж тем более не Амели... Они уже смирились с масштабами и ритмом Москвы, уже обжились в съемной квартире — снять помог один из московских экспатов-норвежцев; вообще местное норвежское комьюнити наперебой выражало готовность принять на постой, всячески содействовать и обиходить, и это, пожалуй, один из самых красноречивых ответов на вопрос, зачислила ли Мадину Хетаговну Саламову в свои прогрессивная часть норвежского общества, не путать с государством.

Мария и Эйвинд пьют шампанское, и мы спокойно, расслабленно и корректно обсуждаем всё, что было прежде. Как ее арестовали 12 января и отвезли в Трандум, изолятор для нелегальных иммигрантов, расположенный неподалеку от столичного аэропорта Гардермоен — чтобы, значит, депортировать было удобнее. Как она просидела там шесть дней. Как ее дважды раздевали догола для обыска. Как Эйвинд посылал к ней приятеля-священника, потому что его к ней не пустили бы, а священника обязаны были пустить. Как вокруг ее дела стремительно разгорался скандал, расколовший норвежское общественное мнение, норвежских политиков и даже правящую коалицию в стортинге, парламенте страны. Как в Осло, Бергене, Тронхейме сотни, а то и тысячи людей выходили на демонстрации в ее поддержку. Как суд постановил выпустить ее из Трандума, но обязал каждый день приходить отмечаться в участок, причем приходить надо было с упакованным чемоданом, потому что прямо из участка она могла отправиться в аэропорт и далее в Россию. Как они с Эйвиндом каждый день ожидали высылки, и она впала в депрессию (ее адвокат даже апеллировал к ее психическому состоянию, пытаясь отсрочить депортацию), а их осаждали репортеры. Как до последнего момента оставалась надежда, что ей позволят не покидать страну — даже после того, как сам премьер-министр Йенс Столтенберг высказался в том смысле, что сочувствует Марии, но закон един для всех. И как, наконец, 24-го за ней все-таки снова пришла полиция, и скоро она и Эйвинд уже сидели на борту "аэробуса 320", летящего в Шереметьево, — не подозревая, что за полтора часа до их прилета смертник в Домодедове рванет свои семь, или сколько там, килограммов в тротиловом эквиваленте, словно подтверждая: ты была права, Мария, когда боялась и не хотела возвращаться в страну, где прошло твое детство. И как непонятно, что теперь будет и позволят ли ей вернуться в страну, где она выросла и стала собой.

Мы сидим и вежливо обсуждаем кульминацию всей этой истории, финал которой неизвестен.

* * *

— Скажи, — спрашиваю я, — ты ведь помнишь свое детство в Осетии?

— Да, — откликается она, — я многое помню, Кавказ очень красивый.

И замолкает. На все вопросы о детстве она отвечает предельно скупо, и за этим уже ощущается четкая позиция: я — это не мое прошлое.

Хотя ей наверняка есть что рассказать.

Ее родной дядя — ныне уже покойный — был статусным хирургом. Ее родная тетя Земфира и вовсе жена Евгения Шапошникова, маршала авиации, последнего (после провала ГКЧП и до развала Союза) министра обороны СССР, человека, вхожего в ближний ельцинский круг, в девяностые успевшего послужить и секретарем Совбеза России, и представителем президента в "Росвооружении", — а сейчас в "Википедии" висит фото, где Шапошников стоит рядом с Путиным. Ее отец Хетаг Саламов в девяностые стал видным осетинским предпринимателем, занимался самыми разными бизнесами: мебель, ресторан "Карусель" в живописных окрестностях Владикавказа, водка, наконец.

У семьи Саламовых, входившей в региональную элиту, всё шло хорошо — а ближе к концу девяностых идти хорошо перестало. Бизнес у Хетага Саламова отжали, на нем повисли большие (говорят иногда — на осетинских форумах — многомиллионные) долги. Он пытался решить свои проблемы в Осетии; отправил дочку к родственникам в Москву, вначале как бы на каникулы — но в итоге каникулы растянулись на пару лет. Проблемы не решались; вскоре в Москве оказался и он сам, и его жена Елена. Скрывались, боялись кредиторов с их понятными методами. Потом несколько месяцев прожили в Одессе. Потом решили, что бежать надо дальше. Так Хетаг, Елена и их дочка-подросток Мадина оказались в Финляндии.

Родители подали заявление на получение убежища; в ожидании решения властей Елена работала в детском садике, Хетаг — на лодочном заводе, не особо престижная, малооплачиваемая, но легальная работа; так что неправы как минимум те, кто полагает, что Хетаг Саламов рванул в Европы с чужими миллионами. Мадина ходила в школу, подружилась с детьми, сносно выучила финский. Соседи относились к ним хорошо, мама Елена пекла для вечеринок осетинские пироги, городское самоуправление сулило сразу по получении заветного статуса кредит на открытие своего ресторанчика…

Так они прожили шестнадцать месяцев.

Только вот в статусе беженцев им в итоге отказали.

Иммиграционные чиновники не нашли весомого повода. Северная Осетия не была зоной военного конфликта. Взбешенные кредиторы с мафиозными якобы связями явно относились к компетенции российских властей.

Хетаг, Елена и Мадина быстро собрались и убежали из Финляндии в Норвегию.

Здесь родители снова подали заявление — умолчав, однако, о том, что уже получили отказ у финнов: это означало бы автоматическую депортацию. Снова лагерь для иммигрантов, снова адаптация к чужой стране, снова другой язык. Снова тревожное ожидание: дадут, не дадут… Шестнадцатилетняя Мадина, однако, получив временный иммигрантский ID, опять пошла в школу.

— Я просто поняла, — говорит она, — что не могу сидеть и ждать, когда же снова придется бежать. Не могу год за годом откладывать свою настоящую жизнь, ни к чему не привыкать и ни за что не держаться. Что я так сойду с ума. Что я хочу быть как все, дружить, учиться… Я хочу быть нормальной норвежкой. Ты понимаешь, да?

Чего ж не понять.

Можно даже понять, как она быстро выучила норвежский — быстро и настолько хорошо, что скоро вопрос “откуда ты?” оказывался вопросом, из какой она части Норвегии, и собеседники очень удивлялись, слыша в ответ что-то про Россию и Кавказ. И скоро про Россию и Кавказ Мадина — уже Мария, называвшаяся, как и ее родители, фамилией Бидзикоева (настоящей назваться опасались, совсем уж врать не хотелось — вот и позаимствовали фамилию родни со стороны одной из бабушек), — говорить перестала.

Куда сложнее понять, как ей удалось не только окончить школу и получить аттестат, но и поступить в университет в Тронхейме на социальную антропологию дробь общественные отношения, и отучиться все положенные годы, и окончить учебу магистром и с результатами достаточно хорошими, чтобы “Статойл”, норвежский аналог “Газпрома”, предлагал ей практику с дальнейшими карьерными перспективами. Потому что на всё это Мария не имела никакого права. Ведь ее родителям снова отказали, и семья Саламовых-Бидзикоевых снова перешла на нелегальное положение. А Норвегия — страна, конечно, демократическая, но еще и бюрократическая, тут даже налоговые декларации каждого гражданина во всеобщем доступе, и как “человек, которого нет” может успешно получить среднее и высшее образование, решительно не ясно. Этот вопрос, кстати, особенно занимает участников русскоязычных форумов в Норвегии и вообще в Европе. Разумеется, я спрашиваю ее об этом.

— Думаю, мне просто повезло, — говорит она. — Директор моей школы знал, что не должен давать мне аттестат... Но он сказал, что поможет мне. И помог, но я, когда подавала документы в университет, этого еще не знала — документы подаются весной, а аттестат вручают летом... Я вообще-то всерьез не верила, что поступить у меня получится. И документы в Тронхейм подала по сугубо романтической причине: туда после армии собирался мальчик, в которого я была влюблена в школе. Но я получила аттестат и поступила, и в университете никто ни разу не озаботился моим статусом — они знали, что я иммигрант, и у меня есть проблемы, и я стараюсь их решить, — и этого им было достаточно. Выдали мне студенческий билет и учили.

— И что, — не верю я, — ты ни разу не столкнулась с необходимостью предъявить паспорт или что-то, его заменяющее?

— Ну, — говорит Мария, — когда я окончила университет, мне отправили диплом по почте. И чтобы его забрать, нужно было предъявлять паспорт. Я сказала на почте, что его забыла. И ушла. Через две недели диплом отправили обратно в университет. И я получила его там.

— Ну хорошо, — всё еще не верю я, — но ты ведь не могла завести счет в банке? Кредитную карточку?.. В Норвегии ведь даже сим-карту не купишь без предъявления паспорта!

— Мобильный телефон, — улыбается она, — мне купили друзья, а я отдала им деньги. И если надо было что-то оплатить через банк, я поступала так же.

— Ладно, — я почти сдаюсь. — Но вот ты, скажем, заболела...

— Я не болела.

Я развожу руками.

— Когда у моего папы был инфаркт, — говорит Мария, — мы еще жили в лагере для иммигрантов. Там он получил всю необходимую помощь, ходил к врачу... Потом, когда мы стали нелегалами, мои родители пошли к этому врачу и всё ему рассказали. Мол, так и так, теперь по правилам вы не должны нас лечить... Но он сказал: к черту правила! А я действительно не болела. Правда, один раз сломала руку. Пришлось идти в больницу.

— И что?

— Ну, в Норвегии первую помощь обязаны оказывать всем... В общем, про документы меня никто не спросил.

Примерно об этом же неделю спустя, в Осло, мне будет говорить адвокат Марии Брюньольф Риснес. Мы будем пить кофе в его трехуровневой квартире в таунхаусе в тихом районе Тхуне, и Риснес будет убеждать меня: доверие, понимаешь, у нас в Норвегии очень многое основано на доверии. Личное пространство уважаемо, и если ты проявляешь себя как адекватный член общества, тебя так и воспринимают. Мария была более чем адекватной, хорошо училась, дружила со всеми, много работала волонтером — а о том, что у нее нет прав и социальных гарантий, что ей приходится зарабатывать уборкой чужих домов, она посторонним не очень-то рассказывала. Всё это Брюн Риснес будет объяснять мне на недурном русском, и когда я замечу: "А Мария не говорила мне, что вы знаете русский!" — пожмет плечами: "Ну, с ней-то мы всегда говорили по-норвежски!". А потом адвокат Риснес, у которого русская жена и шестилетняя дочка-билингв, сходит к книжной полке и покажет мне свою реликвию из тех времен, когда он жил в Петербурге и играл рок. Фотографию, где он стоит на сцене с гитарой и в алом пиджаке, а за плечо его обнимает Борис Гребенщиков.

* * *

Гребенщикова нет на плазменном экране, зато есть Леди Гага, идол нового глобального мира, где вроде бы стерты не только государственные границы, но и возрастные, расовые, национальные, гендерные заодно. Мы с Марией и Эйвиндом снова сидим в кафе — собственно, эти их нежеланные московские каникулы состоят из простых элементов: ночь в съемной квартире, марш-бросок по российским бюрократическим инстанциям, прогулка, кафе, прогулка, кафе. Сейчас была прогулка по Московскому зоопарку, где два норвежца, легальный и нелегальный, впервые видели живого белого медведя. На телефон Марии всё время приходят эсэмэски; телефон

Эйвинда, не просто спутника жизни, но по совместительству пресс-секретаря, всё время звонит.

— Наши журналисты, — с ироничной ухмылкой жалуется-хвастается Эйвинд, — когда Марию депортировали, звонили вообще непрерывно. И всё время спрашивали меня: что, что вы будете делать в следующие пять минут?! В конце концов я стал отвечать: в следующие пять минут я буду говорить другим журналистам про свои планы на следующие пять минут!

— Мария, — спрашиваю я, — а как вышло, что ты решила написать книгу?

— Когда я окончила университет, — говорит она, — я окончательно перестала понимать, что мне делать. У меня были хорошие предложения работы, но я не могла пойти работать: ведь для этого нужны документы, паспорт, легальный статус — а всего этого у меня нет. У меня были отличные друзья, но моя жизнь всё время висела на волоске, каждый день меня могли поймать и пинком выгнать из страны. Я стала всерьез думать о том, чтобы купить фальшивые документы и зажить под чужим именем... Но это значило перестать быть собой, всю жизнь прожить во лжи... Этого я не хотела. Все предыдущие годы я каждый день искала верное решение. И так и не смогла его найти. Я была в отчаянии. И тут мой профессор антропологии посоветовал мне: почему бы тебе не превратить свою историю в книгу?

Вот оно, решение. Не шпионская жизнь под прикрытием чужого паспорта, нет — нечто прямо противоположное: максимальная публичность.

И она села и превратила свою историю в книгу.

Написала быстро: в дело пошли дневники, которые она вела, да и со стилем проблем не было — простой бесхитростный рассказ от первого лица, простыми недлинными фразами. Простые страхи и надежды: страх разъедающей зыбкости жизни вечного беглеца, надежда обрести вожделенную стабильность. Тоска иммигрантских лагерей. Неприкрытое восхищение новой родиной. Неприкрытое желание быть ее частью. Благодарность окружающим норвежцам, от преподавателей до работодателей, ни один из которых не обидел, не унизил, не сдал в полицию, хотя мог и даже был должен. Обида на норвежскую бюрократическую машину, для которой она, живой человек Мария, всего лишь абстрактный бумажный case.

Псевдоним она взяла претенциозный, да: Мария Амели. Но за этим, рассказывает она, личная драматическая история. Про сходство с героиней фильма Жёне сказал ей как-то хороший приятель. Который позже покончил с собой.

Контракт с издательством “Pax Forlag” был подписан быстро — возможно, еще и потому, что издатели по договору не платили безвестной нелегалке аванса (правда, потом подарили компьютер). Книга под названием “Ulovlig Norsk” (“Незаконная норвежка”) вышла к осени 2010-го. И вдруг оказалась чертовски успешна. История осетинской Золушки, которой холодная буква закона не дает быть простой трудящейся норвежской принцессой, прошла на ура — она попала в топ продаж, тираж допечатывали несколько раз (а в феврале-2011, судя по сайту издательства, допечатывают опять — ясное дело). Мария Амели стала знаменитостью. У нее брали интервью титульные газеты, про нее говорили по ТВ. Ее стали звать на выступления по всей стране. Популярный левый журнал "Ny Tid", закрепляя успех, выбрал ее "норвежкой года". Еще за пару дней до выхода книги она подала заявление на получение вида на жительство — первое самостоятельное в своей жизни. Все ее друзья, вспоминает она, не сомневались в успехе, не сомневался и адвокат — "ну просто потому, что это Норвегия!". Тогда же, осенью, Мария встретила Эйвинда — на каком-то окололитературном семинаре, где все пришедшие читали отрывки из дневников. Мария читала из собственной книжки. Эйвинду понравилось прочитанное, а про книжку он ничего не знал. Как же так, удивилась Мария, ты ведь работаешь в медиа? — а он просто не был в Норвегии всё то время, за которое оформилась ее литературная известность.

Ее родители Хетаг и Елена всё так же скрывались в норвежском подполье без каких бы то ни было перспектив: зарабатывали как могли — мама убирала квартиры, отец работал по дереву... Но у самой Марии жизнь зримо налаживалась.

А потом ей пришел отказ от иммиграционных властей. И всё завертелось очень быстро, и 12 января нового 2011-го ее арестовали, а 24-го отправили в Москву.

* * *

— Получилась очень глупая история, — говорит мне в Осло адвокат Брюн Риснес. — То есть я догадываюсь, почему наши власти поступили с Марией именно так — хотя закон об иммиграции сформулирован достаточно расплывчато, и ей можно было позволить остаться в Норвегии, даже несмотря на девять лет, прожитых ею в противозаконном статусе нелегала. В конце концов сама она, отдельно от родителей, подавала заявление впервые — а за то, что ее ввезли в страну несовершеннолетней, она отвечать не может. Но ситуация с иммигрантами в последние годы сильно прибавила в остроте, и именно Мария с ее книжкой, с ее публичной известностью показалась, наверное, хорошим поводом продемонстрировать непреклонность закона. Но правительство явно не ожидало такой острой реакции огромной части норвежцев. А теперь власти уже просто не могут давать задний ход: это и потеря лица, и пугающий их прецедент... И в чью это, интересно, умную голову пришла идея демонстративно арестовывать Марию силами пяти полицейских ровно в тот день, когда у нее по плану было выступление в Центре Нансена? Да еще и в Год Нансена, а?

Это точно: Фритьоф Нансен, одна из национальных икон, чье стопятидесятилетие отмечается аккурат в этом году, не просто легендарный полярный исследователь и основатель науки “физическая океанография”. Он еще и великий гуманист и филантроп, лауреат Нобелевки мира-1922 с формулировкой “за многолетние усилия по оказанию помощи беззащитным”, первый в истории верховный комиссар Лиги Наций, тогдашнего ООН, по делам беженцев, чьими стараниями множество несчастных беглецов из России получили паспорта, так и именуемые “нансеновскими”. Рифмовать арест и депортацию двадцатипятилетней незаконной норвежки Марии Амели с именем Нансена — шаг, так скажем, недальновидный.

— В итоге, — продолжает Риснес, — вместо истории про то, что закон суров, но это закон, получилась история про то, как Система противостоит Человеку. А такая история никому в Норвегии понравиться не может. И привлекает очень, очень много внимания.

О да, очень. Депортация Марии Амели стала самым масштабным — просто по количеству сообщений — медийным поводом Норвегии за последнее десятилетие. Правда, к середине февраля в спину уже дышала египетская революция, но всё равно история Амели вызвала больший резонанс, чем американская террористическая атака 2001-го, чем цунами в юго-восточной Азии, чем Ирак и Афганистан, чем избрание Обамы, чем WikiLeaks, чем все местные события и скандалы.

Маленькая незаконная норвежка Мария Амели, думаю я, конечно, не “нагнула” это странное королевство, в котором есть монарх, но нет аристократии (упразднили двести лет назад), в котором есть государственная нефтянка, но нет сырьевой паразитарности, в котором монархизм, социализм, капитализм и патернализм сочетаются в пропорции достаточно причудливой, чтобы сделать его одной из самых дорогих, но привлекательных для жизни стран мира. Но она взбаламутила это королевство так, как никому давно не удавалось. Против нее оказалась самая представительная в стортинге Рабочая партия, чей ставленник премьер Йенс Столтенберг и решил проявить твердость. Но левые социалисты, ратующие за упрощение громоздкой иммиграционной машинерии, выступают решительно за Марию — и вместе с ними практически вся богема, интеллектуальная элита, пресса. "За" высказалась и норвежская церковь. Пока государственная бюрократия, загнавшая себя в ловушку чрезмерно скандальной истории, но не имеющая возможности отступить без потери лица, упорно гнула линию на депортацию, многочисленные компании наперебой предлагали Марии Амели сотрудничество, прослышав о том, что предложение работы даст ей легальное право остаться в стране, и она в итоге подписала контракт с журналом "Teknisk Ukeblad". Это не помогло, но теперь добившиеся своего власти вынуждены всерьез рассматривать варианты смягчения закона, предписывающего невъезд на срок от года и выше для лиц, нарушивших иммиграционное законодательство, исключительно чтобы Мария Амели, получив русский загранпаспорт, смогла сразу вернуться в Норвегию по рабочей визе.

* * *

Она — Мадина Саламова, как бы она себя ни называла, говорят одни, незваный и незаконный пришелец в Норвегии, и пусть она ищет себя и свое место в России, ну или прямо в Осетии, там же ее родина? Она — Мария Амели, говорят другие, и ее место, конечно же, в Норвегии (и среди этих других особенно много собственно норвежцев). Она честно рассказала нам историю своей жизни, чтобы мы увидели и прониклись, говорят одни. Она рассказала вам то, что вы хотите слышать, а на самом деле всё это пиар и манипуляция, говорят другие (и среди этих других особенно много русских — или бывших русских).

Всё проще, ребята, думаю я, карабкаясь по заснеженным тропинкам возле ословской крепости Акерсхус, где памятник Рузвельту смотрит на заледеневшую гавань. Разумеется, она урожденная Мадина Саламова. Но она давно и взаправду, старательно и честно стала Марией Амели. Разумеется, вся эта история — чистой воды манипуляция и несомненный пиар. Но это внесистемный, ни одной закулисной силой не запланированный пиар, и это честная манипуляция одиночки.

Конечно, когда Мария Амели, всерьез подумывавшая о фальшивых документах, писала свою книгу, она писала не столько книгу, кусок словесности, сколько развернутое заявление иммиграционным властям: вот я, вот как я люблю вашу страну и ваш народ, вот как я здорово владею вашим языком, я бóльшая норвежка, чем многие чистокровные норвежцы, неужели вы настолько бессердечны, чтобы меня отвергнуть, примите меня в свои! Отсюда — точно найденная бесхитростная интонация, отсюда — идеально (именно по канонам открытого письма, слезной челобитной, а не литературного вкуса) подобранный в первых же главах ряд литературных альтер эго: честная трудяга Золушка, невинная жертва Анна Франк, стоическая жизнелюбка Скарлетт О'Хара.

В шахматах это называется "гамбит": когда противнику жертвуют фигуру, чтобы захватить стратегическую инициативу и победить. У Марии Амели не было других фигур, кроме нее самой. И она своей книжкой предложила себя в жертву, надеясь, что не съедят, что засчитают победу за красоту и искренность жеста, за верность честным норвежским правилам. Однако съели; но у жизни правила не вполне шахматные — и даже съеденная пешка может выйти в ферзи при известном везении.

— Мы сегодня ходили плавать в бассейн, — говорит мне Эйвинд Трэдал. — Э-э… как у вас называется такая белая морская птица?

— Чайка.

— Tchayka, — с удовольствием повторяет он. — Ну вот, мы ходили в бассейн Tchayka. И там трижды надо было заполнять какие-то бумаги и предъявлять паспорт. Как будто это отдельное государство. Это же не очень разумно, что теперь бассейн Tchayka знает обо мне больше, чем многие мои близкие друзья в Норвегии?

Я вспоминаю этот диалог, бродя по центру Осло, столицы государства, где разумно устроен даже стихийный уличный протест нелегального меньшинства. Возле Кафедрального собора — пикет эфиопов, которых тоже собираются депортировать на родину. Плакаты: "В Эфиопии нет демократии!", "Перестаньте мучить ищущих убежища!", "Мы не преступники!". Пылают крупные свечи в круглых жестянках, топчутся понурые эфиопы, рядом минимум пять телеоператоров, полицейских нет. В нескольких сотнях метров вверх по променадной Карл-Юхансгате, возле Стортингета, здания парламента, выстроились курды: что-то скандируют, размахивают флагами виртуального Курдистана и плакатами, на которых намалеваны виселицы и написано "Остановите казни", потом бодрой колонной трогаются по прямой — мимо Национального театра, к стоящему на холме Королевскому дворцу. Здесь тоже мелькают телекамеры, глазеют туристы, но есть и полицейские — в двух минивэнах с надписью "Politi". Минивэны ползут за колонной, сидящие внутри politi экипированы как терминаторы из будущего, и им скучно.

Разумная основательность здесь во всем. В том, как точно по расписанию отчаливают из гавани черно-белые паромы. В том, как ссыпается кроновая мелочь в горловины счетных автоматов в любом супермаркете, и в том, как падают большие сырьевые деньги в Национальный нефтяной фонд: резервные фонды, вложенные в ценные бумаги, есть во многих странах, включая Россию и Китай, но только в Норвегии каждый гражданин может в любой момент посмотреть, в какие конкретно бумаги эти деньги вложены, и только в Норвегии эти деньги вкладываются в расчете на каждого конкретного гражданина, и он ежегодно получает со своего вклада проценты. В том, что по всей стране полно туристических домиков, где нет ни охранников, ни следящих камер, только минимальный набор всего необходимого, да прейскурант, да жестяная банка, чтобы добровольно оставлять деньги за ночлег и еду.

Нет, само собой, ни разу не рай — взять хоть уровень цен (запредельный), хоть уровень самоубийств (высокий). Но очень разумно организованный не-рай, и норвежцы оберегают его от внешнего мира — до такой степени, что упорно не вступают в Евросоюз. При этом иммигрантов — легальных — тут четыреста с лишним тысяч, не так мало: почти десять процентов четырех с половиной миллионного населения. И несколько (от трех до десяти, по разным оценкам) тысяч нелегалов.

Среди них есть персонажи вроде муллы Крекара: курдский экстремист с террористическим бэкграундом времен еще Саддама Хусейна, Крекар обитает в Норвегии аж с девяносто первого, проповедует радикальный ислам, похваляется знакомством с Усамой бен Ладеном, любит иногда дать интервью про то, как высокодуховные сыны Аллаха будут ставить прогнивших западных кяфиров в коленно-локтевую позицию, или намекнуть норвежским политикам, что за несправедливость по отношению к нему, Крекару, они заплатят головой. Власти давно лишили

Крекара права на политическое убежище и регулярно постановляют депортировать его в Ирак, но приговор в исполнение не приводят: в Ираке ему светит виселица, а не может же гуманное общество отправить человека на виселицу, правда? То ли дело Мария Амели — ей-то в России смерть не грозит, что бы ни думали ее наивные норвежские поклонники.

* * *

Именно пример муллы Крекара заставляет обнаружить в истории Марии Амели еще одну, скрытую интригу. Это не только история про то, приголубить или нет Норвегии бедную Золушку. Это еще и история про то, как при столкновении с новой, не укладывающейся в привычные схемы реальностью (в данном случае — реальностью массовой иммиграции) в обществе — даже таком трезвомыслящем — возникает раздрай между законом, справедливостью и здравым смыслом. Ведь идея выгнать Марию, но оставить Крекара с точки зрения справедливости диковата, с точки зрения здравого смысла безумна, и только с точки зрения закона она вполне корректна.

Кажется, именно тоска по здравому смыслу звучит в скандальной речи британского премьера Кэмерона (он произносит ее, как раз пока я лечу в Осло), речи о крахе политики мультикультурализма, дозволявшей иммигранту жить в европейском "монастыре" по своему укладу; о необходимости жестко насаждать "базовые ценности демократии".

В нескольких трамвайных остановках от Стортингета, Королевского дворца, Национального театра — главная рукотворно-ландшафтная достопримечательность Осло, столицы Гамсуна и Ибсена, Грига и Мунка, богатой творцами, но не дворцами, великими маргиналами, но не великими кафедралами. Это парк Вигеланда. Тридцать гектаров, которые главный норвежский скульптор Густав Вигеланд заселил шестью с половиной сотнями человеческих фигур.

Люди, иногда из бронзы, а чаще из серого камня, в натуральный человеческий размер; почти все голые, с достоверно отображенными гениталиями, с тяжелой лепкой черепов и тел. Мужчины, женщины, дети, старики. Играющие, испуганные, веселые, сгрудившиеся в стаю, предающиеся вакхическим любовным играм. И посреди всего — восемнадцатиметровый обелиск, который неизбежно назовешь фаллическим, хотя больше он похож на огромную бугристую свечу из десятков переплетенных обнаженных тел: мужских и женских, старческих и младенческих. То ли гекатомба, предчувствие Дахау и Аушвица, то ли материализованная непрерывность жизни и неразрывность ее со смертью, то ли свальный грех.

Новое время, такое вегетарианское, толерантное, либеральное, предлагает, конечно, свою трактовку — и она не кажется притянутой за уши. Все мы прежде всего люди, ласково шепчет новое время, и каждый из нас уникален и неповторим. Всякий личность, и никто не лишний — вот он, идеал, к которому Европа продиралась через все войны, смуты, розни и распри. Как всякий идеал, этот вряд ли воплотим — но, пожалуй, нынешняя Норвегия подошла к нему насколько возможно близко.

Но за новым временем наступает новейшее, и оказывается, что лишние все-таки есть. Они приходят в тщательно отстроенную экосистему приближенного к идеалу социума извне; они другие; их нельзя скопом отторгнуть (потому что это противоречит идеалу) и невозможно молча принять (потому что под их напором идеал грозит обрушиться вовсе). Что с ними делать — непонятно. Ничего с ними не делать — невозможно. Они — это вопрос, на который надо как можно быстрее найти ответ, это ясно, и к Дэвиду Кэмерону не ходи.

Частная история осетинской девочки Мадины Саламовой, норвежской девушки Марии Амели, превратившаяся в публичную драму, важна уже тем, что формулирует этот вопрос заметно, наглядно и внятно. А еще тем, что дает намек на ответ. Не факт, что вопрос поймут, а намек услышат за громом медийного трагифарса; но шанс, наверное, есть.

Акустика в норвежских фьордах, всякий знает, дивно хороша.

* * *

Мы снова сидим в кафе — я, Мария, Эйвинд, двое их друзей-норвежцев, прилетевших в гости. Кафе называется “Хачапури”, и на столе хачапури.

— Моя мама часто готовила грузинскую еду, — говорит Мария.

— Жаль, что твои родители не хотят общаться с журналистами.

— Извини, — она пожимает плечами, — я очень их уговаривала. Но они… боятся. Для них это всё еще слишком психологически тяжело.

— А что ты думаешь про их перспективы?

Она снова пожимает плечами:

— Не знаю… сами они подумывают о том, чтобы вернуться… сюда. Если бы нашлась страна, которая бы их приютила…

Мы обсуждаем новости. Двое депутатов исландского парламента подняли вопрос о том, чтобы дать Марии Амели гражданство Исландии. Тогда она смогла бы беспрепятственно въезжать в Норвегию. Несколько отделений ПЕН-клуба в разных странах готовы пригласить ее к себе пожить, если ее дело затянется. Отправлены документы на русский загранпаспорт — вот сделают, и можно подавать на рабочую норвежскую визу… Правда, никаких поправок в иммиграционном законе пока нет. А значит, над Марией Амели всё так же висит угроза невъезда в Шенген — лет на несколько.

— Но в России, — уточняю я, — ты не останешься в любом случае? Все-таки Москва ведь — не такое ужасное место…

— О, конечно, не ужасное, — охотно соглашается она со своим скандинавским прононсом. Но качает головой. Она свой выбор сделала, и давно. Не Мадина, а Мария. Не осетинка, а норвежка. Всё еще незаконная, даром что тысячи людей, знакомых с ней и нет, согласны с таким выбором. Но, может, ей повезет, и в этой истории сильнее окажутся справедливость и здравый смысл.

Может, и так — в финале, в итоге, в конце учебника. Хотя пока всё выходит ровно наоборот. Правь в этой истории незамысловатая логика здравомыслия — и Мария Амели уже получила бы то, чего пыталась добиться своим честным и разумным норвежским гамбитом. Была бы сейчас в своем северном королевстве, обрела бы заветный вид на жительство (и гражданство в перспективе), жила бы со своим Эйвиндом, работала, платила налоги. Но в этой истории правит все-таки неевклидова логика закона. И поэтому Мария Амели под полицейским присмотром летит в страну, которая уже стала ей чужой. Получает чужой, нежеланный паспорт на уже ставшее ей чужим имя. Конвертирует свои личные дни и недели в этапы чужих бюрократических процедур: неделя на внутренний паспорт, месяц — на заграничный, и дадут ли потом рабочую визу, и не вчинят ли запрет на въезд в Шенген?..

Она идет кривой и странной дорожкой закона — и надеется вернуться в ту точку, из которой, будь это история про торжество здравого смысла, могла бы не уходить.

КУЛЬТУРА ТЕЛА СЕГОДНЯ В УДАРЕ

Пустая рука: судьба карате в России (2013)

А еще говорили так: он знает карате. Как будто карате — что-то вроде таблицы умножения или малого боцманского загиба. Что можно быстро вызубрить наизусть и потом, буде надобность, шпарить без запинки.

Впервые я услышал это классе во втором не то третьем, когда подрался с одноклассником Р., главным хулиганским баттхёртом младших классов нашей рижской школы. Детали великой битвы стерлись из моей памяти, помню только, что я порядком трусил, а бешеный Р., кажется, вовсе нет; кончилось всё боевой ничьей. “Он знает карате!” — уважительно просветили меня приятели. Ну и ладно, зато я был на голову выше.

Еще год спустя, когда неугомонный Р. избил кого-то при помощи украденных у папы нунчаков, я уже был в курсе, что это такое: две связанные цепочкой палки, — и даже видел, как крутили их, что ли, в "Пиратах XX века" — не Талгат ли Нигматулин, каратист-чемпион, позднее, в 85-м, зверски забитый собратьями по религиозной секте? — а каратистам к тому моменту уже "сказали «ямэ!»", запретив чуждую западную, даром что японскую, заразу. Подвиги Р. меня более не пугали, после обмена фингалами траектории наши разошлись в разные стороны, в нейтральные воды. Его пунктир я в последний раз отследил много лет спустя, увидев в газете фотографию ближнего круга главного рижского криминального авторитета Вани Харитонова. Р., то ли правая, то ли левая рука Харитона, стоял на фото с бультерьером у ноги, оба, человек и пес, улыбались и да, были страшно похожи. Чуждую заразу к тому моменту давно разрешили обратно, и бывшие советские рукопашники, вольники и боксеры успели выбиться из рэкетиров в бригадиры, а некоторые даже в крупные бизнесмены, и вообще в силу увеличения цены и остроты вопросов в моду уже входили бывшие биатлонисты.

Но это будет не скоро, в зрелые девяностые. А в конце восьмидесятых, когда и я, и Р. еще были детьми, все кумиры видеосалонов знали карате. Исключений было два — Сталлоне предпочитал бокс, а по Шварценеггеру было видно невооруженным глазом, что ему ничего знать не требуется. Остальные — знали. Чак Норрис знал карате. Ван Дамм знал карате. Дольф Лундгрен знал карате. Брюс Ли тоже знал карате, потому что кунг-фу — это были уже неважные нюансы, и вообще они выяснились позже. То же безоружное око докладывало, что Брюс Ли знает карате лучше всех, это признал даже Виктор Цой, нарисовав себе в нугмановской "Игле" три хрестоматийных шрамика на щеке. Виктор Цой знал карате так себе (зато он лучше всех играл рок, тоже дело), но все-таки знал.

Я так и не узнал карате, хотя очень хотел, а какое-то время даже старался. Зато я написал про него первую в своей жизни газетную заметку. Шел 89-й, мне было четырнадцать, и я вот уже год занимался в школе карате кёкусинкай. В кёкусин бились фулл-контакт, не было защитной амуниции и были удары в голову, а основатель стиля, страшный человек Масутацу Ояма, урожденный кореец Ёнг И-Чой, славился тем, что победил на татами сто сменявшихся противников подряд, а на арене — полсотни быков, правда, порознь, зато сорока восьми копытным отрубил рога ребром ладони, а трех убил наповал кулаком. Гринпису это вряд ли понравилось бы, и даже испанцы, возможно, скептически косились на столь странный извод корриды, да и самому мне быков было как-то жалко, но на подростковое сознание скотобойный факт действовал магически. Внушительные легенды я в равной пропорции взболтал, не смешивая, со своей несколько менее впечатляющей еженедельной трехразовой практикой, и залил получившийся коктейль в форму бесхитростного дебютного репортажа, на блеклой глади которого кое-где (к счастью, редко) алели, как юношеские угри, непрошенные метафоры. Репортаж вышел в рижской (дело всё еще было в Риге) молодежной газете. Редактировал газету милейший еврейский юноша А. с глазами, в которых хранился весь общак национальной скорби. Название газеты было еще виктимней, чем глаза редактора: "Молодые руки". Нетрудно представить, через какие круги радостно гогочущей жеребятины они прошли. Беря свежие, чуть пачкающие "Руки" в руки, иллюзий не питал и я; но, пробегая по марким буквам, так приятно было чувствовать себя журналистом, да и мысль о том, как я небрежно, между делом, вручаю газетку сэнсэю... Тут я споткнулся и начал краснеть. Скорбный редактор А. отправил профессиональную функцию с меткостью снайпера или бреющей чайки. Он внес в текст всего одну правку: после слова "медитация" (с какой радости оно мне сдалось?!) добавил в скобках — (ритуал приветствия). Честолюбивые планы рухнули. Теперь вся надежда была на то, что самому сэнсэю никогда не взбредет в голову изучить печатный орган подросткового онанизма.

Разумеется, надежда эта оправдалась.

О, наивность молодости, переевшей гормональных би-мувиз, в которых шаолиньские старцы годами медитировали (тьфу!) средь заснеженных вершин, а окинавские отшельники железными кулаками осуществляли переработку векового леса в труху, чтобы внезапное сатори катапультировало их к ослепительным горним высям предельного мастерства. Могу представить, до какой фени моему сэнсэю, бодро выгрызающему свою нишу на рынке рукопашных образовательных услуг, был бы этот ритуал приветствия, как, впрочем, и вся стыдливая газетка “Молодые руки”. Сэнсэй назывался Джимом Лесли. Возможно, на смелую догадку о собственной англосаксонской природе его навела некоторая лошадиность черт, якобы присущая жителям Острова; так или нет, бойкий командирский, он же матерный, явно освоенный без словаря, обличал в мистере Лесли натурального славянина. Впрочем, дать на счастье лапой по канонам японского мордобоя Джим и впрямь мог, и вообще никого не смущало это явное самозванство, воспринимаемое, видимо, русским человеком как непременный и простительный атрибут всякого Смутного Времени: ни меня, ни более взрослых соучеников, ни редактора А. и прочую республиканскую прессу, ни даже великого и ужасного мэтра русского кёкусин Танюшкина, который еще год спустя приезжал к нам из Москвы принимать экзамен. На экзамен я явился вдрызг простуженным, сдал, не приходя в сознание, на свой первый ученический пояс и слег с тяжелым обструктивным бронхитом.

Пройдя сквозь строй врачей, забот и соблазнов, назад я так и не вернулся. В наследство мне достались пропитанный трудовым не то гриппозным потом пояс и диплом с красивыми иероглифами (оба потом пропали), малость стоптанные костяшки пальцев, начальное теоретическое знание о том, как надо правильно бить людей, и практическая малоспособность его применить. То есть если что-то и бывало, то обычно выглядело ровно тем, чем являлось: уличной возней не представленных друг другу дилетантов, одним из которых нужны деньги, а другие, то есть я, тоже не сидят на трубе и потому не видят в себе мецената. А обычно не бывало ничего, ибо, как верно учил нас писатель Веллер, интеллигенту противна мысль о физическом насилии. Можно утешать себя льстивой версией, что это в нас голосом Левитана говорит кантовский нравственный императив. Как в апокрифе про писателя Пелевина, который мне рассказывал общий приятель Б. Якобы молодой Пелевин, тогда еще не ставший автором мегаселлеров и не ушедший с концами во Внутреннюю Монголию, серьезно знал карате. И вот однажды он и приятель Б. ночью пошли под звездным небом в ларек за водкой, а попались гопникам. Гопники предъявили. Знающий карате Пелевин уже слышал голос Левитана (позднее он даже опишет его в книге) и не мог бить гопников, но нашел остроумный выход. Он ударил водосточную трубу, и та согнулась пополам. Гопники всё поняли и ушли сами. Так Кант и карате, объединившись, воплотили завет древних мастеров единоборств, полагавших: лучший бой — тот, который не состоялся.

Мудрецы и лузеры вообще склонны приходить в одну смиренную точку, пусть и разными путями, но в пятнадцать лет сложно примерить на себя первый маршрут и унизительно — второй. Я очень переживал, что из меня не вышло Брюса Ли и не выйдет Масутацу Оямы. Боев хотелось — состоявшихся и выигранных. Бить — не водосточную трубу, а подлых врагов. К тому же сложно сейчас представить, чем было карате для позднесоветского подростка на изломе восьмидесятых-девяностых: не только ожившей авантюрной легендой, но воплощенным оксюмороном, сочетанием несочетаемого. С одной стороны — предельная манифестация индивидуализма, незнакомого и желанного, будто секс: герой-одиночка из импортных боевиков, причем такой герой, которому даже оружие не нужно, он и оружие тоже — сам себе и сам по себе. С другой — парадоксально гармоничное продолжение советской выучки и советского мифа: идея многолетнего самоотречения и саморастворения в Пути ради достижения — через усилия и боль — Идеала никак не противоречила вбитому в детстве, тренировка формальных комбинаций-ката до одури в общем строю, упакованном в одинаковые кимоно, без зазора ложилась на маршировку пионерских смотров в одинаковых блузах и алых галстуках.

И было еще третье, тогда неосознаваемое: вакуум метафизики. Поздний совок был устал, беззуб и одышлив, и ни заселить собой все метафизические этажи, существующие внутри хомо сапиенса, ни наглухо выгрызть их уже не мог. Так что граждане обставляли эту пустующую духовную жилплощадь сами и чем придется, обычно всяким хламом — кто религией или оккультизмом, кто посильным диссидентством или верой в Блистательный Запад, кто поисками йети или внеземных цивилизаций. Путь Пустой Руки с его наглядной конвертацией личностного роста в мордобойные умения тоже отлично годился. Даже в Японии, думаю, не было более фанатичных духовных адептов карате, чем юные идеалисты в позднем совке.

Нынешний гордый дух, реющий над метафизической изнанкой родины и похожий на результат скрещивания глобалистского гипермаркета с клубом патриотичных футбольных фанатов, способен заполнять пустоты еще меньше, чем былая дряхлая империя с ее скучной идеологией, зато он интуитивно понял, что не обязательно заполнить — достаточно нагадить, сами уйдут. Так, говорят, хитрые лисы выкуривают из нор трудолюбивых барсуков. В результате теперешний гражданин редко суется на метафизические этажи: потянет носом — и назад, в реальность ипотеки и ирреальность соцсетей; здесь противно и всё влом, но ведь и там воняет и всё уже не свое. Думаю даже, что тут и корень ностальгии по СССР, свойственной множеству вроде бы вполне состоявшихся и притом помнящих убожество позднего совка людей: не по имперской баллистической мощи они тоскуют и не по синим курам по два двадцать, за которыми надо стоять очередь, а по отрадной пустоте внутреннего пространства, принадлежащего тебе и только тебе.

Мы примерно об этих изводе и природе советской ностальгии говорили с писателем Андреем Рубановым вскоре после знакомства, лет пять-шесть назад: тогда он еще не написал гениальный рассказ “Брусли”[1], который как раз про подростковое восприятие киношного карате-мифа на

[1] Сборник рассказов “Стыдные подвиги”, 2012.

фоне угасающего имперского лета, зато и не перешел еще на чистый адреналин, а употреблял спиртосодержащее. Болтали, опрокидывали; тут-то и выяснилось, что книжный мальчик, советский идеалист Рубанов познавал карате кёкусин примерно в те же годы. Только он чуть постарше, так что начал в армии, продолжил в роли мелкого деловара-полубандита на заре "лихих девяностых", когда умение дать человеку ногой в голову реально воспринималось тропинкой к свободе, силе и счастью. Масутацу Оямы и Брюса Ли из него тоже не вышло: занялся отмывкой бабла, поднялся, сел, вышел, стал писателем, про карате помнил.

— У тебя пояс какой? — деловито осведомился Рубанов.

— Синий, — признал я скорбно.

— А у меня вообще так белый и остался, — сообщил Рубанов, тренировавшийся, судя по обмену воспоминаниями, куда дольше, усерднее и эффективнее, чем я. Посопел, ухмыльнулся:

— Значит, я тебе должен всегда кланяться.

— Начинай, — сказал я и разлил.

И мы выпили — два несостоявшихся Великих Мастера, два сложных и нафиг никому не сдавшихся изделия закатной советской империи. Два амбициозных подростка восьмидесятых, в которых почти уже умер, но все-таки еще немного жив карате кид, которого вы можете и не знать.

Теперь он чаще представляется кунг-фу пандой.

НЕПЕРЕВОДИМАЯ ИГРА СЛОВ

Продать Родину: почему русские больше не пишут бестселлеров (2009)

За последние двадцать лет русские стали делать много того, чего не делали раньше. Например, жить в Гоа — или в Голливуде. Например, покупать недвижимость в Лондоне — или концерн Opel. Но кое-что они делать перестали. Они перестали писать международные бестселлеры, как писали их и при самодержавии, и во времена СССР. Впервые за последние полвека русская литература, с ее мировым копирайтом на "русские вопросы" и "русскую душу", выбыла из перечня экспортных брендов, лишив своей компании балет, водку и икру. Мы разучились писать? Или перестали быть интересны?

— Я, друг, тебе точно, нах, говорю, — сообщает мой собеседник, откидываясь на спинку стула. — Все, бля, деньги, нах, у богатых жидов. Я тебе говорю, нах, это, бля, заговор. И Вторую мировую богатые, бля, жиды развязали, ты не знал? Точно говорю, они, суки, своего племени не пожалели, только чтоб еще богаче стать!

Кажется, я слегка плыву: у боксеров это называется грогги. С моим собеседником я знаком минут семь, может быть, восемь. Он молод и бодр. Его русский язык, обогащенный легким приобретенным акцентом, не столько пересыпан матом, сколько смонтирован на нем, как дом на фундаменте. У него бритая скиновская голова и аккуратная богемная бородка. У него шустрый острый взгляд молодого млекопитающего, вынужденного до поры мириться с господством медленных и здоровенных рептилий, но уже знающего себе эволюционную цену.

— Вообще-то, — сообщаю я, — у меня жена еврейка.

Мой собеседник быстро моргает, но не теряется.

— Ну так у меня у самого бабушка еврейка, — контратакует он бойко. — Немецкая еврейка, ага, нах, такая... которая не на этом ихнем говорит, ну как его... а типа на немецком, бля.

— Не на иврите, — вклиниваюсь я в паузы. — На идиш.

— Ну да! — соглашается собеседник радостно и валится в штопор фамильной бабушкиной истории, в которой избыток очевидно невыдуманных деталей изобличает явную выдуманность. Сразу видно коллегу-сочинителя.

— ...так что против евреев я, бля, ничего не имею, — выходит он из штопора у самой земли. — Я, нах, против тех, ну этих, которые сами всех хотят иметь. Ты вот слыхал про такой Бильдербергский клуб, а? Во-во. Мне друг мой пиздато всё про них объяснил. Друг мой, знаешь, может, Личо, бля, Джелли, пи-два, ты не в курсе?

Бровь у меня помимо воли ползет вверх. Я в курсе, бля нах, кто такой Личо Джелли. Ну то есть настолько в курсе, насколько про Личо Джелли вообще можно быть в курсе. Говорят, что он, юный итальянский фашист, во время войны нашел и прикарманил припрятанное от нацистов югославское золото, шесть десятков тонн. Говорят, что потом он частично поделился этим золотом с лидером итальянских коммунистов Тольятти, а тот — с маршалом Тито. Говорят, что он был лидером масонской ложи "Пропаганда-2", сокращенно П-2, которая контролировала половину итальянских политиков, медиамагнатов, финансистов и чекистов. Говорят, он то ли работал, то ли не работал на ЦРУ, то ли хотел, то ли не хотел устроить государственный переворот. Говорят, его арестовывали, и он сбегал из-под ареста. Говорят, он долго скрывался на одной из своих вилл в Уругвае. Говорят, он умер. Говорят, он вернулся и теперь пишет лирические стихи. Говорят, что если он заговорит, то рухнет полсотни мраморных репутаций. Сейчас Личо Джелли должно быть девяносто лет. Я могу представить себе многое, но мне трудно представить это фэнтези на мотив "Маугли": гигантский девяностолетний паук мировой конспирологии, наставляющий на путь истинный молодое русское млекопитающее.

Я испытываю что-то вроде писательской зависти. Мой собеседник не только "учил матчасть". У него еще и отменная фантазия.

— Ну да, мы общаемся, — продолжает тем временем он. — Я, когда приехал, был на этот счет дурак дураком, но он мне глаза-то приоткрыл. Ты вот думаешь, Швейцария. А тут их главное гнездо и есть. Я, бля, этих швейцарцев терпеть не могу. Их, нах, надо только силой оружия...

Он хищно шевелит татуированными пальцами. Я ухмыляюсь, представив себе, как мой собеседник силой оружия разбирается со швейцарцами, которые, как известно, не воевали уже полтыщи лет и провели всё это время в подготовке к возможным сражениям. Чуть не всё мужское население резервисты, у которых дома в опломбированном ящике хранятся автомат и патроны; в каждом многоквартирном доме до недавнего времени по закону было обязательно атомное бомбоубежище; и даже шоссе проектировались как резервные ВПП для военных самолетов.

А впрочем, кто его знает. Он шустрый малый.

Моего собеседника зовут Николай Лилин. Мне, впрочем, уже шепнули, что он нисколько не Лилин, а возможно, и не Николай. Зато он точно автор написанной по-итальянски книги, которую очень крупное издательство всерьез намерено двигать в бестселлеры. В качестве автора завтрашнего бестселлера он и приглашен сюда, на литературный фестиваль в Беллинцоне, Итальянской Швейцарии.

Беллинцона — это кантон Тичино, пачка открыточных видов, засунутая между Альпами и свободным ремнем итальянской границы. Невысокие зеленые горы, на которых по утрам лежат призрачные клочья облаков. Глубокие озера со знаменитыми именами: Комо, Маджоре, Лугано. Крохотные городки с итальянскими красками и темпераментом, швейцарской аккуратностью и, увы, швейцарскими ценами.

Нейтральная территория. Удобное место для рискованных встреч.

Здесь столетиями встречались разные европейские этносы и культуры.

Здесь в сорок пятом группенфюрер Вольф встречался с мэтром шпионажа Алленом Даллесом, выторговывая сепаратный мир.

Теперь здесь встречаются со своими переводчиками писатели, представляющие экзотическую, с точки зрения швейцарцев, литературу. Год назад, кажется, были хорваты. Два года назад — мексиканцы. В этом году — русские.

Литературный фестиваль в Беллинцоне называется "Babel", но автор "Конармии" тут ни при чем.

Имеется в виду Вавилонская башня. "Babel" по-английски — "Вавилон".

* * *

А что ты забыл в Швейцарии? — интересуется приятель. Приятель тоже пишет книги. Впрочем, в данный момент он ест жареную рыбу карп в московском кафе. Мир полон скрытых рифм: кафе называется "Нейтральная территория" и считается литературным.

Рыба карп лежит на боку. Вид у нее грустно-фаталистический, словно она трезво осознает свое место в мире.

Я хочу написать о том, почему русские не пишут мировых бестселлеров, говорю я.

Я ожидаю, что приятель спросит, при чем тут Швейцария. Про Швейцарию известно, что это страна банков, работающих, как часы, и часов, надежных, как банки. Про Швейцарию известно, что в ней делают офицерские ножи с миллионом несерьезных лезвий и крестиком на боку, про которые писатель Веллер сказал: если швейцарские офицеры похожи на свои ножи, то их можно ловить сачками. Но про Швейцарию как место силы русской литературы ничего не известно. Хотя там живет писатель Шишкин, лауреат "Русского Букера" и "Нацбеста", а раньше жил писатель Набоков.

Однако приятель спрашивает о другом.

Как это русские не пишут бестселлеров? — возмущается он. — Набоков? Достоевский? Булгаков? Солженицын?

Это было давно, качаю я головой. А меня интересуют последние двадцать лет литературной свободы и невообразимой прежде легкости проникновения в профессию.

Приятель задумывается и медленнее пережевывает рыбу карп.

Пелевин? — предполагает он. — Акунин? Маринина? Улицкая?

Я снова мотаю головой. Есть разница между теми, кого просто переводят и издают за границей, и теми, кого переводят и продают огромными тиражами. С первыми у нас всё неплохо. Вторых у нас нет. У нас нет своего Кинга и Роулинг. Ну ладно, их вообще почти ни у кого нет; но у нас также нет своих Памука или Уэльбека, Переса-Реверте или Мураками, Льосы или Рота, Рушди или Эллиса. Своего Питера Хёга, который пишет странную историю про Смиллу и ее чувство снега в Дании, не сказать чтоб литературной сверхдержаве, и Смилла катапультируется в мегабестселлеры. Своего Альберта Санчеса Пиньоля, который сочиняет еще более странную историю про заброшенный маяк, атакуемый негуманоидами-лягушанами, и лягушанов немедля переводят то ли в тридцати пяти странах, то ли на тридцать пять языков.

Новейшая русская литература, говорю я, знает много гитик, но не знает мирового коммерческого успеха.

Можно подумать, так только с литературой, сварливо говорит приятель, отодвигая останки рыбы карп. Можно подумать, весь мир ломится в кино на русские блокбастеры. Или втыкает себе в уши русский рок.

Но я не согласен с приятелем. Глупо спрашивать, почему мы не становимся лидерами там, где у нас никогда и не было прецедента успеха. Блокбастеры, коммерческое кино — это огромная и сложная индустрия. Это гигантский бюджет. Это высокие технологии, которых мы не освоили. Это суперпрофессионалы, на которых у нас не учат. Мы же не удивляемся, что у нас не больно-то делают автомобили класса люкс или истребители пятого поколения. Блокбастер — это истребитель пятого поколения. Если вдруг появляется кто-то, умеющий, кажется, блокбастеры конструировать, — его, как Бекмамбетова, просто перекупает Голливуд. И русский рок никогда не конкурировал с англоязычным. И русский поп — тоже. И, кстати, никакой другой.

Но литература — совсем другое дело. Мы со школы привыкли считать, что уж с ней-то у нас всё ОК. Литературе не нужен гигантский бюджет. Не нужны высокие технологии. Литература — это очищенный и концентрированный нарратив. Голая история плюс мастерство рассказчика. Теоретически, для того, чтобы написать роман века или хотя бы хит года, не требуется почти ничего. Даже "Макинтоша" с наворотами. Питер Хёг писал про свою Смиллу карандашом по бумаге. Литература — самый прямой способ коммуникации одного человека с другими людьми и одной нации с прочими нациями.

Мне интересно, почему ни один русский уже давно не делал эту коммуникацию действительно массовой, и можно ли тут ждать новостей.

* * *

Я еду в Беллинцону потому, что фестиваль "Babel" видится на редкость точным слепком взаимоотношений нынешней русской литературы с миром.

"Babel" — это маленькое, камерное, буквально семейное предприятие. Его устроители — молодая красивая пара, местный уроженец Ванни и его лондонская подруга Анна с маловероятной фамилией Лидер. Его "стафф" — тоже неизменно красивые юноши и девушки с бейджами, всё время оказывающиеся сестрами, кузенами и школьными приятелями друг друга.

На "Babel" странный набор русских гостей. Тут есть, скажем, Людмила Улицкая. Есть, конечно, Михаил Шишкин. Есть Рубен Гальего, человек с героической биографией: внук главы испанской компартии, почти парализованный инвалид, который мыкался всё детство по детдомам, но в итоге начал писать поражающие жизнелюбием автобиографические книжки; сейчас живет в Нью-Йорке, женат в третий раз, и его ребенку восемь месяцев. Есть мой новый друг Лилин, про которого на сайте "Babel" сначала было написано макабрическое: он-де происходит из какого-то siberian tribe; позже сибирское племенное происхождение отменили и честно прописали приднестровские Бендеры.

Есть Андре Макин, русский лауреат Гонкура, давно живущий во Франции, пишущий по-французски и не переведенный на родной язык.

Впрочем, Макина нет, не приехал.

Вопрос, почему русские не пишут международных бестселлеров, я задаю своим мало-мальски литературным собеседникам давно и слышу множество вариантов ответа. Писатели считают, что их плохо продают издатели и агенты. Агенты и издатели считают, что писатели пишут не то, что можно продать хорошо. Все дружно считают, что мы слишком экзотические. Или что мы недостаточно экзотические. Или что степень нашей экзотичности никого не колышет, а просто на русскую литературу у иностранных издателей установлена негласная квота.

В Москве я говорю об этом с Юлей Гумен и Наташей Смирновой — едва ли не первыми людьми в России, которые сделали занятие литагента своей единственной профессией. У агентства “Goumen& Smirnova” в клиентах половина актуальной русской прозы, и, конечно, они пытаются продавать ее на Запад. Я перечисляю им ответы, известные мне. Они комментируют, загибая пальцы.

Да, агентов и впрямь мало — но потребности крошечного рынка потенциально экспортных книг они покрывают вполне.

Да, квота существует — в англоязычном мире доля переводной литературы составляет два процента, хоть ты тресни, но это для всех два процента, не только для русских.

Да, есть еще проблема с переводами: хорошие переводы с русского дороги, и издатели скупятся, а государственных программ финансовой поддержки перевода, как во многих странах, у нас нет; на частном уровне это начинают делать Фонд Прохорова и “Academia Rossica”, но этого явно мало.

Да, западный издатель и читатель, кажется, ждет от русских писателей не вполне того, что они предлагают. Чего ждет? А всё того же: баня, водка, гармонь, лосось, черная икра, застенки, мороз-мороз, хохлома; они хотят слышать, как русские, поднимая тост, говорят na zdorovye. А чтобы их переубедить, надо уметь писать грамотный мейнстрим, а у нас почти не пишут грамотного мейнстрима. У нас либо downmarket — коммерческий продукт довольно низкого качества, который не востребован на Западе, либо high-brow — интеллектуальная, труднопроницаемая проза, которая бестселлером по определению стать не может.

И как писать, чтобы тебя читали, у нас не учат. Никаких тебе курсов "creative writing", как в любом заштатном западном вузе.

...Только я не думаю, что курсы "creative writing" всё чудесно изменят. Вопреки распространенному даже среди профессионалов мнению настоящий бестселлер — это не индустриальный продукт, а штука ручной выделки.

Бригада грамотных маркетологов с хорошим бюджетом может, конечно, втюхать намеченной таргет-груп хоть телефонный справочник. Но то, что выходит за пределы этой самой таргет-груп, то, что инициирует цепную реакцию, меняет моды и влияет на умы, — это всегда немножко магия. Немножко иррацио. Немножко "черный лебедь", по определению бизнес-философа Нассима Николаса Талеба: поворотное событие, абсолютно непредсказуемое до и представляющееся абсолютно логичным после.

Даже одноклеточный "Код да Винчи" кажется неизбежным хитом только задним числом: сотни сочинителей до Дэна Брауна спекулировали на подобную тему, но никто не сорвал банк.

Даже поттериана Джоан Роулинг: это сейчас непонятно, как наши дети жили без Гарри, который — как бренд — сегодня оценивается в пятнадцать миллиардов фунтов. Но у тех двенадцати издательств, которые в свое время благополучно отфутболили первую, написанную в кафе рукопись Роулинг, были, я уверен, титановые аргументы.

"Черные лебеди" — это верное определение.

Талеб написал о "черных лебедях" книгу, и она стала бестселлером.

* * *

Лежащая в горсти открыточных гор Беллинцона — хоть и итальянская, но Швейцария. В Швейцарии не должно быть "черных лебедей": банкам и часам сюрпризы противопоказаны. Зато в Швейцарии бывают темные лошадки. Я разглядываю своего нового, а как же, друга Николая Лилина, автора бестселлера завтрашнего дня, и он нравится мне всё больше.

Лилин рассказывает, как приглашал в свой дом (он женат на итальянке и живет под Турином) солистов русского балета.

— Это же сверхлюди! — говорит он с нежностью. — Они так движутся, нах, как привидения, как ебаные касперы!

Еще Лилин рассказывает про свой жизненный путь. Его жизненный путь опровергает известный постулат о том, что время не резиновое. Биография Лилина вмещает раза в четыре больше событий, чем должна. Он ребенком стаскивал с убитых молдаван бронежилеты в Приднестровье. Он добровольцем участвовал во второй чеченской. У него первая ходка на зону была в тринадцать. Он родом из Сибири, и все его мужские предки были пацанами, по сравнению с которыми Аль Капоне бойскаут, а каморра с коза ностра должны, говорит он, сосать у них, не нагибаясь.

Слева на шее у него "тыкуха" (он явно пижонит этим лагерным термином): на фоне креста раскрытая книга, в ней — "Не бойся, не проси, не верь". На пальцах у него кресты и сердца, перстни судимости, которых, по моим дилетантским прикидкам, хватило бы трем матерым ворам в законе для выхода на заслуженную пенсию. На одном предплечье у него кошачья морда в кепке, а под ней перекрещенные нож и маузер. На другом — китайский дракон...

Я смотрю на него с нежностью, почти как он — на касперов русского балета. Я хотел бы прочесть его книгу автобиографических рассказов, да жаль, что она существует только на итальянском. Он прекрасный и знакомый персонаж. Он, конечно же, Хлестаков, Хлестаков-апгрейд, дитя новой России — со своим резиновым временем, со своей войной и зоной, с другом Личо Джелли и с угрозами исламистов, из-за которых он, оказывается, по Италии без оружия не ездит.

Гоголь написал про Хлестакова отличную пьесу, но она не стала мировым бестселлером. Я не исключаю, что, когда за перо берется сам Хлестаков, его шансы куда выше.

В Москве я спрашивал о том, почему русские не пишут международных бестселлеров, Сашу Гаврилова. Гаврилов, франт с мушкетерской бородкой, пристрастием к шейным платкам и буйной энергией завзятого бретера, — из той редкой породы людей, которых я для себя окрестил литтехнологами. Редактор “Книжного обозрения”, создатель журнала “Что читать”, изобретатель Книжного фестиваля в ЦДХ, соучастник множества премиальных затей, немного критик, немного литагент, вездесущий и неуловимый.

Саша, говорил я, ответь мне на этот дурацкий вопрос.

— Это совсем не дурацкий вопрос, — откликался Гаврилов. — Мы же знаем времена, когда некоторые русские писатели конвертировались и продавались очень даже неплохо, а? Какие-нибудь господа Толстой и Достоевский. И даже потом, в советские годы, — был же Солженицын. А теперь совсем перестали. Почему так? Я думаю, дело в тех вопросах, которые ставит литература. Вот, например, вопрос, который ставил Федор Михайлович, — можно ли тюкнуть противную старушку топором по голове в видах личного обогащения или всеобщего счастья? — был понятен и актуален для множества людей в Париже, Лондоне, Берлине и даже такой дыре, как Лиссабон, а позже — в Мехико, Пекине или Торонто. То есть русская литература тут совпадала с мировой повесткой. Во времена СССР мировая повестка была в огромной степени левой — и поэтому наша литература опять с этой повесткой пересекалась. Сегодня русская литература существует совершенно вне мировой повестки. Как и вся Россия, собственно. Мы инкапсулировались. Закрылись. Мы на самом деле глубоко провинциальны. Нам на самом деле неинтересно ничего вокруг. Нас занимают свои вопросы. Которые, в свою очередь, не занимают больше никого и ни в какой повестке не значатся. Например, вопрос о том, хорошо или нет собирать червяков на грядках, — как у множества русских литераторов, зациклившихся на теме своего советского детства. Или о том, хорошо или все-таки не очень бить черножопых на рынках, как у Распутина в недавней повести.

Я киваю, хотя, по-моему, магистральную тему современной русской литературы стоит сформулировать иначе.

Едва ли не всякий русский сочинитель, приподнявшийся над уровнем плинтуса и Донцовой, принимается немедленно выяснять отношения — даже не с русской Властью, как принято думать, а с самим механизмом функционирования русской Истории. Он пытается установить, почему этот механизм после любых сотрясений и в любом антураже — при государе императоре и большевиках, во времена семибанкирщины и братковских разборок или во времена чекистов и гламурных бутиков — с упорством шарманки разыгрывает одну и ту же пьесу, финал которой печален для гражданских свобод и прогресса, индивидуального преуспеяния и процветания державы, прочности быта и чувства собственного достоинства.

Он надеется понять, можно ли изменить сюжет этой пьесы в целом, — а если нет, то можно ли добраться до индивидуального хеппи-энда, оставшись русским, не погибнув и не потеряв лица.

И — независимо от собственных убеждений и темперамента — получает на удивление схожие ответы. Что по-настоящему изменить ничего нельзя, а уцелеть и даже не поступиться принципами можно — поскольку играющая бесконечную пьесу машинка работает бесперебойно, но хреново. Как любая русская техника для массового применения.

Это коллизия, которая так или иначе занимает Сорокина и Быкова, Иванова и Рубанова, Минаева и Слаповского, Кабакова и Акунина, Юзефовича и Прилепина и многих, многих других.

Это интересная коллизия, она крайне важна для процентов пяти российского населения — я склонен думать, лучших пяти процентов, но, сдается, малоинтересна и остальным девяноста пяти внутри, и всем вовне, за исключением славистов и кремленологов.

...На книжной ярмарке в Нью-Дели, где Россия была главным гостем, а рассчитывающие на контракты издатели-индусы с фамилиями вроде мистер Супрастин или мистер Сушил Весла потерянно бродили между русских селебрити, я был свидетелем спора писателя Веллера и писателя Прилепина.

Веллер и Прилепин ночью сидели в ресторане индийского отеля. Они пили водку и спорили. Они спорили о том, собирался ли Сталин первым напасть на Гитлера. Веллер утверждал, что да. Прилепин настаивал, что нет. Веллер был логичен и неотвратим, как поступь римских легионов. Прилепин играл за русскую душу. Логика была ему не нужна.

— Почитайте Марка Солонина, молодой человек, — рубил Веллер, медленно наливаясь холодным бешенством без единой мускульной дрожи в лице.

— Да плевал я на Солонина! — парировал Прилепин. — Я не ве-рю! Не верю, и всё!

Они допили водку, ни в чем друг друга не убедили и пошли по номерам. Я смотрел в густую жаркую ночь индийского января. Мне было грустно. Только что два талантливых и милых мне русских человека долго и ожесточенно спорили из-за того, чего никогда не было. Совсем не замечая лежащей вокруг огромной и разной страны — с историей, уходящей за горизонт событий, с населением, перевалившим за миллиард, с такими страстями, что Шекспир мог бы нервно курить в углу. Я приехал в Нью-Дели из Мумбаи, я видел эту страну из окна поезда и немножко живьем, и увиденное меня поразило. Я думал, что британец Дэнни Бойл тоже мог бы ночь напролет спорить здесь с каким-нибудь компатриотом о том, хотел ли Черчилль развалить империю. Но Дэнни Бойл вместо этого снял в Мумбаи “Миллионера из трущоб”, и его посмотрел весь мир, и ему дали “Оскара”.

В Беллинцоне на книжном фестивале “Babel” поздравляли с днем рождения Рубена Гальего. Он сидел в своем высокоточном, умном инвалидном кресле. Он был умен, обаятелен и красив, и молодая жена смотрела на него с любовью, качая на руках ребенка. Рубена поздравляли Шишкин, и Улицкая, и Ванни с Анной Лидер, и их красивые кузены и кузины. Всеобщий друг Лилин, который чем дальше, тем больше кажется мне хорошим парнем (что, конечно, означает: он талантливый профессионал), приобнимал его за плечо. Я смотрел на них и думал, что передо мной сейчас олицетворенные модели, разные варианты отношения русской литературы с миром.

Модель Шишкина: алхимический брак Достоевского и постмодерна; высокооктановая эрудиция плюс исторически закрепленный за нами мотив мирового страдания.

Модель Улицкой: темы, которые принято называть общегуманистическими; отчетливо женская — а Россия, известно, женственна — интонация; ровное уважение к тем, кто проявляет интерес, способность поговорить с ними, например, про Ходорковского, но твердое намерение думать и заботиться о своем.

Модель Гальего: тот же гуманизм, только на личном страшном опыте, почти шаламовском; гуманизм, возведенный этим страшным опытом в степень; цепляющий за душу, но в больших дозах труднопереносимый.

И даже модель обаяшки Лилина: очаровательное самозванство, уходящее корнями к Лжедмитрию и детям лейтенанта Шмидта; готовность рассказать европейским издателям и критикам о России всё то пряно-шокирующее и ужасно-волнующее, чего они втайне желали, но не смели надеяться.

Мне милы все эти модели, даже лилинская. Просто среди них нет одной, милой мне еще больше. Модели "игра на равных" — при том что каждый остается собой. Чтобы собственные ответы — но на общие вопросы. Чтобы своя позиция — но в доступной другим системе координат.

В Москве я задавал свой вопрос про давно не пишущих международные бестселлеры русских Леве Данилкину — может быть, единственному критику в стране, влияющему не только на репутацию, но и на коммерческую судьбу авторов.

— Знаешь, — говорил мне Лева, — современное состояние русской литературы можно описать словосочетанием "блестящая изоляция". Она эндемик, со всеми плюсами и минусами этого статуса. Она развивается не по тем законам, которые работают практически везде. Скажем, "высокая литература" в отечественном варианте главным образом занимается исследованием общества, кодированием национальной идеологии и проектированием образа будущего. И я считаю, плюсов у эндемичности больше, чем минусов. Русская словесность сохраняет оригинальность. Хотя при этом внутренний престиж отечественной литературы в обществе колоссально упал по сравнению с советским временем. Безусловно, чтобы преодолеть ощущение собственной неуспешности, провинциальности и невостребованности, русской литературе очень нужен какой-то глобальный хит — как "Лолита", как "Мастер и Маргарита", как "Живаго" ну или хотя бы как "Архипелаг ГУЛАГ". Хит — и Нобелевская премия русскому автору. Разумеется, крайне сложно выйти на сверхзатоваренный англо-американский рынок бестселлеров; разумеется, практически нереально пробить современному русскому писателю Нобелевскую премию; однако и глобальный хит, и премия могут произойти. И если хотя бы один "черный лебедь" все-таки вылетит, за ним может последовать целая стая.

Мы переглядываемся, опознавая друг в друге членов ложи имени Талеба. Разве что, думаю я, вместо словосочетания "блестящая изоляция" я бы использовал словосочетание "нейтральная территория". Нейтральная между былой ролью универсального заменителя религии, политики и философии — и ролью ни на что не претендующего шоумена. Между реставрацией автономной, замкнутой системы координат — и прорывом в общую. Между работой исключительно на внутренний рынок (видит Бог, достаточно большой) — и возможностью увидеть физиономию русского сочинителя на билборде в Лондоне и Мадриде. Или его фамилию в титрах голливудского фильма.

Между — хрупкий баланс, заставляющий щуриться и высматривать в небе "черных лебедей".

* * *

Я уезжаю из Беллинцоны.
Вчера вечером был прощальный банкет. Русских писателей на нем оставалось всего ничего. Русские писатели уже успели разъехаться по нерусским направлениям. Улетел в Нью-Йорк Гальего. Убыла в Милан Улицкая. Отправился в Цюрих Шишкин. Впрочем, неизменный Николай Лилин успевал за всех, чертиком из табакерки возникая в каждом уголке ресторанного зала, в любой из маленьких компаний, на которые привычно разбились гости. За одним из длинных, как на грузинских застольях, столов я оказался слева от него и напротив человека, как две капли похожего на Клинта Иствуда. Иствуд мило болтал с Ванни и Анной Лидер. С красивыми кузенами и кузинами. С энергичными мамами и благообразными патронами из мэрии. Иствуд делал комплименты русским гостям, наличным и отсутствующим: точные и тонкие комплименты. Иствуд расцеловал всех в щеку и откланялся. "А кто это был?" — спросил я. И тут выяснилось, что никто не знает этого человека. Даже Лилин, который уже знает всех. И я подумал, что человек, похожий на Клинта Иствуда, скорее всего, и был Клинт Иствуд. А значит, не исключено, что завтра кому-то из русских гостей позвонят из Голливуда и предложат контракт на шестизначную сумму.

Сегодня утром быстрые суставчатые пальцы поездов тасуют колоду открыточных видов кантона Тичино с шикарным шулерским треском. Я сажусь у окна. Я смотрю на виноградники. На крепенькие, по-апеннински румяные городки. На покатую, поросшую жесткой курчавой зеленью мускулатуру гор, встающих из спектрально-синих озерных ванн.

Я прихлебываю пиво, сто́ящее примерно как фальшивый "ролекс" в московском подземном переходе и фальшивое примерно настолько же. Я думаю о том, за каким лешим мне так уж хочется, чтобы русские писали международные бестселлеры. Если, конечно, вывести за скобки праздничную галлюцинацию собственной межконтинентальной славы. С Голливудом и контрактом на шестизначную сумму.

Не то чтобы меня так увлекал международный престиж державы. Но да, мне кажется правильным, чтобы мою страну опознавали в иных краях не только по фамилии тефлоново-баллистического премьера, но и по именам пары-тройки знаменитых писателей. Я не думаю, что эндемики русской культуры особенно пострадают от такой перемены. Вряд ли культура Дании сильно потеряла оттого, что фамилию копенгагенского затворника Хёга выучили многие иностранцы, а фамилию датского премьера не вспомнит ни один.

И еще мне кажется, что за последние десятилетия мы аккумулировали страшный и страшно интересный опыт. И мне кажется правильным суметь увлекательно рассказать о нем остальным.

И кажется также, если этот рассказ будет услышан и оценен, станет гораздо легче полагать, что твое ощущение принадлежности к большому, сложному и общему пространству не самогипноз, а так оно и есть на самом деле.

Я допиваю свой поддельный "ролекс". Я хожу на нелегальные перекуры в поездной сортир. Странным образом в поездах страны, где специальная мусорная полиция строго надзирает за тем, чтобы граждане правильно рециклировали отходы, все сортиры — варварского прямого слива. Странным образом это обнадеживает.

Мысли упорно сбиваются в эгоистический регистр. Когда я дребезжу чемоданными колесиками по плитке очередного вокзала, в голове у меня уже проматываются как минимум три идеи, соблазнительно похожие на идею международного хита.

У меня еще много времени; долгий кружной путь через Европу; вполне достаточно, чтобы покрутить все три так и эдак, чтобы одна из них начала казаться всё более привлекательной; в ней, кажется, есть всё что надо: национальный колорит и здоровый космополитизм, соответствие жанровым ГОСТам и безуминка ноу-хау; чем не заявка на бестселлер, чем не универсальный, конвертируемый, вполне себе международный ответ на рыночный вызов?

У меня еще много времени до Шереметьева-2, где на стойке погранконтроля с запаянной в стекло девушкой-блондинкой универсальные международные ответы заканчиваются и начинаются проклятые русские вопросы.

Девушке не нравится мой латвийский негражданский паспорт. Ей трудно поверить в подозрительно конвертируемые вещи, имеющие одинаково свободное хождение по ту и по эту сторону занавеса. Девушке не нравится, что у виснущей на моей руке пятилетней дочки подданство РФ и годичная шенгенская мультивиза. Ей сложно согласиться с тем, что сделанное в России может вступать в столь ранние, тесные и вольные отношения с зазеркальем.

Она снимает трубку и звонит в инстанции, более сведущие в запутанных отношениях миров. Она холодно сообщает мне, что разговаривает не со мной, когда я пытаюсь сбивчиво изложить ей свое видение этих отношений. Она, кажется, смотрит на меня одновременно в фас и в профиль, даже когда не смотрит вовсе.

Через сорок минут я, волоча дочку на сгибе локтя, пересекаю госграницу с отчетливым чувством, что мне стерли одну операционную систему и инсталлировали другую, попутно переформатировав жесткий диск. Я знаком с этим чувством.

Это чувство возвращения домой.

Но одну, лучшую из тех трех идей я, кажется, все-таки запомнил.

У МЕНЯ ЕСТЬ НОЖ

Пять лет спустя: глобальный урка (2015)

Ф-фак! — я шлепаю книгу на стол.

Два года назад. Я сижу на кухне и читаю “Призрака”, свежий нуар норвежца Ю Несбё про злоключения инспектора Харри Холе. Холе идет по следу загадочного наркобарона. Но, как я только что выяснил, по следу Холе тоже кое-кто идет. Сибирский Урка. Сибирские Урки — это древний клан. Практически племя. Они не смешиваются с посторонними и передают традиции из века в век. У них есть свой кодекс чести, как у бессоновского Леона: жить грабежом и разбоем, не сотрудничать с властями, не трогать женщин и детей. Каждый Сибирский Урка проходит обряд инициации — и получает фамильный нож, переходящий из поколения в поколение. Именно им Урка сейчас и намерен перерезать инспектору Холе горло…

“Твою же мать!” — говорю я. Я испытываю, что называется, смешанные чувства: от веселого бешенства до печального восхищения.

Просто я отлично знаю, откуда растут ноги у этого Сибирского Урки.

Я очень хорошо помню эту встречу.

“Слышь, друг, бля-нах, ты же русский? Ну я сразу, нах-бля, вижу, что наш, русский... Не свой тут, нах...” — и через полминуты он уже рассказывает мне, что все бабки мира, бля-нах, у богатых жидов. И даже Вторую Мировую они затеяли, нах-бля, чтобы стать еще богаче.

Это тремя годами раньше: осень 2009-го. Я сижу в кафе посреди Беллинцоны, кантон Тичино, Итальянская Швейцария. В Беллинцоне — литературный фестиваль “Babel”, “Вавилон”: каждый год собирает представителей какой-нибудь из национальных литератур. В этом году — русские: Улицкая, Шишкин, Рубен Гальего. Я же тут в качестве корреспондента журнала, проводящего в жизнь идею Global Russians, “глобальных русских”, которым отечество — весь мир; с заданием сочинить текст о том, как бы русской литературе вернуться в законодатели мировых трендов и поразить ойкумену бестселлерами. Я вяло медитирую над этой задачей, когда он плюхается на стул напротив.

Молод, с бритой головой скинхэда и стильной бородкой монпарнасского тусовщика, с острыми быстрыми глазками, обильно покрыт *тыкухами* — на пальцах перстни судимости в ассортименте, которого хватило бы на всех подручных Деда Хасана, на шее раскрытая на фоне креста книга со слоганом “Не бойся, не проси, не верь”. Ничуть не смущается, встретив во мне не духовного собрата, а как бы наоборот. Моментальная реакция: секундная смена масок — и вот уже выясняется, что он и сам немножко еврей, по бабушке, а что? И тут же — головоломный вираж в дебри конспирологии, в сердцевину мировой закулисы: к Личо Джелли, легендарному главе масонской ложи П-2, с которым он якобы дружит, к Бильдебергскому, нах, клубу, в котором всё мировое зло, а заодно и ко всем изгибам его нереальной, нах, во всех смыслах биографии. Скоро я знаю, что его зовут Николай Лилин (а на самом деле иначе), что он — потомственный Сибирский Урка (и далее по тексту), что он с малолетства по зонам, что он при этом вырос почему-то в Приднестровье и участвовал там в войне, а еще служил в Чечне снайпером, а еще за ним охотятся исламисты и он не расстается со стволом, а еще живет в Италии и женат на итальянке, а еще он написал книгу рассказов "Сибирское воспитание" — что, по-русски? да нет, бля-нах, по-итальянски написал, будет бестселлером, зуб даю. Скоро я знаю всё, что с ним было, — а точней, чего с ним не было. Потому что надо быть ну совсем уж сибирским валенком, чтобы с ходу не опознать этот типаж: Хлестаков, Хлестаков-апгрейд. Который уже рассказывает мне, что терпеть не может коммунистов, потому что они сами урки, только неправильные. "Я беспредельщиков ненавижу, нах, понял, друг? Я вот сам сидел, но я что, бля, — асоциален? Я социален, я ж тебя не граблю щас!"

Почему-то вместо желания двинуть ему пивной кружкой промеж глаз он вызывает у меня почти восторг — и ощущение нереальности. Наверное, всё дело в декорации. В том, где всё происходит.

Ведь это же Швейцария. Страна дисциплинированных коров — и хронометров, безошибочных, как лук Вильгельма Телля. Страна банковских хранилищ, в сумраке которых уютно чувствуют себя опасные деньги, боящиеся, словно упыри, дневного света, — и бомбоубежищ под каждым жилым домом. Страна смехотворных офицерских ножей — и серьезных резервистов, которым правительство на случай шухера доверяет хранить дома боевой машинган. Страна идеального орднунга, какому позавидует и тевтонский, — парадоксально функционирующего методом максимальной демократии с референдумом на каждый чих. Страна спасибо-деду-за-нейтралитет, страна готовься-к-войне, страна мира, кажущегося вечным. Страна бытовой преемственности и непрерывности, фантастических даже по меркам прочей Европы, в русское же сознание не укладывающихся вовсе: однажды моя жена Аня Старобинец ездила в глухой немецкоязычный кантон делать очерк о последней женщине, казненной в Европе по обвинению в колдовстве и малефициуме; отрубили ей голову в XVIII веке, но в начале XXI деревеньку, где было дело, населяли люди с теми же фамилиями, что в протоколах процесса, прямые потомки обвинителей, свидетелей и судей. Страна, максимально далекая от России в своем рацио, в сочетании порядка со свободой, достатка с разумным самоограничением.

И это же такая Швейцария, которая одновременно практически Италия. Страна, где умение извлекать удовольствие из жизни доведено до алхимического совершенства. Страна дольче виты и фарниенте, высокооктановой радости простого бытия, долитой в чашку самого вкусного в мире кофе, в бокал вальполичеллы и рюмку граппы, в простейшую крестьянскую еду, в сладкоголосье уличной речи и оперных арий, в пейзажи и лица на ренессансных фресках пышных церквей, к которым, таким же точь-в-точь, шагаешь из церковного сумрака наружу. Страна, максимально далекая от нас в своей базовой эмоции. Италия есть любовь к жизни, Россия же — наоборот; не путать с любовью к смерти — это, пожалуйста, к японцам; нет, скорей уж как в анекдоте — "а нахрена мне такая жизнь?". Есть такая штука — ангедония; неспособность получать удовольствие от бытия. В медицинских категориях — депрессивное расстройство психики, эмпирически же, данная в ощущениях, — повседневная отечественная норма, правило хорошего тона. Странно ли, что русские (в том числе самые влюбленные в Русь, самые зачарованные ею классики — от Гоголя до Блока) так стремились в Италию: сбросить вериги ангедонии, размять и расслабить сплющенную невидимым крестом нерадости нежизни мускулатуру души.

И вот посреди Итальянской Швейцарии, места встречи и слияния двух противуположенных всему русскому полюсов, рационального и эмоционального, сидит Коля Лилин, хлестаков в тыкухах, и втирает мне, посланцу амбициозных Глобальных Русских и искателю путей родины в топы мировых трендов, про Сибирских Урок, у которых есть нож, и про свою любовь к звездам русского балета, сверхчеловекам-привидениям, "ё...ным касперам". И ладно бы — только мне: все следующие дни я с возрастающим восторгом наблюдаю за Лилиным. Он самонаводится на любое скопление селебритиз, словно ракета "земля-воздух" на тепловой след. Он всепроникающ и эффективен, как жидкий Терминатор. На фотосессии оказывается между Улицкой и Шишкиным. Магически оттирает от Рубена Гальего прайд преданных женщин и лично катит его инвалидную коляску. Добрейшие италошвейцары ходят за ним, приоткрыв рты. Я мало что понимаю в Хлестаковых новейших моделей — но я знаю: они всегда говорят то, что нужно аудитории. Они идеальные хамелеоны — принимающие не раскраску среды, но форму тайных страхов и грез...

Потом я возвращаюсь в Москву. Я пишу свой текст в журнал Глобальных Русских — с самонадеянными рассуждениями о том, как же все-таки родимой словесности вернуть плацдармы Толстого и отбить редуты Достоевского. Разумеется, Лилин занимает в этом тексте важное (кто я такой, чтоб разбрасываться эдакими персонажами), но все-таки — место курьеза, русской диковины. Разумеется, я думаю, что едва ли услышу про него снова...

Чёрта с два.

Проходит три года. К лету 2012-го "Сибирское воспитание" Лилина выходит то ли в трех, то ли в четырех десятках стран. По нему снят фильм с Джоном Малковичем. Ю Несбё, автор мировых хитов, без сомнений переселяет лилинских Сибирских Урок в свой норвежский триллер. Я хлопаю русским переводом "Призрака" об стол московской кухни и говорю "ф-фак!".

Проходит еще два года. У России снова особый путь, неповеряемая общим аршином духовность в осажденной крепости и смутно напоминающие кодекс Сибирских Урок традиционные ценности. Ее бодрые молодые сыны, так же смутно напоминающие Лилина, едут защищать Русский Мир в Новороссию. Не успевшие свалить Глобальные Русские стали Пятой Колонной, топчутся в фэйсбуке, рубят шашкой муляж Путина и иногда оглашают окрестности воплем души: неужели Россия при нашей жизни так и не станет Европой? Я молчу и улыбаюсь. Теперь я знаю ответ. Шоссе Россия-Европа — это ведь такая двухполосная трасса со встречным движением. Любые договоры, реформы, смены режимов и новые курсы — на ней не более, чем маневры политических малолитражек. Увлекательно, много адреналина, только не стоит забывать, что здесь носятся многотонные фуры культурных стереотипов. Скорость, масса, инерция. Не становись на пути у высоких чувств, пел когда-то БГ. Что ты сделаешь с тем, что с одной полосы все так же хочется видеть другую областью героических монстров и монструозных героев, одинаково страшноватых, зато с ножом и кодексом чести, — а на другой полосе гораздо проще соответствовать этому желанию, чем десятилетиями в поте лица доказывать собственную обыкновенность? Что ты сделаешь — да и надо ли что-то делать?

Можно, конечно, свалить: или Русский — или Глобальный.

Или хлопнуть граппы, отполировать вальполичеллой, прикрыть глаза, досчитать до пяти. Медленно повторить: "У меня есть нож".

ДЖЕТЛАГ

Часовой пояс верности: что прочнее железного занавеса (2012)

Россия пытается продвинуть свою литературу на англоязычный рынок. В июне на нью-йоркскую книжную ярмарку BOOK EXPO 2012 поехали две сотни сочинителей, издателей и чиновников.

Стул в кафеюшнике перед отелем ойкает, когда писатель Рубанов падает на него своим жилистым телом.

— Дабл эспрессо, — говорит Рубанов официантке. Официантка бросается.

Рубанов вообще крайне эффективен. Он дистиллированный холерик, д'Артаньян отдыхает, это раз. Два — он человек с биографией. Прежде чем окончательно сдаться литературе, он успел отслужить в Советской армии, фанатично отзаниматься карате, покрутиться наглым мелким коммерсом в мутные бандитские девяностые, сделаться банкиром — отмывщиком черного нала, отмотать по этому поводу три года в Лефортово и Матроске и поработать пресс-секретарем у мэра Грозного Бислана Гантамирова после второй чеченской. И хотя у него отличная улыбка, а сам он добрейший человек (черт, он убьет меня, если это прочтет), — аура темперамента и биографии ощущается за ним. Это еще называется "амбивалентной харизмой", и это работает.

— Я понял этот город и эту страну, — сообщает он, глядя на меня.

В кино таким тоном и с таким взглядом говорят обычно: "Бабло наше вернешь к вечеру с процентами, иначе своего бассет-хаунда получишь по частям".

Это начало июня, Нью-Йорк. Утро после завершения местного "Book Expo", книжной выставки с репутацией крупнейшей американской биржи по купле-продаже книг и прав, которая, кажется, в этом году впервые открылась для обычной публики, а не только для профессионалов обмена печатных знаков на денежные. А Россия в этом году впервые высадила на американской земле две сотни человек, из которых несколько десятков были писателями, издателями, редакторами, агентами и критиками, и не спрашивайте, кем были остальные, потому что знаете сами: русская жизнь устроена сложно, но интересно. Тактической задачей все эти коммандос имели всемерный пиар современной русской литературы и культуры, стратегической же — полноценный прорыв на американский литературный рынок, эгоистичный, как все знают, самодостаточный и закрытый.

* * *

Высадка, как положено, прошла с потерями. Писателя Маканина, патриарха и живого практически классика, срезали еще в Москве. Не дали визу. Якобы Маканин в посольстве на вопрос, зачем он летит в Америку, сказал: “Продавать свою книгу”. Что, если опустить необязательные куртуазные звенья, было чистой правдой. Посольский клерк оценил правдивость высоко: продажа книги — явный бизнес. Какая уж тут туристическая виза. И Маканина в Нью-Йорке не было.

Еще у писателя Быкова опухла нога. Конечно, Быков с опухшей ногой — это совсем не танк с подбитой гусеницей. Никакая нога не могла снизить его мобильности и помешать быть в трех-пяти местах одновременно. Всякому понятно: чтобы снизить мобильность Быкова или хотя бы помешать ему мультиплицироваться, нужен как минимум гранатомет “Муха”. Но неприятно всё равно.

Еще, разумеется, все страдали от джетлага.

* * *

Я ненавижу отчеты о визитах на ярмарки.

Во-первых, они обычно полны удивительных этнографических открытий: что в Нью-Йорке, кроме небоскребов, много кирпичной архитектуры скромной этажности, напоминающей лондонскую, что на улицах гораздо меньше толстых людей, чем мы привыкли полагать, и даже полно стройных и привлекательных девиц (пацанов), хотя везде и впрямь, как мы привыкли полагать, едят фастфуд, что американцы, оказывается, вовсе не такие тупые, как мы, опять же, привы... — это я не издеваюсь, а суммирую реальный отчет с "Book Expo" одного милейшего, кажется, парня, приехавшего по линии премии "Дебют", я читал его в Сети.

Во-вторых, в этих отчетах принято пересказывать и описывать бесчисленные (в том же Нью-Йорке их было несколько десятков) писательские выступления, встречи, дискуссии, чтения и круглые столы, и обычно они получаются ну прямо как в жизни. А в жизни всё это — вероятно, бого-, точнее, логоугодное, но скучнейшее и довольно бессмысленное дело (тем более что публику в основном предсказуемо интересует один вопрос: правда ли, что в России нет демократии, а Путин — кровавый тиран?). Осознание этого факта исправно подтверждалось на всякой большой международной книжной ярмарке, где Россия была главным (а хоть бы и неглавным) гостем, взять вот хотя бы Лондон в апреле 2011 года, а впервые настигло меня на первом же мероприятии такого рода, где я очутился, — в Мюнхене 2004-го. Я отчетливо помню этот момент. Я шел по огромному павильону, мимо площадки для выступлений, в солидной компании: Дима Быков, уже тогда внушительный, и Михаил Успенский, замечательный красноярский фантаст, автор чеканной формулы "Сколько ни пей, а русским не станешь", — еще внушительней, вдобавок в белой майке-алкоголичке и подтяжках. С площадки кто-то говорил либеральным тенором: "...и уже тогда русские солдаты разоряли мирные чеченские сакли..." "И сракли!" — сказал Успенский густым басом. Оратор запнулся, мы вышли наконец из беспредельного павильона и пошли в кнайпе, и там Быков с Успенским стали есть сардельки, пить пиво и делать то, для чего их и привезли, — спорить о русской литературе. Если б туда подогнать переводчика и пригласить публику, хитом ярмарки стала бы именно эта дискуссия. Такова правда о русском писателе, печальна она или отрадна. Его не надо ставить на трибуну. С ним надо пить.

Это бы и сделать экспортным трендом: алкогольный практикум погружения в глуби национального духа, водка-парти(я) с одновременной игрой приглашенного гроссмейстера на многих распивочных столах. Но мешают косность организаторов и приличия, да и приведенное выше Правило Успенского: рассказывают, фантаст огласил его на каком-то литературном форуме, положив руки на плечи бедолаги-японца, который-то как раз нащупал своей синтоистской интуицией правильную методу — и приехал в РФ со стратегическим запасом алказельцера, но всё равно не помогло.

* * *

...Еще про писателя и критика Басинского сплетничали, что однажды вечером он, попрактиковавшись, решил прыгнуть из ванны сразу в постель и немного ушибся. Я не знаю, правда ли это, но если вранье — то построенное по строгим законам художественной достоверности. Потому что ванна в номерах отеля "The Standard" на углу 13-й стрит и Вашингтон-авеню, где жила половина русской делегации, отделяется от постели стеклянной стеной. Неочевидное, но эротически многообещающее дизайнерское решение. Постель, то есть включающий ее в себя весь остальной номер, тоже отделяется от окружающего мира — ультрамодного парка High Line, переделанного в объект досуга из старой железнодорожной эстакады, и офисного муравейника напротив — стеклянной стеной, что делает дизайнерское решение потенциально еще более многообещающим: в конце концов, не это ли и есть открытый мир. Но на внешней стеклянной стене имеются шторы, они делают границу сред явной. А на внутренней штор нет. Возможно, Басинский не учел этого нюанса, а в открытом мире, всякий знает, важны нюансы.

...Еще про писателя-фантаста Лукьяненко сплетничали, что однажды вечером он с приятелем-переводчиком решил все-таки доехать на отельном лифте (тоже произведении дизайнерского гения, непрерывно транслировавшем на двух настенных экранах кросскультурный видеоарт, где Шварценеггер соседствовал с Гитлером, а гоу-гоу-гёрлз с цитатами из "Метрополиса") до восемнадцатого этажа. На восемнадцатом был модный клуб, бар и выход на крышу, а с крыши открывался непревзойденный вид на Гудзон, финансовые пирамиды Уолл-стрит и окрестности, где туристы выстраиваются в очередь, чтобы взять знаменитого быка за отполированные медные яйца и в таком виде запечатлеться на фото, или, напротив, Эмпайр-стейт-билдинг и Рокфеллер-центр. Но момент оказался специфическим — крышу оккупировала гей-вечеринка, и писателя Лукьяненко с приятелем-переводчиком не хотели отпускать. Однако ведь отпустили. И потом, я тоже не знаю, правда это или нет.

* * *

Правда в том, что, если кто-то хочет что-то понять об отношениях нынешней русской литературы со всем прочим миром, ему нечего делать на ярмарочных встречах с публикой.

На эти встречи иногда приходит много людей — десятки; в основном, конечно, пожилые эмигранты из бывшего СССР с вопросом про Путина и демократию — ответ ими выучен заранее, но подтверждение его из уст гостей желанно, поскольку заодно подтверждает также правильность некогда сделанного личного геополитического выбора.

Иногда приходит мало. На встречу с читателями в библиотеке в Квинсе прибыли сразу три русских писателя — харизматик Рубанов, отличный и тонкий екатеринбуржский прозаик Игорь Сахновский и моя жена Аня Старобинец с ее рыночным лейблом “русского Стивена Кинга” и “Петрушевской нового поколения” в одном флаконе. Читатель на всех трех пришел один — добрейшая дама, эмигрировавшая в середине семидесятых. Рубанов и Сахновский быстро убежали в китайский ресторан со “шведским столом”. “Я знаю этот тип людей, — грустно сказала дама. — Они теряют разум, когда видят еду”. Аня Старобинец была не голодна. Дама повела ее в кафе и долго пыталась накормить булочкой, уверенная, что русские писатели голодают все, а если отказываются — то лишь из гордости. Они проговорили пятьдесят минут о русской жизни: начали с Путина и демократии, кончилось всё тем, что дама так же грустно зачислила писательницу Старобинец, которая в Москве ходит на оппозиционные марши с белой ленточкой, в зомбированные жертвы путинского режима.

* * *

...Еще у поэта Веры Полозковой пропал багаж. Впрочем, это было уже в аэропорту Шереметьево, на обратном пути.

...Еще писатель Герман Садулаев — тот самый, про которого Рамзан Кадыров в свое время сказал, что: а) такого писателя нет, б) он не чеченец, в) он не мусульманин, г) он вообще не человек и д) он шизофреник, — так вот, обладатель этого нерядового композитного комплимента от вождя всех вайнахов, говорят, накануне отъезда сжег в номере ковер. Впрочем, эту потерю стоит занести скорее на счет отеля, чем на счет русских писателей: наш несимметричный ответ.

...А круче всех на “Book Expo” выступил пламенный прозаик и публицист Сережа Шаргунов: потрогал белочку. Ну, обычную такую: серо-рыжую, орешки всё грызет, ядра чистый изумруд. Белочка подошла в парке и стала просить еды. Шаргунов ее погладил. И немедля слег с каким-то бронебойным вирусом и сорокаградусным жаром. Нью-йоркские доктора, не иначе гениальным классовым чутьем угадав шаргуновские левые убеждения, погрузили его на носилках в эмердженси и отвезли в социальную больницу в Гарлем. Все врачи там были черные, все пациенты — тоже, причем половина пациентов — с огнестрелами и ножевыми ранениями. Там, под “агрессивным кондиционером”, Шаргунов и провалялся большую часть своего американского визита и приобрел, говорит, неоценимый новый жизненный опыт.

Если бы существовало агентство по утверждению и продвижению интернет-мемов, я бы подал туда заявку на мем “потрогать белочку”. Как емкую метафору неосторожного соприкосновения разных культур.

* * *

Правда, короче, в том, что обе истории про визит русских писателей к соседям или антиподам — и официозная, марширующая в отчеты, и сугубо неофициальная, оседающая в сплетнях, — могут быть по-своему познавательны. Но в теме отношений русской литературы и мира обе не проясняют ровным счетом ничего. Никак не помогают отвечать на главный подспудный вопрос, стоящий за любыми разговорами об этих самых отношениях и за каждой крупной международной книжной ярмаркой, где Россия главный или даже неглавный гость: когда же русские писатели вновь совершат прорыв, когда вторгнутся на Большой Планетарный Рынок (англоязычный прежде всего) в роли равных и победительных конкурентов, когда русские будут писать Мировые Бестселлеры — как делают это не только янки с британцами, привилегированные держатели акций языка-победителя, но и французы, немцы, датчане, латиноамериканцы, шведы, индусы, норвежцы или, смешно сказать, каталонцы? Когда — и почему этого не происходит до сих пор?

То есть, разумеется, для этого вопроса уже разработан малый джентльменский набор ответов.

Первый: русские замкнуты на своих проблемах, а выйди они вовне, на простор универсальных историй, наднациональных коллизий, модных на Большом Рынке жанров — и будет им счастье.

Второй ответ прямо противоположен: об универсальном — никому не нужно, писать надо о своем, уникальном и экзотическом. Только этим и зацепишь пресыщенную публику.

Третий ответ добавляет к предыдущему, что вся эта уникальность беллетризованного опыта —

мертвому припарки, если сама страна не производит мировых трендов, хотя бы как делал это СССР и в самом своем революционном начале, и в гагаринской середине, и в перестроечном конце. Об этом мне в Нью-Йорке говорил Захар Прилепин: “Просто Россия как страна никому не любопытна. Вот грохнется у нас что-нибудь громкое со стола на пол — тогда они посмотрят в нашу сторону. Этому рынку надо себя навязывать вкупе с Большой Историей, с, черт их побери, холодной войной или ещё каким-нибудь громокипящим продуктом”.

И есть ответ четвертый — про то, что Россия ценна миру только как исследователь моральных бездн, и именно этого от нее ожидают. Лишь герой, в любом жанровом ландшафте — семейного эпоса, как у Толстого, криминально-социальной драмы, как у Достоевского, хроники Гражданской войны, как у Шолохова и Пастернака, и всяком ином вообразимом, — ухающий в трясину вопросов добра и зла, есть русский герой, заточенный под экспортный успех, и пока мы не найдем его заново среди отката и распила родных осин, о заграницах можно не беспокоиться.

* * *

В программе нью-йоркского вечера — писательские чтения на крыше “Dream Hotel”. По ту сторону глубокоэшелонированного кордона тьма народу и уже кончилась бесплатная выпивка. На одном ярусе поет на своем постмодернистском эсперанто вдохновенный Псой Короленко, на другом Быков читает стихи про Россию, писатели и не-писатели бродят с пустеющими бокалами, шумно, темно и тесно, как, если верить автору главного ирландского бестселлера всех времен Джойсу, в аду. "Кэн ю хиа энисинг?" — спрашивает одна стоящая в толпе вокруг Быкова длинноногая эбонитовая красавица другую. "Йес, бат ай донт андэрстенд", — отвечает та. "Кому сестра, а мне газета, газета жизнь, прикинь, братан!" — протяжно читает Быков.

Я бреду курить на балкончик; снаружи встают, на все стороны равны, граненые неоновые зиккураты Манхэттена. Человек без гражданства и национальности, я курю посреди мультикультурной и международной толпы в самой сердцевине международного и мультикультурного метрополиса, между небоскребов выгибаются невидимые вольтовы дуги человеческих энергий, радуги американского драйва.

Так вот, думаю я, джетлаг. Банальная штука. Когда прилетаешь в географическую точку, с которой у места вылета большая часовая разница, вдруг оказываешься в медленно и неприятно растворяющейся временной капсуле. Вдруг выясняется, что ты пленник своего часового пояса. У всех вокруг день, а у тебя ночь. Ты сразу ложишься спать или, напротив, держишься до полного изнеможения, пьешь специальные стрёмные таблетки, которые что-то чернокнижное делают с твоим мелатонином, или уповаешь на естественные ресурсы организма. Не важно: время оказывается главнее пространства и выгораживает вокруг тебя кусочек покинутой родины, живущий по ее базовым законам.

И вот у русского писателя за границей, помимо обычного джетлага, возникает еще метафизический. И если от обычного даже писатели стремятся избавиться за его непрактичностью, то метафизический — удобен и комфортен. Русский писатель на выезде вполне нормально себя чувствует, впаянный в кусочек родины — с его набором ощущений, данностей, проблем, проклятых и вечных вопросов. И неуютно, когда этот кусочек под давлением внешнего мира начинает деформироваться и распадаться. Собственно, не поэтому ли русский писатель на выезде так много и тщательно пьет? Алкоголь, дома служащий катализатором, на чужбине ненадолго превращается в консервант. Русские писатели начинают нервничать, когда все средства подзарядки защитного кокона перестают работать. Как финальное убежище протестующего организма в них просыпается патриотизм. Это из последних сил держащаяся иммунная система твоего персонального кусочка родины подает сигнал на возвращение: пора домой. Мотивировка при этом фигурирует самая разная. Назад к семье. Тут нельзя курить. Тут мало красивых домов. Тут слишком много красивых домов. Тут резиновая еда. Тут слишком острая еда. Наступает обычно день на четвертый-пятый.

* * *

— Ну вот и домой, — говорит писатель Прилепин утром, забираясь на сиденье шаттл-баса, готового доставить порцию русских литературных звезд в аэропорт JFK. — И хорошо. Нельзя же долго в таком режиме.

Когда я встретил Прилепина в Нью-Йорке несколько суток назад, он стоял у лифта в том теплом, благосклонном к миру градусе, который знаком и дорог всякому русскому. В сером свитере с орнаментом, в седоватой жесткой щетине — он походил на всех героев Джека Лондона разом, на всех этих суровых, многое повидавших парней с добрым сердцем: вот просто вместо золотых приисков, арктических пустынь или Южных морей у него были командировки ОМОНа в Чечню и национал-большевистское полуподполье. "Слушай, — сказал он горячо, — я тут прямо у отеля поужинал такими отличными этими... как их... устрицами!" На следующий день после поздней party, бодро выпивая, гулял ночью (джетлаг ведь) по Бродвею — "он такой провинциальный, усталый, весь в неграх, но красиво всё равно".

— ...Ойстерс. Ду ю хэв ойстерс? — спрашивает Быков у официанта утром. Выслушав ответ, констатирует: — Ну не, гриль — это я и у себя на даче могу. Пойду-ка я лучше поработаю, — встает и уходит в номер.

— Полезно иногда выезжать из России, — говорит Садулаев утром, погружаясь в мягкое кресло гостиничного лобби рядом с уже собранной сумкой. — Так вот выезжаешь — и понимаешь, сколько все-таки всего у нас есть, какие возможности Россия дает. Пора в Россию.

А напротив меня в кафе падает на стул энергичный Рубанов. И говорит: “Я понял этот город”.

— Америка, — говорит он, — место, где у всех свои дела. Ты — как писатель с книгами — тут никому не нужен. Наши проблемы давно тут решены, опыт изучен, описан и переосмыслен. Чтобы сделать американский бестселлер, надо быть американцем. А ты интересен, когда ты на драйве. Ты востребован, когда излучаешь энергию. Писатель ты или саксофонист — не важно. Американской цивилизацией правит драйв. Вот мое ощущение.

Официантка приносит дабл эспрессо.

— И еще, — говорит Рубанов, — у меня будет просьба к нашим кремлевским пропагандистам: не надо врать, что США переживают глубокий экономический кризис. Чек, плиз!

Он выпивает эспрессо одним глотком, вскакивает и уезжает в аэропорт.

А я иду в лифт. Под сомнамбулическую американу на экранах еду на восемнадцатый этаж. Утром на крыше пусто, ни русских фантастов, ни американских геев. Подхожу к краю. Небоскребы Файнэншл-дистрикта отсюда не больше легендарной, набитой долларами, коробки из-под ксерокса. Статуя Свободы — как позеленевший от времени обувной гвоздик.

Слегка кружится голова. То ли от высоты. То ли от джетлага.

БЛОЖНАЯ ПОВЕСТКА

Русский спор: бессмысленный, беспощадный, бесплодный

(2015)

Начало июля. Я сижу во дворе домика в Саулкрасты, Латвия, под пляжным зонтом. По зонту раз в пару минут со звуком спущенной тетивы, напоминающим о драме французского рыцарства при Азенкуре, шарашат увесистые шишки: их сшибает с растущих во дворе сосен шквальный ветер, со стоном гонит от моря пятьдесят мокрых оттенков серого.

Передо мной стоит ноутбук. В ноутбуке ворочается Рунет. В Рунете гремит буря посерьезнее. Там завсегдатаи соцсетей и бойцы медийных комментов рубятся насмерть из-за тридцатилетней училки Дженнифер Фичтер, которой в Штатах только что впаяли срок в 22 года за амуры с тремя семнадцатилетними школярами аэрокосмической академии. Интеллектуальный хруст и скрежет, полемические хрипы, фонтаны виртуальной крови. В бой вступает колонна, сверкающая надраенной моралью, над шлемами трепещут штандарты "психологическая травма на всю жизнь", "а если бы это был мужик-учитель и девочки?!", "а если бы это был мужик-учитель и мальчики??!!", "еще мало дали!". На нее обрушивается с фланга казачья лава разнузданных либертинов, боевой клич "где мои семнадцать лет". Лишь иногда из азартной мясорубки выскакивает кто-нибудь с квадратными глазами и воплем: а почему мы тут все об этом спорим больше что ли не о чем у нас же в экономике развал в политике мрак и туман аааа! — и исчезает под грудой тел. "Нам не до нас" — констатирует один такой хреновый солдат в фэйсбучной ветке и ползет умирать в окоп, в оффтоп, в оффлайн.

Нам не до нас; похоже на правду. Еще десятком дней раньше решение заокеанского Верховного Суда, признавшего гей-браки, обсуждалось русской читающей и немножко пишущей публикой с такой страстью, будто оно, и для Америки-то важное скорее символически, не только прямо касается всякого русского, но и обязательно ему к исполнению: всё, дорогой контент-директор Вася, с бабами ты теперь обжимайся разве что тайком по сеновалам да парадным, а жениться будешь на пацанах, вот чем тебе Петя плох, зарабатывает эйчар-менеджером прилично, за фигурой следит и человек хороший, малопьющий.

Нам не до нас; правда, но не вся правда; не диагноз, а симптом.

Если бы меня попросили описать современное состояние русской интеллектуально-общественной жизни максимально коротко, я бы уложился вот в эти два слова: ложная повестка.

Это несложно объяснить, но еще проще ощутить. Чувство, знакомое всякому, кто покидал родину не только физически, но и информационно, на мало-мальски приличный срок — хотя бы на неделю-другую: сменив географический контекст — не читал отечественной новостной ленты, не смотрел, господи-помилуй, отечественного телевидения, не заходил в Фэйсбушку, не был ВКонтакте. Я пробовал это делать в разных точках земшара, от проклятого заокеанского Пиндостана до вот этих самых Саулкрастов, до которых от Кремля полтора танковых плевка, — и каждый раз после детокса при возвращении (при помощи лэптопа и вайфая) в родную ноосферу испытывал одно и то же сильнейшее (и усиливающееся весь последний год) ощущение. Ощущение тотальной, инопланетной чуждости, бессмысленности и пустотелости практически всех главных споров, оппозиций и выборов, в которых и по поводу которых бушуют страсти и ломаются копья дома.

Это — ложная повестка. Ложная, даже когда она вроде бы не про заморских геев или столь же отдаленный харассмент и абьюзмент, когда она вроде бы стопроцентно про нас.

Крымнаш или крымненаш. Россия — это Европа или Азия. Ватники или укропы. Бродский — записной либерал-западник или певец Империи. Гордая Новороссия против киевской укрофашистской хунты или гордый дух Майдана против наймитов кровавой гэбни. Пармезан или духовные скрепы. Китай враг или Китай друг. Русский Мир — обретенная святыня или бессовестная фикция. Надо запинать пятоколонный интернет-ресурс "Медуза" под лавку за употребление слова "тёлочки" или не обязательно, и существует ли вообще в России дискриминация по гендерному признаку или нет. Сталин — эффективный менеджер и автор Великой Победы или тиран, исчадие ада и погубитель всего; и есть ли, в конце концов, да ответьте же вы, суки, да не молчите же вы, место Сталину среди святых?!.

Эта повестка ложна уже потому, что на большинство этих неразрешимых вопросов есть простые, примитивные, на уровне школьного учебника ответы, — да, столь же неполные и неокончательные, как в школьном учебнике, но столь же функциональные, позволяющие сберечь время и силы.

Русский Мир существует, но не отличается принципиально от любого другого национально-культурного мира, волею судеб выходящего за пределы госграницы, — англосаксонского, испаноязычного, китайского или там армянского; а технически отличается от них всех столь же сильно, сколь они друг от друга, и вопрос лишь в том, как, учитывая все эти сходства и отличия, извлекать из него практическую и моральную пользу и удовольствие.

Бродский — записной либерал и западник, но безусловный подданный империи русского языка; певец индивидуализма и свободы — но также и обожатель Империи как эстетической категории, как уродливого и эффектного воплощения человеческих представлений о величии и вечности, рядом с которым индивидуализм и свобода обретают такой наглядный и такой вызывающий масштаб личности — как палеонтолог рядом с ископаемым черепом тираннозавра.

Пармезан, в отличие от духовных скреп, есть. Точнее, его теперь нет, но по совершенно другим, не метафизическим причинам.

Слово "тёлочки" дурацкое, а гендерная дискриминация в России — не более чем частное проявление общей проблемы, устоявшейся привычки дискриминировать друг друга по любому подвернувшемуся признаку в полную меру сиюминутной возможности.

Понять, Европа Россия или Азия, очень просто. Для этого даже не надо влезать в культурологические дебри, восходить к Аксакову и Герцену, Бердяеву и Данилевскому. Надо только взять хороший атлас и посмотреть, где проходит географическая граница между этими двумя равноуважаемыми мирами (спойлер: по Уралу). Потом посмотреть, с какой стороны от Урала больше русской территории. Потом посмотреть, с какой стороны от Урала живет большая часть русского населения, расположены крупные города и главные интеллектуальные центры. Потом посмотреть, с какой стороны от Урала преимущественно залегают полезные ископаемые, за счет которых это население в основном живет. Посмотрели? Ну вот это и есть ответ. Он неоднозначный, да. Но мало ли в мире неоднозначных ответов. Спросите об этом хоть Мексику, хоть Японию.

И так далее.

Что важнее, эта повестка ложна и по другой причине.

Иногда в спорах, даже самых сомнительных, рождаются практические решения. Но современные русские практические решения рождаются в каких-то совсем других местах, бесконечно удаленных от современных русских споров. А современные русские споры бесконечно похожи на соревнование двух чуваков, сидящих на соседних велотренажерах в фитнес-центре, тех самых Пети и Васи: вот они слезут с велотренажеров, результаты сбросятся на ноль, и останутся только два потных усталых мужика, контент-директор и эйчар-менеджер, слесарь и токарь, столяр и плотник, мент и бандит, они пойдут и хлопнут по пивасику, конец истории не по Фукуяме.

Иногда в спорах не рождаются практические решения, но рождается истина, как якобы сказал Сократ, а все с тех пор повторяют. Истина — неуютная штука, но полезная; пригождается как раз в те моменты, когда практические решения вдруг заводят в глухой тупик, а это часто. Но рождение истины в споре в общем-то похоже на всякое другое рождение: сначала ее надо зачать и выносить. А современные русские споры устроены так, чтобы этого не происходило. Они — драма интеллектуальных сперматозоидов из анекдота про "мужики, нас предали, мы в гондоне!". По завершении современного русского спора умозрительный контрацептив завязывается узелком и выкидывается на свалку — чтобы потихоньку разлагаться там среди ржавых пулеметных информлент, обломков очередного карго-культа, токсичных отходов имперского рессентимента и либерального самоедства, а также кондомных собратьев калибром поменьше, — вроде спора о том, приличествует ли гостю снимать обувь (жаркий спор в аккаунте видной писательницы), или спора о том, правильно ли получил по морде Митя Ольшанский (жаркий спор в аккаунте видного публициста).

Вот какая штука, ребята: ваши споры про всё про это не пригодятся никак никогда низачем никому. Ни вам, ни вашим потомкам. Ни друзьям, ни врагам.

И я, ну вот правда, не знаю, чего в этом больше. Расчетливой манипуляции, циничного троллинга — потому что не надо же быть ни записным конспирологом, ни знатоком agenda setting theory, чтобы понимать, как это удобно и просто: заставить интеллект нации работать вхолостую, пока реальные пацаны решают реальные вопросы. Или инстинктивного, коллективно-бессознательного договора не обсуждать ничего настоящего и по-настоящему, потому что толку от этого всё равно не будет, пока не изменится нечто вне и независимо от нас: так, рассказывают, птица принимается яростно выискивать в перьях блох, когда к ней подползает змея, так джентльмены на борту “Титаника” самозабвенно обсуждают игру оркестра, пока вода хлещет в пропоротый айсбергом бок. Я не знаю, но с какого-то момента, ну вот правда, не хочу в этом участвовать. Поэтому я захлопываю ноутбук, натягиваю штормовку и иду на берег, где пятьдесят оттенков иностранного серого моря и пятьдесят оттенков иностранного серого неба сливаются в идеальный иностранный серый.

Я стою на берегу. И думаю, что это, конечно же, тоже не решение.

Потому что завтра погода изменится. А потом я вернусь.

РУССКИЕ СОВЫ

Хоррор как рутина: наш Твин Пикс — то, чем кажется (2015)

В 2008 году, когда грозовой фронт мирового кризиса надвигался на путинскую стабильность, и Кремль заливал финансовый шторм нефтедолларами, как герои Жюля Верна — бурное море ворванью, в московском издательстве “Ad Marginem” вышла книжка.

Называлась она “23”. Издатели, ушлые парни Иванов с Котоминым, имевшие тогда заслуженную репутацию “делателей звезд”, аттестовали ее как первый настоящий русский хоррор (что уже звучало довольно смешно). Написал книжку, однако, украинский журналист Игорь Лесев (28 лет, родился в семье военного в городе Гайсин Винницкой области), успевший послужить вначале помощником лидера украинских коммунистов Петра Симоненко, а после — пиарщиком “Блока Литвина”. К моменту публикации, впрочем, товарищ Лесев успел сойти с политического ринга и перебраться в Киев.

В романе молодой человек Виктор Лесков, 25 лет, помощник депутата, симпатяга, неумеха и пофигист, садился в родном городке Г. в автобус, следующий в Столицу. С этого невинного, в сущности, шага начинался путь в пять сотен страниц длиной, фаршированный пугательной нумерологией, рифмованными детскими страшилками, домодельными кровавыми зомбаками, отдающей сивушным суржиком, провинциальной некромантией и вообще тем специфическим гопническим угаром (или перегаром), чье тяжкое амбре ни с чем не спутает всякий, кто хоть раз садился в автобус, следующий из любого города Г. куда угодно. Суть, если коротко, была в том, что на героя положили дурной глаз *гулу* — омерзительные беспокойные покойники, чьи не желающие истлевать злые души с легкостью депутатов Рады прыгают из одной человечьей фракции в другую, подчиняя и переваривая друзей, девиц, родных и случайных встречных и поперечных Виктора Лескова. Всё это, по совести, слишком уж напоминало графоманское сочинение “Как я провел каникулы”, написанное старательным (и читавшим Гоголя с Булгаковым), но туповатым занудой-восьмиклассником, который провел каникулы в Аду. Роман “23”, так и не ставший бестселлером, был быстро и, чего уж там, заслуженно забыт. Заслуженно, да; не считая того, что семь лет назад у украинского гражданина Игоря Лесева совершенно нечаянно получился один из самых точных слепков русской (а в каком еще мире, как не русском, расположен и город Г., и сама Столица?) жизни за все постсоветские четверть века.

Но чтобы объяснить, почему, надо зайти с другой стороны Атлантики.

Украина еще не очень-то и задумывается о своей незалэжности, когда молодой человек Дейл Купер, спецагент ФБР, приезжает в крохотный городок Т.П. Повод для визита у него профессиональный — в городке Т.П. кто-то убил старшеклассницу Лору Палмер, спортсменку, красавицу и, за неимением комсомола, всеобщую любимицу и наверняка чирлидершу. Окруженный вековыми хвойными дубравами городок Т.П. опрятен и мил, милы, опрятны и — как положено провинциалам — обаятельно нелепы аборигены, а в местной забегаловке подают превосходный кофе и исключительный вишневый пирог, до которых агент Купер большой охотник. Но пройдет совсем немного времени, каких-то два неполных телесезона, и окажется, что всё в городке Т.П. — и опрятные фасады, и милые нелепые аборигены, и даже совы, в изобилии населяющие хвойные дубравы, — не то, чем кажется. За пряничной провинцией отверзается провал в бездну иррационального; за размеренным бытом спрятаны потайные шкафы, полные скелетов; выходят из сновидческого загранья адские карлики и бледные кони; на дне каждой чашки кофе — черная гуща фрейдова id'a; всякая невинная дверь ведет в хтонический Черный Вигвам; и когда в финале симпатяга Купер, полирующий коллгейтом голливудский смайл, обнаруживает в амальгаме отельного зеркала неуловимого демона-убийцу Боба, — это, черт возьми, шокирует, но не удивляет.

Линчевский “Twin Peaks”, 25-летие которого прогрессивная общественность душевно праздновала этой весной, повлиял на мир кино и сериалов, словно всепроникающий генный вирус, и любим многими и повсюду. В России, однако, эта любовь — особенная. Так же, со специфической безотчетной страстью, любят у нас и лучшие, самые страшные страшилки хоррорного короля Стивена Кинга — “Оно”, “Сияние”, “Кладбище домашних животных”. Шедевры тех лет, когда маэстро еще не выезжал на опыте и мастерстве, но — не без помощи алкоголя и наркотиков — подключался к прямой линии коллективного бессознательного.

В основе этой любви — одна и та же механика ужаса, машинерия american horror story, отзывающаяся в русской душе яркой судорогой узнавания. Главный, подспудный принцип ее — в том, что герои живут на чужой земле. Чужой — в американском изводе — буквально: захваченной, зачищенной от изначальных квартиросъемщиков, присвоенной, освоенной, — но не усвоенной, не понятой до конца умом и не взятой печенками. И весь рациональный и комфортный быт, вся декорация современной цивилизации строится на тонкой, не толще зеркальной амальгамы, пленке, натянутой поверх первобытной трясины, топи, черной жадной изнанки, в которой живут и ждут своего часа чуждые, грозные, мстительные демоны и боги. Злые сущности из Черного Вигвама Дэвида Линча, стивенкинговское Оно, обитающее в подземельях городка Дерри, индейский *вендиго* из “Кладбища домашних животных”, — древнее, сильнее, главнее, чем Белый дом, Голливуд, Старбакс, Первая поправка и шестой айфон. Одно неверное движение, один поворот не того ключа в неправильном замке — и они вырвутся на поверхность, сожрут весь этот нежеланный импорт вместе с тобой: вернут эту землю себе. А ты не очень-то и удивишься: ты же всегда подозревал, что они где-то здесь, — ну так вот, вылезай, приехали.

Русское сознание (а пуще подсознание) откликается тут почти радостной дрожью: да, это про нас! Кому ж, как не нам, знать это ощущение жизни на чужой — *не своей* — земле; ощущение парадоксальное — поскольку земля-то вроде как раз своя, и кто ж те индейцы, чье место занимает умеренно пьющий обитатель среднерусской равнины? — но оттого лишь более острое. И — подтверждаемое ходом вещей: даром, что ли, всякая власть тут стремится принять вид оккупационной (от любых переворотов лишь укрепляясь в этом стремлении), всякое государственное заведение, хоть ЖЭК, хоть школа, — прийти к естественной колониальной форме карательно-исправительного… Кому, как не нам, догадываться, что под хрупкой корочкой привычной реальности всегда дышит и ждет бездна хаоса. Кому, как не нам, — с нашим вечным чувством непрочности и временности всего, с нашей готовностью к любой жуткой жути (а мы и знали, мы и знали!), с нашей уверенностью, что за всякой кулисой прячется закулиса?

Есть, однако, и важная разница. Условный американец, в глубине души чуя, как обстоят дела, пытается — из западного ли рацио, из протестантского ли упрямства отцов-основателей, — выстраивать цивилизацию на тонкой пленке реальности как прочную и настоящую. Условный русский, прозревая то же самое, таких попыток не делает: бесполезняк, безнадега — как назывался в русском переводе очередной роман Стивена Кинга про проклятый городок-муляж.

И потому суть американского хоррора — слом, контраст: ад разверзается за чистеньким фасадом провинциального рая, милые соседи оборачиваются монстрами, совы — не то, чем кажутся.

Суть русского ужаса — концентрация. Сгущение. Да, дружок. Всё именно и точно так, как ты боялся. А чего ты еще хотел — от этого вот всего? От этих мертвых спальных районов. От этих нелюдских промзон, в которых, кажется, выжить под силу лишь сталкерам. От этих зассанных подъездов и гибельных подворотен. От этих глухих дворов и бухих гопников. От этих бомжей, выходящих из тьмы, от этих ментов, выходящих на ночную охоту. Каких тебе еще сов, дружок? Ты всё про них понял правильно. Зло не прячется, зачем ему, оно на своей земле. Скелеты давно вышли из шкафов и теперь повсюду. В Черном Вигваме вечный день открытых дверей. Агент Купер недавно написал в Фэйсбуке, что пора валить.

Вот именно это сгущение, эта полная органичная вписанность жутких *гулу* в постсоветское захолустье с его пейзажами, обычаями и человеческими типами и удались писателю-дебютанту Игорю Лесеву семь лет назад, в кризисном 2008-м. Удались, надо думать, именно в силу отсутствия особых литературных дарований. По причине акынской императивной тяги петь всё, что видишь, не искажая мелодии рефлексией или там талантом.

...Семь лет спустя его *гулу*, кажется, гуляют вовсю — и в описанной Лесевым Столице, и в провинциальном городе Г., и восточнее, и по ту, и по эту сторону границы. Лесев так и живет в Киеве. Занимается, кажется, журналистикой. У него, разумеется, есть страницы в соцсетях. На этих страницах уже давно, много лет, значится как неоконченный дробь находящийся в работе его второй роман.

Называется он “Желание выжить”.

ЧЕЛОВЕК ОТОВСЮДУ

Паспорт негражданина: декларация независимости
(2012)

В Барселоне и Милане погранцы, темпераментные мучачос и рагацци, сбивались в стайку, вертели его в руках и спорили так, словно обсуждали финал "Интера" с "Барсой": испанские голоса, возвысившись, звучали как молитва или богохульство, итальянские — ну да, как оперная ария, а один апеннинский лысоватый дядечка в форме даже хлопал себя в запале по ляжкам, клянусь.

В Штутгарте он попался плюгавому нибелунгу, явно выдернутому из гестаповской массовки в трактовке комедийного кинематографа стран-победительниц. Я стоял с дочкой на транзит в Геную, нибелунг устраивал мне дознание третьей степени по заветам папаши Мюллера, до вылета оставались минуты; политкорректность иссякла, я выдал нибелунгу всё по поводу его бабушки, согрешившей со штурмбаннфюрером, — и попал-таки на борт своего эйрбаса, а не в кутузку, надо думать, исключительно благодаря чуду или дочкиному шестилетнему обаянию.

В Лос-Анджелесе шарообразная пожилая негритянка, маркированная офицерскими погонами, обрадовалась ему как дивной диковине, долго засыпала меня дружелюбными вопросами, наконец, резюмировала: "То, что вы рассказываете, удивительно. А ведь я даже не знала, что есть такая страна — Латвия. Ну вот как этот... откуда там приехал Борат?" — "Казахстан", — подсказал я. "Да... Вот и про него я ничего не знала. А у меня, между прочим, по географии в школе был высший балл!" — "Ну, в те времена таких стран и не было", — брякнул я, запоздало понимая, какую сморозил бестактность. Но негритянка только расхохоталась в свои шестьдесят четыре зуба и шлепнула мне въездной штемпель.

К нему вообще неравнодушны служивые люди — пограничники, таможенники, чиновники УФМС, менты, охранники, нотариусы, консульские работники и банковские клерки. Он вызывает у них живую искру в профессионально потухшем взоре: ой, а что это у вас тут такое?.. А это у меня тут мой паспорт, фиолетовая, цвета роскошного фингала, паспортина негражданина Латвийской республики. Где на первой странице написано alien's passport: помните хит режиссера Кэмерона про неистребимую тварь из дальнего космоса, с телескопической челюстью и кислотой вместо крови? — вот он я, позвольте представиться, просто пластическая хирургия у нас достигла невероятных высот.

Разумеется, кроме сомнительных шуток у меня всегда наготове и краткий исторический экскурс — про то, как двадцать лет назад ставшая независимой Латвия одарила такими паспортами чуть не треть своего населения, не имевшую счастья проживать на латышской земле до 1940-го или происходить от достойных г-д проживавших. Латвийские "негры" (как и эстонские их собратья) стали почти как люди, за вычетом права избираться и быть избранным, состоять на серьезной госслужбе, безвизово ездить в многочисленные открывшиеся гражданам заграницы — ну и так еще, по мелочи. Правда, и в армии не надо было служить. Правда, призыв в нее всё равно скоро отменили. В последний раз похожие документы в Европе массово раздавали в "ревущие двадцатые" с легкой руки Фритьофа Нансена, первого комиссара Лиги Наций по делам беженцев, — и за "нансеновский паспорт" отважному норвежцу-полярнику говорили спасибо вначале русские беглецы от красного потопа, а потом и иные-прочие беглецы. Ну да, беглецы, эмигранты: а чтобы вот так вот обнаружить себя официальным эмигрантом, не выходя из собственной квартиры, — это Нансену, надо думать, не снилось.

Вначале (и еще долго) я сильно обижался на правительство моей молодой республики. О, максимализм юности: мне казалось, что это унизительно. Мне хотелось ходить на избирательный участок — и не хотелось стоять в визовых хвостах у иностранных посольств, включая русское (бережно храню в памяти охранника, который, прежде чем допустить меня к заветному окошку для подачи документов, посмотрел прозрачным взглядом юберменша и сказал кашпировским голосом: “Жвачку выплюньте, пожалуйста”). Меня бесило, что для трансформации из “негра” в “гра” мне, всю жизнь тут живущему, да еще и по крови наполовину прибалту, мало сдать экзамен, на котором приемная комиссия защищает заветный статус от соискателя, как триста спартанцев защитить не могут, — нужно еще и попасть в квоту, светившую разве к пенсии.

Потом квоты отменили, экзамен упростили, безвизовые объятия балтийскому “негру” распахнул вначале Евросоюз, а следом и гордая Россия-мать (единственный, но весомый повод для личной признательности президенту Медведеву), — но еще и до всех этих комфортабельных даров судьбы я, уже москвич, но всё еще alien, перестал обижаться. Я полюбил свой фиолетовый паспорт. Он стал предметом моей скромной гордости, моего, что греха таить, легкого самодовольства. Моей декларацией независимости, моим договором неприсоединения. Как не любить мне предмет, наглядно, в бумаге и с печатями, легитимизирующий то чувство брезгливой непричастности, которое всё чаще вызывает во мне окружающая действительность? Как не ценить это трезвейшее напоминание о месте, которое занимает в “сем христианнейшем из миров” человек — любой человек: просто большинство, загипнотизированное своей официальной принадлежностью к той или иной государевой общности, не отдает себе в этом отчета, а я и захочу — не забуду, он не позволит. Ну да, у меня, неполноценного члена одного общества и неполноправного налогоплательщика другого, никогда не будет пенсии — но что, кто-то правда думает, что на пенсию можно жить? Ну да, я не отдаю свой голос за депутата и президента — но я пишу этот текст в день всероссийских парламентских выборов, где голосующие тоже никого и ничего не выбирают.

Сертификат реальности — вот что он такое, мой маленький фиолетовый друг. "Поэты — жиды", отчеканила Цветаева, имея в виду то сочетание избранности и гонимости, без которого не бывает стоящего рифмоплета; но ведь так и любой человек — эмигрант. На самых банальных и общих экзистенциальных основаниях. Потому что все мы высланы телесно — из материнской утробы, а духовно — из райских кущ ("душа — повсюду иностранка", сформулировал другой хороший поэт). Все мы всегда бежим — от одиночества и общества, проблем и покоя, эмоциональной пустоты и слишком сильных страстей, зависимости и свободы. Все мы всегда расходный материал для тех, кого хотели бы считать "просто нанятыми менеджерами". Все мы всегда живем на чужой земле — "потому что", сказал еще один поэт, "вся она нам чужая". Только иному для осознания собственного априорного эмигрантства нужны ум, жизненный опыт и перенесенные страдания, а за меня всю работу проделала латвийская бюрократия.

И вот еще о чем он мне напоминает, мой любезный документ ЛБГ ("лицо без гражданства" — так именует нас бюрократия уже русская): всякий эмигрант — еще и иммигрант. Он откуда-то вычтен — но и зачислен куда-то в статусе пришельца, и потому обречен, чтобы выжить, воспринимать вещи такими, какие они есть, зорко подмечать чужие обычаи и нравы, не питать иллюзий, не обманывать себя, не лениться и не опускать рук. Это мы, эмигранты-иммигранты, добровольные и вынужденные беглецы, освоили Сибирь, Австралию и Дикий Запад, придумали Голливуд и чикагскую мафию. Есть чем погордиться, леди и джентльмены.

Странно ли, что он мне дорог, а?

Нет, чего уж там, я достаточно циничен (практичен?), и если жизнь потребует сменить мою фингалорожую паспортину на какую-нибудь другую, я это сделаю; но я ее не забуду. Это мой персональный урок, моя школа жизни, — и я, черт побери, благодарен за эти университеты своему латвийскому государству, маленькому и молодому, но уже гордому и вредному.

Причудливая форма патриотизма, не спорю. Но, боюсь, единственно доступная гражданину ничего, элиену, ЛБГ, человеку ниоткуда — или отовсюду, если вам больше нравится так.

МЫ ПОЛЮБИМ ВСЕХ,
И В ОТВЕТ — ОНИ НАС

Роман в Ницце

Утопия Олега Радзинского: буки, веди, вуду
(2009)

Бывший глава “Рамблера” Олег Радзинский поселился на Лазурном Берегу, чтобы писать книги. Что для русского интеллигента предел мечтаний, для него — лишь очередная роль. Прежде ему уже довелось побывать политзаключенным, эмигрантом и инвестбанкиром Уолл-стрит.

Этот человек не очень укладывается в стандартную формулу жизненной состоятельности, по которой надлежит кого-то вырастить, нечто построить и что-то посадить. Он растит четверых детей — но до этого вырастил порядком капиталов ну и, заодно с коллегами, нынешний экономический кризис в придачу, а сажали — его самого.

Филолог и носитель знаменитой артистической фамилии, он побывал уолл-стритским банкиром и главой мультимедийной корпорации. Воспитанник одной страны, гражданин другой и постоялец третьей, он живет на вилле в самом тщеславном городе Европы и пишет прозу, в которой экзотический культ уатта-водун встречается с учениями гностиков. Он кое-что смыслит в дикарской магии и квантовой физике и не видит между ними принципиальной разницы.

Многовато для одного человека.

Если, конечно, речь об одном человеке.

* * *

— Альсан Петрович, — говорит сидящий за рулем джентльмен с насмешливой вкрадчивостью матерого интеллектуального ловеласа. — Вот я чувствую, чувствую в вас скепсис. Скептическую рефлексию интеллигента. Вы скажите-ка мне, Альсан Петрович, а что для вас чудо?

— Э-э... Чудо? — переспрашиваю я, чтобы выиграть время: с этим собеседником стоит быть аккуратным в формулировках. — Ну, положим, так: событие, наглядно нарушающее базовые законы нашей реальности. Те, которые мы привыкли считать совершенно, удручающе нерушимыми.

Джентльмен за рулем удовлетворенно хмыкает.

— Ну то есть, — уточняет он, — если вы узрите, как этот мотоциклист, — он небрежно дергает рулем, и джип “вольво” мощно обходит мотоциклиста, по-стендалевски запакованного в красное и черное, — как он сейчас взлетит, то это будет чудо?

— Предположим, — допускаю я мрачно.

— Ну что ж, Альсан Петрович, — рыжеватая бровь обещающе приподнимается, "вольво" удачно проскакивает под желтый, и слева распахивается мятое, casual, вечернее море ровно того цвета, который в медицинской униформе именуется цветом морской волны. — Есть два типа магии. Первый — который трансформирует ваше, Альсан Петрович, восприятие столь любезной вам реальности. Тут существуют многочисленные техники, которые могут заставить вас увидеть, как наш друг мотоциклист взлетает. Или вот этот гражданин, — острый нос моего собеседника указывает на встречного джоггера, чернейшего афрофранцуза, сливающегося с антрацитовой майкой и трусами в беспримесного ниндзя, — превращается в слона. Это делается легко. Один шаман, с которым я имел честь общаться, с этой целью жевал различные растительные и даже животные субстанции. Подозреваю, что ему было несладко: не все эти субстанции были аппетитны. Он мне объяснял примерно следующее: я, мол, таким образом превращаюсь в химическую фабрику, выделяющую вещества, которые заставляют увидеть именно то, что я хочу... уважаемый Олег Эдвардович, — сказал бы, наверное, он, если бы знал мое отчество. Но он не знал.

Мимо рывками, с паузами на светофорах проматываются казино "Ruhl" — его хозяин когда-то построил для себя особняк, в котором теперь живет уважаемый Олег Эдвардович, — и знаменитый отель "Negresco" — его когда-то построил честолюбивый эмигрант из Румынии, романтический апокриф сообщает, что для своей возлюбленной вамп, но на самом деле — для вип-клиентов, и там жили Хемингуэй, Дитрих, Саган, Шанель... Теперь с гениями напряженка, и там живут русские богачи и состоятельные европенсионеры; аэропорт Кот д'Азур — ничего личного или романтичного — бегло оглушает ревом очередного аэробуса, круто идущего на взлет.

— Это — магия, — говорит Олег Эдвардович. — Но не та.

"Вольво" резко ныряет вправо с целью вынырнуть на трассе А8.

— Магия второго типа, — говорит Олег Эдвардович, щелкая кнопкой GPS-навигатора прямо на руле, — есть трансформация того, что вы, Альсан Петрович, и полагаете объективной реальностью. Это когда человек, например, проходит — не заставляет вас увидеть, а действительно проходит — через запертую дверь. Как он делает это? А вы представьте себе модель атома. Представьте пространство кафедрального собора, огромную гулкую пустоту — и только высоко-высоко, где-то у витража, парит ма-аленькая пылинка... Вот так примерно и выглядит атом. И запертая дверь, и человек, и вот это... — он стучит кончиком пальца по приборной панели джипа. — Любая материя на самом деле состоит из пустоты. И маг просто заставляет себя ощутить эту пустоту...

Куда уж проще, думаю я, и заканчиваю мысль:

— Ну да, и почему бы одной пустоте не пройти через другую?

— Вот! — соглашается Олег Эдвардович. — Вы улавливаете.

Мы всасываемся в туннель. Бетонные стены и зарешеченные лампы сливаются в серо-желтую пульсирующую трубу. GPS растерянно заливается синим. По встречной сплошняком прут здоровенные траки с тевтонскими забралами.

— Не думаю, — осторожно говорю я, — что мое понимание нам поможет, если сейчас мы въедем какой-нибудь фуре в лобовуху.

— Отчего же? — судя по скептической складке губ, водитель всерьез оценивает наши шансы проскочить фуру насквозь.

— Хотя бы оттого, что лично мне, чтобы достоверно ощутить свою пустоту, нужно как минимум пол-литра.

— Вот! — вновь констатирует он радостно. — А говорите, что ничего не смыслите в магии! Пол-литра — это ваша личная техника перехода в нужное состояние?

— Не хуже других, — бурчу я.

Мы выскакиваем из туннеля в подсвеченные гроздьями вилл сумерки. GPS оживляется и начинает торопливо давать полезные советы приятным мужским голосом.

— Так что же для вас чудо? — настаивает Олег Эдвардович. Профиль у него не то чтобы мефистофельский, но, пожалуй, бог-трикстер Локи по ходу какой-нибудь успешной каверзы вполне мог бы глядеться таким: рыжеватым, горбоносым, самоуверенно-ироничным и не обращающим особого внимания на встречное движение.

— Я понимаю, к чему вы клоните. Давайте сначала договоримся о терминах. Я готов признать, что никаких чудес не бывает. Что бывает только проявление еще не известных нам физических законов, позволяющих обходить законы уже известные. Летать, проходить через запертую дверь. Только совершенно непонятно, как это способен делать с помощью волевого или еще какого усилия самый обыкновенный, с руками-ногами, человек...

— Ну, может, и не человек, — соглашается Олег Эдвардович с удовольствием. — Помните, как дон Хуан говорил Кастанеде? “Знаешь, Карлос, мы не совсем люди!” — и он, окончательно обернувшись от дороги ко мне, искренне, заливисто смеется.

* * *

Говорят, что один даос, в III веке обретший бессмертие и святость при помощи заветной киноварной пилюли, обрел заодно способность летать, проходить сквозь стены и пребывать в трех местах одновременно: встречая гостей у ворот, развлекая уже пришедших и удя рыбу на реке; тело его могло покрываться чешуей, а зрачки — становиться двойными.

Говорят, что при экзорцизме очень полезны чемерица, розовое масло и рута, и не спрашивайте, что всё это такое, — главное, что бесы очень их не любят.

Говорят, что колдуны-бвили умеют превращаться в животных, но чаще всего в кур и соколов.

Говорят, что одержимый Бароном Субботой, одним из божеств-лоа в гаитянском вуду, становится невоздержан в еде, курении сигар, питье рома и сексе (поскольку Барон — Хозяин Кладбищ — с мудростью бывалого единоросса совмещает ряд должностей, отвечая заодно и за деторождение), и неважно, если многие из ваших знакомых соответствуют этому описанию.

Говорят, что северный шаман, определив, какая у человека болезнь — болезнь жара (от избытка духов огня), холода (от избытка духов льда) или влаги (от избытка духов пара), бросается в погоню за духом и в случае успеха отбирает у него душу заболевшего.

И еще говорят — на одном портале в Рунете — что "практический тантрический курс на основе легендарной книги «Бардо Тодол», известной как «Книга Мертвых», позволит вам эффективно управлять тонкими энергиями на любом уровне реальности. Двухнедельные занятия от 800 у.е.".

Много чего, короче, говорят.

Илья, герой написанного Олегом Эдвардовичем романа, лично убеждается, что всё это не просто разговоры. Со своей возлюбленной, креолкой Адри, он едет в Парамарибо, столицу Суринама, знакомиться с ее родней, чертовски богатым кланом Рутгелтов. Парамарибо, город утренней зари, экзотичен и прян, даром что румбу-пасадорес с морем там никто не танцует, потому что город стоит не на море, а на реке; хасиенда Рутгелтов прекрасна; сами они милы и светски-универсальны, как и положено богачам, смешавшим в своих жилах множество угнетаемых и угнетенных кровей. Вот только они всерьез относятся к магическому культу уатта-водун. И не сомневаются в диагнозе семейного колдуна Ам Баке, утверждающего, что дух Ильи делит его тело с куда более сильным духом Папавинти, одной из малых богинь-куманти. И что куманти надо изгнать, потому что иначе Илья никогда не проживет собственную жизнь. Из Парамарибо Илью везут в джунгли и несколько дней подвергают странным, пугающе достоверно описанным ритуалам. Но в итоге оказывается, что дело вовсе не в его двоедушии, и фамилия прекрасной Адри вовсе не Рутгелт, и вообще нет никаких Рутгелтов, и Илья давно уже идет вслепую по конспирологическому лабиринту, выстроенному для него неведомыми людьми с неведомой целью. По лабиринту, ведущему из понятной реальности (в которой эзотерика — пикантная приправа к разговору в кафе) в суринамские джунгли и в топи гностической космогонии, откуда не факт, что можно выбраться, и точно нельзя выбраться прежним.

Роман называется "Суринам", был издан в "Колибри" и отлично продался.

Фамилия героя Ильи — Кессаль. Он выходец из богемной советской семьи, бывший филологический мальчик, закончивший МГУ. Он отсидел в лагере пять лет "за политику" и эмигрировал из СССР. Он живет в Нью-Йорке, доучивается в Колумбийском университете на финансиста и работает аналитиком на Уолл-стрит, пишет отчеты о дневной динамике между иеной и долларом. Он не женат и бездетен.

Фамилия автора Олега Эдвардовича — Радзинский. Он натурально сын Эдварда Радзинского. Он действительно оканчивал филфак МГУ, когда сел за "антисоветскую агитацию и пропаганду", и отсидел пять лет, сначала в Лефортове, потом в лагпункте под Томском. Он жил в Нью-Йорке. Он учился в Колумбийском университете на финансиста. Он сделал карьеру на Уолл-стрит, работал трейдером, стал инвестиционным банкиром. Он провел немало времени в Южной Америке. Он был с 2002-го по 2006-й председателем совета директоров "Рамблер Медиа групп". Он перестал им быть, вообще перестал быть финансистом, банкиром, топ-менеджером, крупным колесиком в механизме глобального мира. Он поселился в Ницце и написал роман, а сейчас пишет следующий. Он женат, и у него четверо детей: две дочери и два сына.

И он, кажется, действительно считает, что проживает не одну — собственную — жизнь, а отрезки разных.

Может быть, чужих.

* * *

— Значит, так, — инструктирует Радзинский. — Из машины ни ногой, сначала выхожу я, потом выпускаю вас.

Мы едем к нему домой. Джип шустро взбирается на гору, тормозит перед воротами, ворота отъезжают.

— Эрли, — объясняет хозяин, — еще ничего. Но вот Аскотт — мальчик серьезный. Так что для вашей же, Альсан Петрович, пользы.

Это саркастическое по имени-отчеству входит в условия игры. У Радзинского манера общения, слегка напоминающая обстановку в продуманной миллионерской приемной: всё безукоризненно корректно, но кресло для посетителя такое и так поставлено, чтобы тот, садясь, враз ощущал освежающую неловкость.

Эрдель Эрли и малинуа — бельгийская овчарка — Аскотт машут хвостами, салютуя хозяину. Радзинский подает знак. Я вылезаю из "вольво". Ужасный Аскотт секунду медлит — и прыгает на меня. Водружает лапы на плечи и пытается разом облизать всё лицо.

— Странно, странно, — ворчит Радзинский. — Он вообще-то чужих терпеть не может.

Неодобрение капитуляции Аскотта достаточно нарочито, чтобы подразумевать за собой нечто прямо противоположное. Непонятно только, чем доволен хозяин: тем, что гость удачно прошел экзамен у злобного сторожевого сфинкса, или тем, что он, как дурак, сидел в машине, послушно опасаясь добрейшего пса.

Уклоняясь от дружбы прыгучего малинуа, огибая что-то цитрусовое, проходя под чем-то вечнозеленым и над чем-то голубым, прозрачным — над бассейном то есть, присыпанным цветами не то бегоний, не то бугенвиллей, мы движемся к дому. Дом прекрасен. Дом словно перенесен сюда из Севильи или Кордовы, с мавританского, латинского юга. Внутри он прекрасен тоже: анфилада комнат, сквозь отороченные кованым кружевом арочные проемы и широкую террасу разбегающаяся в небо, в уходящий уступами вниз сад, в зеленый склон противоположной горы, в скромное равнобедренное декольте моря, над которым каждые пару минут косо взлетает очередной “боинг” или “эрбас”.

— Этот дом для себя построил хозяин казино “Ruhl”, — информирует Радзинский. — Он бежал с Кубы еще до Фиделя, при Батисте, а тут в точности воспроизвел свою родную гасиенду...

Дома хватило бы, чтоб понять: это не история про дауншифтинг. Впрочем, это было понятно и раньше. Дауншифтинг — это когда менеджер умеренного звена, наладивший ренту, или даже просто столичный житель, удачно сдавший недвижимость, сваливает в Гоа задешево жить в бунгало на берегу, курить хаш, пить пахучий индийский ром “Old Monk”, плескаться в теплом море и иногда давать залетным репортерам интервью про дзенское слияние с природой, восточную негу и радость простых вещей. Дауншифтинг — такая же, в сущности, опция общества гламурного потребления, как покупка мебели в “IKEA”, только более дорогостоящая и менее востребованная; нормальный сегмент индустрии унифицированной индивидуальности, органично встроенный в систему антисистемности. Дауншифтеру обычно нечего и не о чем сказать: что и кому, в сущности, может сказать укуренный менеджер умеренного звена? Успешный уолл-стритский банкир и глава "Рамблера", отходящий от дел, чтобы поселиться в Ницце, на самой тщеславной ярмарке европейского тщеславия, и сочинять нежные гностические триллеры, — это явно какая-то другая история. Более штучная, более hand made. Даже если бы банкир и глава не принадлежал к династии Радзинских и не оттянул пятерку на лесоповале за антисоветчину.

— Так, сыр, хлеб... Что-то я забыл... — хозяин, стоя с ножом в руке, демонстрирует растерянность временного холостяка: жена Лена улетела в Эдинбург, повезла мальчиков Артема и Даниила в школу. — А! Масло!.. Альсан Петрович, может, хотите яичницу?

В голосе Радзинского звучит надежда, и я отрицательно мотаю головой, надеясь, в свою очередь, что дешифровал надежду правильно.

— Кофе? Чай?

В этом доме практически в каждой комнате есть камин. В том камине, который в столовой, тесно стоят бутылки: вино, виски, какой-то ликер, еще вино, коньяк. Бутылки не початы. Гости привозят больше алкоголя, чем успевают выпить, а хозяин практически не пьет, потому что застарелая язва. И совсем не курит, потому что застарелая астма.

А еще Радзинскому было одиннадцать лет, когда он сломал позвоночник. Год он лежал в больнице, притороченный к ортопедической кровати, растяжка с гирями — на поясе. “Меня не парализовало, — объясняет он. — Я только перестал расти”.

Вообще-то он нормального среднего роста. Разве что, когда ходит, держит корпус очень прямо, что придает ему, с его щетиной, не доросшей до стадии бородки мушкетера, нагловатый бретерский вид. И на свои пятьдесят он, действительно, тоже не выглядит, но и никак не на одиннадцать — скорее на хорошие сорок.

Про позвоночник он нехотя объясняет мне потом, намного позже, когда я — уже в Москве — случайно обнаруживаю этот факт в газете с тяжелым названием “Магнитогорский металл”.

Это такая профессиональная проблема журналиста, общающегося с Радзинским: он по-настоящему закрытый человек. Не косноязычный угрюмец, с натугой вяжущий слова, но легкий и язвительный собеседник, остроумно не говорящий ничего лишнего. А лишнее, по его мнению, практически всё.

— Вот и следователь мой, — сообщает он, — тоже мне говорил: трудный, мол, вы подследственный, Олег Эдвардович. Милейший человек, Сергей Борисович Круглов. Печеньем меня угощал, да. Бывало, помолчим, помолчим, и он мне говорит: ну, говорит, посидите, Олег Эдвардович, в карцере, подумайте. Вот так, условия мне создавал для размышления. Не то что вы.

Увы и ах, я не владею арсеналом средств для стимуляции размышлений, которым располагал милейший Сергей Борисович. Возможно, поэтому у Сергея Борисовича и получилось семь томов дела и обвинение по тридцати четырем пунктам — я же вынужден довольствоваться фрагментами прошлого, которые Радзинский не против приоткрыть, а приоткрывает он их прихотливо. Может, например, тепло вспомнить кормежку в Лефортове: там у него, как у язвенника, была диета, "белый хлеб и пятьдесят грамм масла". "Кормили на тридцать семь копеек в день, — сообщает он. — Что это вы улыбаетесь? В этапе кормили на семнадцать, а в Бутырке — на тридцать три, а в Матроске — на двадцать девять! Лучше было только в Свердловской пересылке, я там сидел на посту для приговоренных к смертной казни: других одиночек не было. Там кормили кашей с курицей. А Лефортово же не зря в ГУИТУ называли «Националь»!"

...В местах достаточно отдаленных Радзинский позволял себе недозволенное: писал рассказы. И успешно их прятал. Потом из этих рассказов получилась его первая и единственная до "Суринама" книжка — сборник "Посещение".

Всё пока логично. Логично, что юноша из хорошей литературной семьи, угодивший в пенитенциарные жернова не столько по выстраданному диссидентству, сколько по молодому книжному идеализму, но в силу того же идеализма не сломавшийся, сочиняет лагерную прозу: так поступали те, с кого он хотел делать жизнь. Логично, что, когда Горбачев с Рейганом договариваются в Рейкьявике и повзрослевшего на опыте "не верь, не бойся, не проси" филологического юношу вкупе с прочими вольнодумцами выпускают в 1987-м, он считает за благо уехать из страны: спасибо, мы уже видели ваши "другие альтернативы". И то, что на непременной итальянской пересылке он подвизается сельхозрабочим, очищает от камней какое-то богом забытое тосканское поле, и хозяин дает ему каждый день с собой панини и бутылку кьянти, и ему кажется, что лучше ничего никогда и быть не может, но потом он всё равно улетает в Америку, — это логично тоже.

Несколько менее логично, что этот юноша, переставший быть юношей — ему тогда уже двадцать девять, — идет учиться на финансиста, а не выбирает какие-нибудь более простые и логичные пути, которые, уж верно, были доступны с его прошлым и генеалогией в конце восьмидесятых.

Радзинский со мной не соглашается.

— И какие пути, — спрашивает он едко, — по вашему мнению, являются более простыми и логичными? Мне они неизвестны, как сейчас, так и тогда. Должно быть, от этого незнания я растерялся и просто спросил у знакомых, кто ценится в Америке. Филологи и лесорубы — единственные мои на тот момент квалификации — не рассматривались. Ответ был достаточно стандартный: финансисты, юристы, врачи. Срок обучения на финансиста был меньше всего. Кроме того, я не знал, кто такие инвестиционные банкиры, так что решил: заодно и выясню. Но так и не выяснил.

Конечно, это остроумно. Но, конечно же, совершенно не похоже на правду.

В "Суриname" один важный персонаж говорит: "Всё, что мы знаем о мире, — это рассказанные другими истории".

Я думаю, что догадываюсь, какую историю рассказывает о мире и о себе финансист и писатель Радзинский. В этой истории главное — лукавый understatement, ироническое снижение, многозначительное умолчание. Почему стал финансистом, банкиром, топ-менеджером? Зачем перестал ими быть?..

В "Суриname", да и в других его вещах — и в отличном, завораживающе-страшном рассказе "Светлый ангел", который напечатали в русском "Esquire", и в сочиненном а-труа с Александром Зельдовичем и Владимиром Сорокиным сценарии "Cashfire", по которому Зельдович так и не снял фильм, — чрезвычайно значимы пройденные точки бифуркации: те моменты в прошлом героев, когда бильярдное соударение рока и личной воли определяет траекторию судьбы.

Я думаю, что траекторию своей судьбы Радзинский старается прочерчивать так, чтобы она нигде, ни в одной точке не повторялась, не пересекалась сама с собой.

И еще я думаю, что до сих пор не видел ни одного человека, которому и впрямь удавалось бы делать это сознательно. Направлять траекторию судьбы. Становиться разными личностями, оставаясь одним человеком. Я думаю про Илью Кессаля, который столь многим совпадает с Олегом Радзинским: детство, лагерь, Columbia University, Уолл-стрит. Я думаю про куманти, про чуждую высшую сущность, обитающую в Илье. Про две личности в одном теле — и каждая пытается жить собственную судьбу, чертить свою траекторию.

Конечно, это бы всё объясняло.

Но, конечно же, этого не бывает.

Илья Кессаль еще в Нью-Йорке находит однажды в парке странную, нелепую фигурку с вбитым в нее гвоздем. Позднее он узнает, что это фигурка бога Ешу и что он, взяв ее себе, взял заодно чужую, кем-то отброшенную судьбу. Он относит ее обратно в парк и исполняет простенький ритуал избавления от чужого, про который ему рассказала мимолетная пуэрториканская возлюбленная. Он не знает, сработал ритуал или нет.

Олег Радзинский, когда я — уже потом, из Москвы — пытаюсь договориться с ним насчет визита фотографа, присылает мне в ответ снимок. Поставьте его, пишет он, разницы всё равно никто не заметит.

Конечно, это шутка. Это снимок странной статуэтки с недобро смеющимся лицом.

И, конечно, это статуэтка бога Ешу.

Истории, рассказанные о мире, не обязательно правдивы. Важно то, что неважно, правдивы они или нет. Но нам трудно это понять и еще труднее с этим примириться. Нам очень хочется поймать и посадить на причинно-следственную цепочку то, что мы потом и называем “правдой”.

Собственно, поэтому я здесь.

* * *

Я курю на террасе. Внизу, между чем-то цитрусовым и чем-то вечнозеленым, Эрли настигает Аскотта, и наоборот. Сначала эрдель гонится за малинуа, потом малинуа за эрделем.

...В конце XX века, говорит мне Радзинский за чашкой кофе, случился кризис катастрофического — ну, или эсхатологического — мышления. Раньше, давно, мышление было другим. Почитайте древние мифы, Альсан Петрович: борьба добра и зла происходила каждый день заново. Солнце пожирал змей, бог убивал змея, солнце восходило вновь — и так без конца, и это давало колоссальную стабильность вне этической оценки происходящего, и крестьянин мог в неизменном, каждый день гибнущем и возрождающемся мире спокойно растить свой ячмень. А потом всё испортил Заратустра, пообещав, что будет финальная битва Добра со Злом и приход Мессии, который зальет мир кровью, и мир-как-мы-его-знаем кончится, и Мессия будет судить всех. И началось. Иудаизм, христианство, марксизм — всё основано на идее этой финальной битвы. А кульминация — коммунизм и фашизм. Но, хотя их харизматичность невозможно сравнить со скучной флегмой западного либерализма, выиграл именно он; и, надо думать, это начало возврата к цикличности, в которой Добро и Зло ежедневно одолевают друг друга, как малинуа и эрдельтерьер.

...А хотите про нынешний кризис, говорит Радзинский, про финансовый, конспирологическую теорию? И мигом разыгрывает конспирологическую теорию на манер дедукций Эраста Петровича Фандорина — это раз, это два, это три, — в которой кризис сдирижирован правительством Соединенных Штатов. Скажете, бред, Альсан Петрович? Не проблема: хотите, можем рассмотреть другую конспирологическую теорию, и по ней кризис будет инспирирован Россией. Или Мадагаскаром. Просто ведь, Альсан Петрович, на самом деле никто не знает, почему это всё происходит. На самом деле рационального объяснения нет. И в течение ближайшего месяца появится сто двадцать пять, не меньше, очень хорошо обоснованных теорий кризиса: финансовых, политических, макроэкономических, конспирологических, модельно-математических. И ни одна из них не будет правильной. Ни одна. Потому что, как говорил товарищ Леннон, nothing is real.

У Радзинского звонит телефон. Он берет трубку и что-то выясняет на своем втором родном английском.

С моря задувает резко и холодно, обещая перемену погоды.

— Вы не против, — говорит Радзинский, — съездить в такой милый маленький городок Вальбон? Я заберу домой свою младшую. А вы мне составите компанию. Заодно и поужинаем.

Я не против. Мы идем в дом говорить про места, где уж точно nothing is real.

— А где именно вы были в Южной Америке?

— В Суриname был. В Гайане. В Венесуэле... Хорошая страна. Ну, не знаю, как сейчас, при полковнике-то Чавесе, а тогда была хорошая, — Радзинский откидывается на спинку дивана. Резное, с могендовидом, блюдо из ритуальной утвари марокканских берберов-иудаистов, прислоненное к стене позади него, смотрится как большой тяжелый нимб. — У них там график жизни примерно такой. Рано утром, к восьми, — на работу. Работают до сиесты. Потом — сиеста, и где-то до пяти все спят. В пять возвращаются на работу, работают до девяти вечера. Едут домой, переодеваются и возвращаются к одиннадцати в клубы, где танцуют. Вся страна танцует совершенно профессионально. И делает это до двух-трех ночи. Потом все едут ужинать. К пяти утра приезжают домой, ложатся спать. И к восьми утра идут на работу. Через неделю такой жизни я понял, что не могу больше функционировать. Танцевать я не умею, спать днем не могу. Я был мертвый.

У Радзинского в романе очень сочно, достоверно выписанная Южная Америка. И очень сочно, достоверно выписанная любовь к роковой креольской красавице Адри, которая верит в магию и не боится магии. Которая нарушает запрет колдуна Ам Баке и беременеет от Ильи Кессаля, и точно знает, что обещанное плохое теперь случится, но это не важно, важно только не бояться своего точного знания. Само собой, мне хочется спросить, списана ли с реальности и эта линия. Само собой, такой вопрос задавать нельзя.

— И чем вы там занимались, кроме изучения танцев? — спрашиваю я трусливо.

— Мы, — говорит Радзинский, — там сливали. И поглощали. “Attardi company”, изрядный производитель вина, покупала сеть предприятий, выпускавших бутылки и пробки. Вино они делали шипучее, и самое важное тут — пробки, а к пробкам — проволочки. И они нам дали наказ: купить еще и тех, кто производит проволочки. И мы нашли их в Италии. И купили. Эх. Был еще жив сам синьор Аттарди. Он меня любил. Говорил мне: “Сынок, ну зачем тебе уезжать в Нью-Йорк? Ну вот посмотри, у меня дочка только что развелась, красавица. А ты хоть и не итальянец, но всё равно хороший человек, а что еврей — так это ничего, мой брат был фашистом в Италии, но он всегда говорил Муссолини: не надо, дуче, трогать евреев, до добра это не доведет!.. А дуче отвечал: да мы и сами не хотим, но вот немцы на нас давят...”

Радзинский смеется.

— Олег, — спрашиваю я, — а там и впрямь все так всерьез воспринимают магию? Вы в “Суриname” краски не сгустили?

— И впрямь, и вкривь. Не сгустил.

— А вы-то сами как относитесь к... — я осторожно подбираю слово. — Ну, к этим метафизическим вещам?

Слово оказывается подобрано неправильно.

— Я, — наставительно говорит Радзинский, — плохо отношусь к термину “метафизический”. Я не считаю, что есть две реальности, физическая и метафизическая. Есть одна. В ней мы и живем. Что и доказала физика, квантовая и ядерная, которая исходит из того, что все мы состоим из атомов... Но мы с вами, Альсан Петрович, так же, как этот стол и этот дом, подчиняемся законам ньютоновско-кеплеровской механики. А атомы, из которых мы состоим, — нет. Представляете, как интересно? Мы с вами состоим из элементов, которые не подчиняются законам реальности, которым подчиняемся мы. Метафизика это или как?

Он из тех людей, чей взгляд — умный, нагловатый, насмешливый — принято называть острым, и эта острота ощущается как вещественная характеристика. Не острота набоковской булавки, заставляющая почувствовать себя неудачливым чешуекрылым, нет, скорее издевательская острота рапирного жала. Всегда на дистанции (длина руки плюс длина клинка), всегда в движении (труднее попасть), в полунапряге (не потерять важные доли секунды), в готовности (отбить со звоном и уколоть). Фехтовальное позерство, ставшее жизненной позицией. Лучшая защита, которая известно что.

— Это, видимо, физика, — покорно отступаю я. — Ну давайте я тупо так спрошу, в лоб. Вы что-то магическое... э-э... в действии... наблюдали?

Радзинский смотрит на меня.

— Да, — говорит он. И молчит.

— Не расскажете?

— Нет, — говорит он. И молчит.

— Почему?

Радзинский вздыхает.

— Во-первых, — говорит он, — я был не вполне наблюдателем. Скорее уж объектом. Я не очень склонен делать свое личное публичным. А это был очень личный опыт.

Он снова смотрит на меня.

— И это был очень страшный опыт, — говорит он. — Это во-вторых. Меня вообще трудно напугать. Я мало чего боюсь. А то, что я увидел, меня напугало. И пугает до сих пор. На логическом уровне я понимаю, что это некая манипуляция моим сознанием... или то, что называется unmaking of reality — манипуляция составляющими реальности. Но в любом случае... Это. Было. Страшно.

* * *

Говорят, что святой Иоанн Копертинский в XVII веке "вознесся в воздух и внутри собора летал как птица над алтарем Господа".

Говорят, что чародей, сотворяющий чары на ветер (в точности такие, как пытались творить казанские татары над войском царя Ивана Грозного, стоявшим под стенами города), должен дождаться попутного — по направлению к супостату — ветра и бросить на оный снег или пыль, приговаривая: "Кулла, Кулла! Ослепи такого-то, черные, вороные, голубые, карие, белые, красные очи. Раздуй его утробу толще угольной ямы, засуши его тело тоньше луговой травы, умори его скорее змеи медяницы!" — и свершится по слову его.

Говорят, что посвященный гаитянин, опять же с помощью пыли (кремня и магнитного железняка) может призвать на помощь лоа грома, и у врагов его в радиусе трех метров лопнут барабанные перепонки.

Говорят, что даос, одетый в красное платье, синие носки и черную шляпу, заходит в дом, которому досаждают духи, с чашкой в левой руке и мечом в правой, и делает семь шагов налево и восемь направо, и поет: "Бог неба и земли, облеки меня своими полномочиями, дабы мог я изгнать из этого жилища злых духов всех видов..." — ну, там много еще пунктов, похожих на юридически грамотный контракт, но духи натурально изгоняются.

И говорят также — на одном портале в Рунете — что полезно мастерить куклы вуду в домашних условиях, поскольку "это деятельность, которая вызывает смех и которая может стать пищей для важного и потенциально терапевтического общения в кругу семьи и друзей".

В принципе описанный Радзинским суринамский уатта-водун, в действенность которого верит креолка Адри, и гаитянское вуду — один и тот же культ, привезенный из Африки черными рабами и причудливо обточенный напильником католичества. Похожие магические техники, в том числе манипуляции с куклами. Похожие эгоистичные, жизнелюбивые, насмешливые боги. Так, Ешу, фотографию которого любезно пришлет мне Олег Эдвардович вместо своей, зовут еще Легба, или Элегба, или Элегбара. Он — лоа перекрестков. Бог коммуникации, посредник, хозяин и охранник путей меж мирами, связной между богами и людьми. Коллега Локи и Гермеса, вестник и каверзник, неоценимый помощник и жестокий шутник, любитель загадывать загадки и перекраивать судьбы.

В городке Вальбон никто не слышал ни про Ешу, ни про Легбу, а за связь отвечают мобильные операторы; соединения с миром духов они не обеспечивают, даром что великий изобретатель Эдисон рассчитывал на это.

* * *

В городке Вальбон много кукол в витринах магазинов и ресторанов, но это, кажется, не куклы вуду.

В городке Вальбон вряд ли бывает сиеста, но рестораны закрыты до глубокого вечера.

У нас не получается поужинать в городке Вальбон, мы не ждем глубокого вечера. Мы везем младшую дочку Олега Радзинского Соню в Ниццу. Озабоченный Радзинский поминутно звонит в Лондон. Там в аэропорту Гатвик, на пересадке в Эдинбург, его жену и двух сыновей задержали на контроле. Сыновьям не успели сделать студенческую визу. Вообще-то они американские граждане, им не нужна виза для въезда в Британию. Но вот для учебы в Британии нужна. Если бы жена и сыновья сказали, что летят в Шотландию посмотреть на лохнесское чудовище, их бы пустили. А так — посадили в карантин, куда обычно помещают нелегальных иммигрантов, отобрали бумажники и телефоны и собираются депортировать в Ниццу. А Радзинский собирается их встречать.

— Вот, Альсан Петрович, — повторяет он раз уже в третий. — Видите, как не любят они нас, простых американцев?

Дочка Соня на заднем сиденье не хочет говорить по-русски и хочет спать. Соня — ладная светловолосая девочка, красивая не то славянской, не то североевропейской, а может, и ашкеназийской красотой. По ней уже понятно, что она вырастет в очень привлекательную девушку.

Старшая дочь у Радзинского уже взрослая и живет в Штатах. Соне сейчас девять.

— А сколько вашим сыновьям? — спрашиваю я Радзинского.

— Двенадцать, — говорит он.

— То есть они близнецы? — уточняю я.

Радзинский смотрит на меня странно и отвечает непонятно:

— Ну, практически.

* * *

Мы встречаемся утром в брассери “Le Mirador”. Место предлагаю я; там маленькие столики под желтыми тентами, расставленные на мостовой, газовые обогреватели на тонких металлических ножках, а главное — хороший wi-fi.

— Забавно, — говорит Радзинский, садясь и озираясь. — А ведь именно тут, в этом кафе, я когда-то решил, что буду жить в Ницце.

Гарсон приносит кофе. Радзинский объясняет свой географический выбор.

— Я понял, — говорит он, — что эта позиция, по-английски именуемая closed observer — позиция наблюдателя, очень удобна и дает колоссальную защиту. Потому что есть нечто вроде буфера между тобой и реальностью. Жить в каком-то социальном, политическом, культурном пространстве и принадлежать к нему мне было бы сложно. Поэтому я живу во Франции. Я тут чужой. Я очень плохо говорю по-французски. Я могу себе позволить пребывать в иллюзии, что когда прихожу покупать круассаны в буланжери, все люди там беседуют о Сартре и обсуждают поэтику Рембо, а не, например, то, как много развелось иностранцев. Когда в Америке я понял, что стал не просто следить за политическим процессом, но вникать в то, что делает наш районный конгрессмен от Западного округа Манхэттена, я понял, что пора уезжать. Потому что я перестал быть чужим.

— А в России? — спрашиваю я. — В России вы чувствуете себя своим?

— Нет, это чужая страна. Заграница. Не очень мне понятная. Не очень мне приятная. Где по какой-то причине говорят по-русски. Где почему-то живут некоторое количество знакомцев детства, бабушка, папа, тетя. Но это не моя родина. Моя родина — это Советский Союз, а еще точнее — мое детство и моя юность, прошедшие в определенной реальности, которой не стало. Так что я мог бы жить в России. Но как только бы осознал, что вовлекаюсь в происходящее, выбираю в этом позицию, я бы уехал и оттуда. Мне дорога возможность жить без диффузии мнений и взглядов. Как только я почувствую, что стал своим во Франции, буду искать другое место. Ангола вот, говорят, ничего. Там я до-олго не стану своим!

— Продолжаете проживать кусочки разных жизней?

Он пожимает плечами.

— А я не могу иначе. Я бы тогда согласился с тем, что существует судьба. А я всегда пытался доказать, себе в первую очередь, что ее нету; что нет никакой роли, которую мы обречены разыгрывать... Я не знаю, впрочем, насколько получается жить отрезками. Не знаю, не иллюзия ли, что это я выбираю отрезки, а не они меня — или кто-то другой, другая, другое вставляет меня в них. Не знаю. Возможно, этот коллаж и есть моя судьба. Это тоже начинает меня пугать. Ну, изменим что-нибудь... радикально.

— А книги? — спрашиваю я. — Писательство — это тоже... просто отрезок?

— Альсан Петрович, — говорит он. — Представляете себе, как устроено ядро атома? Электроны на каждой орбите стремятся достичь определенного количества. Это создает стабильность; на этом основаны все химические соединения: атомы с разным количеством свободных электронов на орбитах соединяются и образуют молекулы... Вот если представить, что и мы — так же, то у нас есть некое количество незаполненных мест на наших орбитах.

Мы должны найти что-то, что их заполнит. Деньги. Секс. Книги. Власть. Это дает нам устойчивость. Иначе, по идее, мы должны рассыпаться. И мы ищем то, что подходит лично нам. Я всегда, сколько себя помню, хотел писать книги. И вот я заполняю некое свободное место на последней орбите меня: пишу книги. Я знаю, сколько я хочу их написать. Я примерно знаю о чем. А потом...

Он делает рукой некий незаконченный жест.

— Сколько же будет книжек? — интересуюсь я. — И о чем?

Радзинский трогает подбородок.

— Лично меня, — говорит он, — в литературе больше всего волнует ритм параграфа. Но вообще... Мне кажется, пришло время не литературы слов, а литературы месседжа. Человечество запуталось в пертурбациях рубежа веков: социальных, политических, философских. Почему так популярны утопии и антиутопии? Потому что в них описывается, как будет, как должно или как не должно быть. И вот читатель, сдается мне, ждет рассказа о том, что может быть, и о том, каким он должен быть, чтобы жить в этом новом мире, или, наоборот, что должен сделать, чтобы в нем не жить. Так что я представляю себе еще три книги, где я попытаюсь высказать свое представление об альтернативных путях: для человека как биологического существа, для человека как религиозного существа, склонного к вере, и для общества — возможна ли альтернатива тому способу его построения, к которому мы привыкли за последние двадцать пять тысяч лет.

Я киваю. Я пытаюсь вывести для себя формулу этого человека, так любящего формулы. Получается не очень; он упорно не сходится у меня в фокусе, не сводится к единому знаменателю. Филологический мальчик, прошедший через лагерь, однако осуществивший золотую грезу литературоцентричного русского интеллигента — жить в Ницце, не нуждаться в деньгах и писать книги о том, о чем хочется. Но и финансист с Уолл-стрит, топ-менеджер, глава "Рамблера". Человек, почти фанатично преклоняющийся перед наукой и научным способом мышления, уставивший полки в домашней библиотеке трудами по квантовой и ядерной физике, разбирающий головоломную математику Дирака и сетующий, что его знакомцы ученые общаются с ним разве из жалости. Но и человек, абсолютно серьезно говорящий о магии, считающий ее не менее научным способом работы с реальностью, чем какая-нибудь теория туннельной ионизации. Гражданин мира, живущий во Франции, влюбленный в Южную Америку североамериканец по паспорту, написавший стопроцентно коммерчески выверенный роман, какой мог бы выйти из-под пера, например, англичанина. Но написавший его по-русски.

Впрочем, возможно, он сам дал ключ — в "Суринаме". "Суринам" вообще отчетливо напоминает фаулзовского "Волхва", сконструированную знаменитым британцем "эвристическую мясорубку", историю о том, что в мире нет и не может быть единственной, финальной правды, что любая, самая законченная картина относительна и неполна.

В “Волхве” виртуозный манипулятор Кончис вел главного героя через лабиринт иллюзий и искушений, чтобы в итоге вытолкнуть под слепящий свет — не истины, но сознания того, что истин множество. В “Суринаме” тоже есть такой персонаж, “играющий в бога”. Зовут его Кассовский. По происхождению он хасид из польского местечка Радзин. Радзинский, стало быть, хасид. Радзинский.

Я думаю, он вполне имел это в виду: деля себя-автора на многое повидавшего, но простодушного Кессаля, уверенного, что достаточно идти своим путем и что существуют ответы на вопросы, и фонетически близкого Кессалю искушенного Кассовского, умеющего переводить на путях стрелки и знающего, что единственно правильного пути просто нет.

Про кого я сейчас совершенно не думаю, так это про Ешу. Посредника, бога коммуникаций, холодного и азартного шутника. Трикстера, в родстве с которым, несомненно, состоит играющий в бога Кассовский — как фаулзовский Кончис состоял в родстве с Гермесом. Лоа перекрестков, прихотливо меняющего траектории судеб. Про Ешу я стану думать намного позже, когда Радзинский пришлет мне фото смеющейся статуэтки, маленькое, плохого разрешения, в формате jpg.

Артем, депортированный из Англии во Францию сын Олега Радзинского, играет во что-то виртуальное, уместив мобильный на краю столика. Он тоже предпочитает английский. Ему нет особого дела до скучных русских взрослых разговоров.

— Ну что, — спрашиваю я, — долго вас вчера мариновали в Гатвике?

Артем улыбается.

— Их еще и сюда не пускали, — отвечает Радзинский-папа. — Отправили паспорта напрямую французским пограничникам. Те очень веселились. "О, мадам Лена, мафия рюс?" А потом долго и любезно рассказывали, что с англичанами такое бывает. Потому что у них комплекс бывшей империи.

Мы смеемся.

— Вы, надеюсь, понимаете, Альсан Петрович, — говорит Радзинский очень серьезно, — что это всё неправда? Про Гатвик, про англичан? Разумеется, это я всё придумал исключительно ради вас. Чтобы у вас была фактура для материала. Понимаете, да?

Мы опять смеемся.

Артем, почти близнец, но не близнец своего брата-погодка Даниила, не похож ни на сестру Соню, ни на папу Олега. У него отчетливо смуглая — креольская — кожа и почти по-негритянски вывернутые губы.

Утром моего последнего дня в Ницце свет гаснет.

Я как раз стою под душем; на секунду всё погружается в беспримесную влажную тьму, потом в отеле включается аварийное освещение, изжелта-серое.

Потом гаснет и оно.

Я одеваюсь и выхожу из номера. На лестничной площадке раззявили двери парализованные лифты.

Я иду вниз. Внизу, в лобби, обслуга переминается с ноги на ногу в полумраке на манер зомби из фильмов Ромеро.

Я выхожу на бульвар Felix Faure. Чернеют витрины. Продавцы и официанты растерянно выходят из дверей. У неработающего светофора — автомобильный тромб. В небе, как тусклая вольфрамовая нить, дрожит радуга. Из вентиляционной решетки подземного торгового комплекса Vincie на Place Massena валит густой белый дым. Двое полицейских заторможенно смотрят на него и кому-то звонят по мобильному. И гопнического вида подростки, смотрящие на полицейских, тоже звонят по мобильному.

Вообще все звонят по мобильному. Официанты из погасших кафе. Продавцы из обесточенных магазинов. Дорого одетые старушки с фиолетовыми волосами и наманикюренными микротерьерами. Баклажанный нелегал, разложивший сумчатый контрафакт на удобной, типа "хватай и беги" — с веревками, подшитыми к углам, — простыне. Торговка жухлыми тюльпанами. Прикинутый как клошар тип с лицом закоренелого алкоголика, свободной рукой запирающий дверцу сверкающего, словно мечта, антикварного "мерседеса". Они все хотят срочно что-то кому-то сказать. Например: "Ну вот, в Ницце началось!". Например: "Дорогая, срочно упакуй чемоданы и забери детей из школы". Например: "Милый, купи в супермаршан соль и спички... Что? Не работает касса? Тогда укради!".

Долговязый гарсон в "Le Mirador" отрицательно качает головой на просьбу об эспрессо. "Блэкаут! — сообщает он громким шепотом. — Электрисити нет на всем побережье, от Тулузы до Ментона!" — и без спросу приносит рюмку коньяку.

Беспроводные сети в радиусе действия не обнаруживаются.

В винном подвальчике на полпути к набережной торгуют в темноте. Невозмутимый хозяин предлагает пальчиковый фонарик для ночной охоты на спиртное.

Отмеряя расстояние крохотными глотками из фляжки, выхожу на набережную. Море у берега голубовато-белесое, вспененное миллионами неразличимых пузырьков: в лохань блю кюрасао вывалили пачку соды. Слева накатывает гроза. Там небо фиолетовое над фиолетовой водой, узкий просвет между штопают тоненькие, хирургические нити молний. Раскаты докатываются глухим шелестом, словно шуршат хорошей газетной бумагой: кто-то наверху, возможно, лоа грома, читает биржевые котировки и комкает в раздражении. Справа, над аэропортом, сизая муть, в которой уже не различить гипотетических самолетов.

У входа в гавань желтый корсиканский паром лихо, почти на одном месте разворачивается кормой, как авто в голливудской сцене погони. Огромные богатые яхты звенят карабинами. На палубе одной из них, с российским морским флагом — столик, на нем — завтрак на четверых; завтрак дымится, людей нет. Яхта, шикарный серебристый болид, называется “Офшор”. Впрочем, не исключено, что имели в виду другое.

Дождь всё не начинается.

На туристических улочках неистребимый блошиный рынок: исцарапанные часы, мутные броши, бижутерия, камеи, телефоны, подсвечники, мундштуки, табакерки, пепельницы, портсигары, авторучки, стеклянные бусы и зеркальца, траченный временем колониальный хлам. На лотке перед строгой старухой неопознаваемо экзотической национальности — коричневые туземные боги, птицы, звери и демоны из полированного дерева. Они выглядят старыми, выглядят настоящими; подразумевается, что их сделали где-нибудь в Нигерии много лет назад. Один из них похож на Ешу, только я еще этого не знаю. Перед старухой — глиняные куколки с услужливо воткнутыми иглами. Они выглядят потрепанными, выглядят оригинальными; подразумевается, что за каждой из них маячит тень вудуированного гаитянина. "Комбьен?" — спрашиваю я и тычу пальцем в кукол. Мне интересно, почем деятельность, которая вызывает смех, которая может стать пищей для потенциально терапевтического общения в кругу семьи и друзей. "Фифти юро", — говорит старуха. Мы улыбаемся друг другу. Мы знаем, что всё это за центы сделано иммигрантами в каком-нибудь подвале в десятке кварталов отсюда.

И тут сверху напористо, разом падает дождь.

Он разгоняет туристов и продавцов, смывает с мостовой окурки, заставляет забиться под тент какого-то темного кафе-с-видом-на-море, где есть газовая плита и потому всё еще варят кофе.

Он идет две, нет, три, нет, четыре чашки.

И так же разом прекращается.

Кто-то наверху, возможно, лоа грома, устав от чтения котировок, широко раздергивает облака.

В прорехе повисает серебристый курсор авиалайнера. В окружающих витринах вспыхивает свет. Телефон на столике вздрагивает от эсэмэсок: очнувшийся отель упорно пытается снять с моей пустой кредитки одиннадцать евро за местные разговоры. Колесики и ремни мира приходят в движение. Официант приносит счет.

Телефон звонит, высвечивая незнакомый местный номер. Я думаю, что это, вероятно, Олег Эдвардович. Что он хочет спросить, всё ли мне понравилось. Удачна ли концовка. Правильно ли обставлено завершение. Спасибо, говорю я мысленно. Всё понравилось. Удачна. Правильно. Я тяну руку к телефону.

И телефон замолкает.

Бездомный Гидон

Утопия Гидона Кремера: перемещенное лицо музыки (2010)

Скрипач Гидон Кремер перемещается с репетиции на концерт, с концерта на вокзал, с поезда на самолет, с самолета в гостиницу, из гостиницы на репетицию. С ним ездят скрипка и любимая женщина. Его рубашки живут в Вильнюсе, его книги живут в Вене, его архив живет в Швейцарии, а сам он нигде не живет.

Вечное движение Кремера — не художественный образ, а объективная реальность и стиль жизни. Когда он не ездит по работе, он едет в отпуск, устроенный так, чтобы не останавливаться ни на час. Потому что Гидон Кремер не может остановиться.

— Но ведь я… я Гидон Кремер! — говорит человек со скрипкой по-английски и с явным недоумением.

Если этот тип, похожий на пройдоху-адвоката, не врет, то и инструмент в его руках должен быть скрипкой Гидона Кремера: одним из двух десятков уцелевших шедевров мастера Николо Амати — учителя Гварнери и Страдивари, — сработанным в 1641 году. Том страшно далеком году, когда, например, некий мелкий дворянин д'Атос поступил в мушкетерскую роту своего дальнего родича капитана де Тревиля, совершенно не подозревая, что пару столетий спустя сочинитель Дюма превратит его в символ печальной мудрости и благородной верности собственному "я", верности вопреки всем, как станут говорить еще пару столетий спустя, вызовам реальности.

— Нет, — убедительно отвечает человеку со скрипкой импозантный азиат в темных очках. — Гидон Кремер мертв.

На этом "Gidon Kremer is dead" я ставлю запись на паузу и выхожу покурить. Передо мной анонимные подтянутые цитрусы в кадках. За цитрусами ворота, за воротами городок Айзенштадт, одноэтажная Австрия, аккуратно материализованный, вылизанный, выглаженный, симпатичный и скучный до скулосведения стереотип. Впрочем, в паре буквально кварталов сплошного стереотипа от нас с цитрусами стоит дворец Эстерхази, где некогда музицировал придворный капельмейстер Йозеф Гайдн.

Когда я, с трудом подавив желание пристроить окурок в кадку, возвращаюсь в холл четырехзвездного отеля "Oro", за столом, где я оставил компьютер, сидит Гидон Кремер.

Очень интеллигентный, в бордовой водолазке, совершенно не похожий на пройдоху-адвоката. Настоящий и довольно живой на вид.

— Ну что, — говорит живой Гидон Кремер, — посмотрели?

— А то, — говорю я.

— И что скажете? Если сравнивать с тем, что теперь?

— Ну... — говорю я осторожно, быстро тасуя в уме правильные формулировки, чтобы не задеть ненароком. — То, что я посмотрел, — это было отлично сделанное шоу. Блестяще сделанное, я бы сказал. Но оно, конечно, было сделано по всем правилам шоу-бизнеса. Хотя и направлено против шоу-бизнеса. Сюжет про творца, художника, который противостоит обществу потребления, — это ведь сюжет, который вполне неплохо потребляется в подобно устроенном обществе, да?.. А то, что вы делаете сейчас, в сравнении с этим шоу выглядит, конечно, более... дилетантским. Но и намного более личным.

— Конечно! — говорит горячо настоящий Гидон Кремер. — Это именно то, чего я хочу: противостоять мифологии успеха! Именно то направление, в котором я пытаюсь двигаться!

Я киваю с облегчением: нет, кажется, не задел.

Двигаться, ага: в случае Гидона Кремера это ключевое слово.

* * *

Один из лучших (а многие скажут: лучший) скрипачей современности, международная знаменитость, уроженец Риги, ученик великого Ойстраха, победитель конкурсов, лауреат премий, обладатель званий, некогда неблагонадежный, но допущенный на советский музыкальный олимп отпрыск шведско-немецко-еврейско-балтийской фамилии, в конце семидесятых ушедший между пальцев системы на Запад, но не отказавшийся от советского паспорта, человек, сумевший в большом "свободном мире" не только сохранить, но и приумножить свой небожительский статус, друг, собеседник, соратник Ростроповича и Штокхаузена, Альфреда Шнитке и Луиджи Ноно, автор нескольких книг, муж и спутник нескольких прелестных и талантливых женщин и отец двух прелестных и талантливых дочерей — взрослой, живущей в Москве Лики, почти взрослой, живущей во Франции и учащейся в Британии Анастасии, — сомнительный семьянин и несомненный трудоголик, мечтатель, фантазер и весьма эффективный менеджер собственного дара, создатель камерного фестиваля в австрийском Локенхаузе и ансамбля "Kremerata Baltica" — Гидон, словом, Маркусович Кремер всё время движется в самом буквальном смысле этого активного глагола.

Позавчера он был в Инсбруке, днем репетиция, вечером выступление в зале Конгресса.

Вчера он был в Вене, утром, в восемь, поезд из Инсбрука, днем репетиция, вечером выступление в Theater an der Wien, напротив модернистского памятника венскому художественному прорыву, Сецессиона с его вечнозолотым куполом-деревом, под которым начертан самонадеянный девиз "Времени — его искусство, искусству — его свободу".

Сегодня он в Айзенштадте — репетиция, кто бы сомневался, днем и выступление вечером.

Через два дня он в итальянском Мерано, через пять — в швейцарском Люцерне. И так далее: пунктирная линия распланированного концертного маршрута зигзагом штопает оба полушария и календарь на несколько месяцев вперед. Я всего-то пару суток соучаствую в этом непрерывном движении, а уже чувствую себя порядком вымотанным. Хотя я не даю концерты, а всего-то задаю вопросы. Хотя мне тридцать пять, а Кремеру в минувшем феврале стукнуло шестьдесят три.

Наверное, говорю я себе, всё дело в навыке. Потому что скрипач Гидон Кремер вот уже много лет в дороге живет. По-настоящему живет — от города к городу, от страны к стране, от отеля к отелю и от зала к залу: он, наверное, самый известный и высокооплачиваемый персонаж, буквализирующий аббревиатуру БОМЖ — "без определенного места жительства".

Бездомный Гидон.

— Так всё и есть, — он пожимает плечами. Это вчера, это поезд Инсбрук–Вена, сто восемьдесят километров в час, мелькающие за окном зеленые горки, постепенно — с удалением от Альп — сходящие на нет, и белесовато-синие внезапные озера, и неброские городки, регулярные, как нотный стан, с непременным скрипичным ключом кирхи посередине. Как-то так получается, что даже разговариваем мы с Кремером исключительно в транспортных средствах, в автобусах и поездах. — То есть я пытаюсь последние полтора года как-то жить в Вильнюсе —

я люблю этот город и вообще Прибалтику, у меня и спутница жизни из Вильнюса...

Спутница жизни улыбается с соседнего сиденья вагона первого класса, красивая литовка Гиедре Дирванаускайте. Много (сорок пять!) лет назад юноша Гидон, закомплексованный и талантливый, одна из новых надежд могучей советской империи исполнителей классической музыки, записал в дневнике: "Люблю красивых женщин. Явно буду еще из-за этого иметь массу неприятностей".

— Но и там, в Вильнюсе, я бываю раз в три-четыре месяца и в лучшем случае неделю, — продолжает Кремер. — Так что сложно назвать это местом жительства. Ну вот разве что там впервые за много-много лет собрался весь мой гардероб, мои рубашки, моя обувь. Зато до Вильнюса не доехала моя библиотека, мои диски... Да в том вильнюсском жилище они бы и не поместились.

— В общем, — говорю я, — у скрипача Кремера появился наконец платяной шкаф, а книжного шкафа всё нет и нет?

— Книжный шкаф, — говорит он с сомнением, — вроде бы образовался в Вене... Но я, когда приезжаю в Вену, живу всё равно в гостинице — вот и сейчас буду. Я там... в своем книжном шкафу... ни разу в жизни не ночевал. Но — хотя бы есть место, где расставлены книжки и диски. А еще существует архив — и он в Швейцарии. В Швейцарии ведь формально и есть мое ПМЖ вот уже тридцать лет. Я прописан у своих друзей и исправно плачу швейцарские налоги. Но бываю там еще реже, чем в Вильнюсе.

— Говорят, — я хмыкаю, — швейцарские налоги довольно высоки. Не самая выгодная прописка, нет?

— Говорят еще, — отвечает Кремер, — что налоги выгодно платить в России. Потому что там их можно не платить. Но это же еще не повод жить в России? Так уж сложилось, что я приписан к одному из швейцарских кантонов. И слава богу: кто-то следит за этой самой материальной стороной моей жизни, и я соприкасаюсь с нею очень редко — буквально раз в году, когда подписываю бумаги.

* * *

Кремер косится на свой мобильный, лежащий на столике: с этим техническим устройством у него отношения сложные — он и называет его “маленьким волшебником”, и жалуется на то, что сотовая связь производит интервенцию в личное пространство; а потому музыкант Кремер старается держать “маленького волшебника” выключенным (чтобы отвечать только на заранее согласованные звонки), а за гостиничным завтраком на пару с Гиедре и вовсе оставлять его в номере (чтобы получать удовольствие от завтрака).

— Я, — уточняет он, — всё время перемещаюсь не только когда работаю. Но даже во время своих каникул. В каникулы я стараюсь съездить туда, куда не езжу с концертами. Вьетнам, Бутан, экзотические острова Тихого океана… Северный полюс, куда я добрался на атомном ледоколе “Россия” в девяностом: для меня тогда важным открытием было, как звучит лед, когда его давит туша ледокола, — ведь ледокол не колет, а именно давит лед, наваливаясь массой сверху, а я раньше этого не знал... А недавно вот я отлично отдохнул неделю в Хорватии и неделю в Черногории. Хотя что значит "отдохнул"... Гиедре может подтвердить: я там всё время работал над сценарием — сценарием этого вот шоу, с которым я и "Кремерата Балтика" сейчас ездим. У меня в результате такого отдыха даже прозвище... для узкого круга... появилось. Вспомнился недавно мотивчик Моисея Вайнберга из "Каникул Бонифация". Вы смотрели этот мультик? Я вот его пересмотрел. И понял, что я и есть Бонифаций.

Он широко улыбается. Чем не странствующий лев Бонифаций.

— И что, — гну я свою линию, — неужели вас всё устраивает в этой кочевой жизни?

Он некоторое время думает, потом пожимает плечами.

— Знаете, — сообщает доверительно, — вот у кого-то, у каких-то более удачливых граждан, есть... денщик? слуга? камердинер? Вот этого я лишен — и вот этого мне подчас очень не хватает. У меня есть помощники, которые что-то делают, но это всё конкретные дела, конкретные проекты... вот как в "Кремерата Балтика" у меня есть менеджер и отличный парень Индрек Саррап, который делает много, очень много... но это про другое. А кого-то, кто просто держал бы в руках разные нити моей жизни и помогал каждый день, нету. И это неправильно. Да, это неправильно. Я гораздо больше делаю сам, чем надо. Но — мне не посчастливилось. Я не нашел таких людей. Таких, которые тебя... меня... лично бы оберегали. Это трудно — найти таких людей. Я как человек доверчивый часто доверял свои дела, планы и чаяния людям, которые не годились на эту роль. Я каждый раз разочаровывался и имел множество проблем. И в итоге я решил, что работодателем не буду никогда. К тому же просто трудно найти человека, чей профессионализм простирается дальше и глубже, чем отработка стольких-то часов или оплата счетов за парковку машины. Вообще человека достаточно одаренного задача служить какому-то одному другому человеку не очень вдохновляет. А те, кого она вдохновляет... они, как правило, не вооружены тем, что нужно мне. Хотя бы просто знанием языков. Хотя бы двух языков, я уж не говорю про три-четыре.

Какое-то время мы молчим. Не знаю, о чем молчит прославленный скрипач Гидон Кремер, а я честно пытаюсь себе представить этого идеального камердинера для бездомного маэстро — ординарца и оруженосца, мультиинструменталиста, равно владеющего щеткой для обуви, интернет-коммуникацией, азами менеджмента, основными европейскими наречиями и искусством чтения партитуры. Получается невыносимо литературный персонаж, то ли из "The Remains of the Day" Кадзуо Исигуро, то ли из "Коронации" Бориса Акунина. Ладно, по крайней мере будем знать, что такая вакансия существует. Я-то, впрочем, пытаюсь своими вопросами про кочевую жизнь подтолкнуть маэстро в другую сторону. Не то чтобы я был адептом теории "крови и почвы", тем паче применительно к искусству: в этой зыбкой области многие цветы отлично приживаются и расцветают на чужой земле, а то и пускают корни сразу в нескольких направлениях. Но банальный опыт подсказывает мне, что любому, самому мобильному творческому индивиду обычно необходим порт приписки, или — это даже точней — место силы: та географическая точка абсолютной неподвижности, к которой подвешен совершающий самые размашистые колебания маятник, та геометрическая точка отсчета, из которой прорастают самые экспансивные оси абсцисс и ординат. Серьезные творческие индивиды обычно не проживают плодотворную жизнь, мотаясь из города в город и из отеля в отель. Черт побери, даже Набоков, хоть и жил много лет в отеле — жил в одном отеле! В той самой Швейцарии, где прописан, но почти не показывается Гидон Маркусович Кремер.

— Отрицать, что человек и отведенное ему в географии место взаимосвязаны, было бы глупо, — говорит он, когда я формулирую наконец свой вопрос. — Поверьте, я не думаю, что творец может быть вещью в себе. Вот и меня формировали и питали все те неурядицы, которых на моем жизненном пути было немало. Я очень страдал от них — но они же постепенно делали меня тем, кто я есть. Они расширяли, тренировали мою терпимость, понимаете? Они дали мне возможность проникать в области, которые большинству, живущему спокойной, однажды заведенной и ограниченной жизнью, решительно чужды. Я говорю именно о советских неурядицах. Я рожден и вырос в Советском Союзе, я переболел всеми его болезнями. И я уверен, что человек, успевший сформироваться в этой системе, будет ее и ее законы чувствовать до конца дней своих. Будет чувствовать всё плохое, которого было много, — и всё хорошее, которое тоже, конечно, было. Я привязан к этому своему "историческому прошлому". Я привязан и к Латвии, где я родился, к Риге, чьи пейзажи — прекрасные пейзажи, как я понял, когда вырос и повидал мир, — тоже меня в огромной степени сформировали; привязан как к родине, которая у всякого человека, сколь бы широко в географическом смысле он ни жил, одна. Но так же я привязан и к своему образу жизни. Я зависим от доставшейся мне и сросшейся со мной роли "вечного странника". Иосиф Бродский в нашем с ним единственном личном разговоре очень точно сказал: "Мы все — перемещенные лица". Он, правда, употребил английский термин displaced persons. Но лингвистические нюансы дела не меняют: моя аура есть аура человека, который не находит себе места. Потому что из того места, где он, по идее, должен был произрастать, он был перемещен.

За окном поезда стремительно и беззвучно проносится очередное обозначенное на карте булавочной точкой австрийское ПМЖ, в котором есть церковь, банкомат, городская газета, полицейский участок, медицинский участок, избирательный участок и фолькестеатр; очередной герметичный анклав, предназначенный для того, чтобы нормальные люди рождались и умирали в нем, выезжая за отведенные пределы только на ежегодный отпуск олл-инклюзив у кромки теплых морей. Гидон Кремер вопросительно смотрит на меня поверх очков: понимаете, что я хочу сказать? Я стараюсь отразить максимальное понимание на своей непластичной от недосыпа физиономии. Впрочем, мне кажется, я и впрямь понимаю, что он хочет сказать.

Я думаю, он хочет сказать, что нашел для себя способ превращать в энергию творчества энергию бездомности. Переводить обратно в личный потенциал кинетическую энергию непрестанного, безальтернативного движения.

* * *

— Так, а теперь давайте прогоним то, что у нас после слов МУЗИКУС СОВЕТИКУС МАХЕН! — говорит Кремер примерно двенадцатью часами ранее.

В явно любимой бордовой водолазке, с шедевром великого Амати в руках он стоит на сцене инсбрукского Конгресса. Вокруг него ансамбль “Кремерата Балтика”, созданный в девяносто седьмом году на один сезон, но оказавшийся удачным и превратившийся в постоянный проект, — объединяющий молодых и талантливых музыкантов из трех балтийских стран, Латвии, Литвы и Эстонии, и живущий не столько за счет лаконичных госсубсидий приморских демократий, сколько за счет гастрольных поступлений, а иногда, подозреваю, и прямого финансирования из личных средств Гидона Маркусовича.

Музыканты начинают играть сразу после “музикус советикус махен”. Здоровенный блондин-альтист с серебряной цепью на шее встает, чтобы посреди ернического и виртуозного музыкального шквала помахать со сцены плюшевым осликом, а миниатюрная скрипачка-блондинка встает, чтобы выпустить на сцену плюшевую собачку на батарейках.

Механический лай и скоморошьи плюшевые писки вплетаются в мелодию. Гидон Кремер и его “Кремерата” репетируют шоу, которое будут играть нынче вечером всего лишь во второй раз после его, шоу, повторного рождения. Действо называется “Being Gidon Kremer” (“Быть Гидоном Кремером”). И, прозрачно отсылая к известному фильму про Джона Малковича со смотровой площадкой в голове, состоит на деле в родстве скорее с известной пьесой про принца Гамлета с его to be or not to be.

— Девушки! — говорит Кремер на сцене. — Вот в этом месте найдите, пожалуйста, способ без слов показать, что вы в контакте со мной, не обращающим на вас ни-ка-ко-го внимания!

Девушки ищут способ. Выглядит это вполне привлекательно, даром, что ли, тут столько симпатичных блондинок.

Впрочем, в своем первом рождении это шоу работало на совсем другом движке.

Движком были двое чертовски талантливых парней, Алексей Игудесман и Ричард Хьюнг-Ки Джу. Те самые человек со скрипкой и азиат из видеозаписи, которую даст мне посмотреть Гидон Кремер. Игудесман и Джу, сами профессиональные музыканты, придумали эффективный способ двигать серьезную музыку в платежеспособные массы, здоровую и веселую альтернативу попсовым кроссоверам от Дэвида Гарретта или Ванессы Мэй: театрализованное шоу с сатирическим сюжетом и инкрустациями качественных музыкальных номеров. Гидон Кремер видел их выступления и сам предложил сотрудничество: "Я восхищался их талантом совершенно искренне, они меня до слез буквально доводили". Так появилось то, что называлось вначале "Cinema & Comedy", а потом стало "Being Gidon Kremer". Бойкая, жесткая, саркастическая и вполне коммерческая сценическая история про Художника и Общество Потребления, непримиримо и комично противостоящих друг другу, с ядовитыми репризами, отсылающими к хорошо знакомым Обществу Потребления образцам вроде "бондианы" или "Молчания ягнят" ("Ганнибал Лектер, хи опен брейн энд ит! — объяснял на специально изломанном английском скрипачу Кремеру музыкальный мим Игудесман. — Бат ю донт ит! Ю онли опен!!!").

История имела немалый успех. Но у самого Кремера вызывала чувства, мягко говоря, смешанные.

— Первым делом, — говорит он мне, — вышло так, что я стал в их компании третьим клоуном... Я совершенно не понимал, как мне сопротивляться тому, что они вовлекают меня во все свои скетчи и делают из меня марионетку. Мои друзья говорили мне: ну и во что ты влез? Тебя используют! Мне трудно было согласиться с тем, что меня используют. Понимаете, если бы инициатива исходила от них — я имею в виду наше сотрудничество... но инициатива-то исходила от меня! И все-таки — правда: я оказался втянут в то, чего не мог контролировать. Что-то нравилось мне, что-то нет. Каждый спектакль я что-то менял. Я искал музыку, которой мог бы противостоять моим напарникам. Их напору и их безусловному таланту. А они — они добивались того, чтобы происходящее было прежде всего успешно. А ведь это именно то, против чего я выступаю. Тогда я полностью переписал сценарий. Сам. И возникла тема противостояния и само противостояние: я — один мир, они — другой. И еще я воспользовался уловкой Бунюэля — у него в одном из поздних фильмов одну женскую роль играли разные актрисы... Я позволил играть себя другим людям. В шоу появилось несколько Гидонов, которые не были мной. В том числе меня играл и Алексей Игудесман — как в той записи, что вы посмотрели... Так я ускользал от чужого влияния, от чужих условий игры, пытался сохранить свое лицо и свою свободу.

То ли маэстро тоже оказался чересчур успешен в своем творческом противостоянии Игудесману и Джу, то ли еще что, но к середине прошлого сезона напарники-комики со всеми реверансами сообщили Кремеру, что в следующем, то есть нынешнем, году сотрудничество не выгорит. Сослались при этом на большие гастроли по Китаю и вообще "расстались друзьями" — но, по словам Кремера, для "Кремераты" это был очень чувствительный удар. Ансамбль лишался уже частично проданного тура и коммерчески выгодного тренда. И тогда Гидон Кремер решил, что тур и тренд он спасет. И привлек хореографа Аллу Сигалову в качестве консультанта по сценической драматургии и композитора Виктора Кисина в качестве консультанта по музыкальной обойме (от самых титульных классиков до Нино Рота). И полностью переделал сценарий под себя, порядком утеряв в зрелищности, но сильно прибавив в исповедальности. Получилась путаная, грустная, но очень личная история про петляющую траекторию Художника между двумя социальными черными дырами. Той, где правит Идеологический Императив (отсюда "музикус советикус", специально взлелеянная в СССР бацилла, поныне определяющая поведение бывших советских прима-музыкантов), — и той, где рулит плевать хотевшая на любое творчество и любой свободный поиск Финансовая Окупаемость.

По-голливудски выверенные репризы сменились лирическими цитатами из подростковых дневников Гидона Кремера. Для шоу "Being Gidon Kremer", думаю я, это была очень радикальная мутация — как если бы голливудский блокбастер обернулся вдруг фестивальным авторским кино и при этом попытался сохранить за собой забронированные к показу экраны. Самое странное, что изрядную часть "экранов" усилиями Кремера и впрямь удалось спасти: из плана вылетела вся Германия, где высокопрофессиональные менеджеры маэстро Гидона решительно отказались продавать артхаус по цене мейнстрима, предвидя кассовый провал; но кусочки Швейцарии с Италией остались, и Австрия осталась тоже.

* * *

Вечером зал Конгресса заполняется весь. И ночью узкие, бутафорски уютные улицы старого города на несколько минут тоже заполняются разъезжающимися и разбредающимися меломанами. Бреду к своему отелю и я. Черное, ясное небо надо мной проколото острыми горными звездами, и сами горы стоят вокруг ночного Инсбрука молчаливым кольцом, рождая смутную тревогу.

Эта тревога хорошо мне знакома. Есть две природные декорации, которые просто и доходчиво возвращают возомнившему о себе хомо сапиенсу его реальный скромный масштаб. Горы — одна из них, а вторая — море. Обе они на летящем сквозь пустоту и холод жалком шарике наглядно, на доступном местному населению уровне воплощают вечность. Только море — это вечность текучая и изменчивая, каждый день другая, живая и дарящая жизнь, даром, что ли, все приморские народы живут рыболовством. А горы — вечность застывшая, граненая, явленная в своей неизменности, в жестоком и скудном каменном превосходстве. Потому, наверное, все морские люди, будь они в Генуе или в Одессе, хитры, жовиальны и жизнелюбивы, а все горцы, будь они в Басконии или в Сванетии, славятся твердолобостью, упрямством и презрением к смерти. Гордое человечество вообще куда более внушаемый коллективный субъект, чем ему хотелось бы думать. Но оно об этом тоже догадывается и комплексует и потому в слабой своей позиции придумало себе рукотворную альтернативу вечности: искусство. В искусстве есть свои горы — таковы скальные глыбы соборов, пустынные утесы пирамид. И в искусстве есть свое море — таково всякое паутинное плетение слов, в рифму и без рифмы, а больше и прежде прочего такова музыка. Не нуждающаяся в переводе с языка одного племени на наречие другого, высокомерно отклоняющая комментарии и пояснения, претендующая на универсальность, на причастность не установленным, но и не подлежащим сомнению высшим гармониям. Такова музыка — если только помнить, что она не комфортный фон, скачанный в айпод в формате mp3, но грозная и магическая, мистическая, почти религиозная субстанция, тайный культ, требующий от посвященных жертвенного служения. Помнить об этом в эпоху планетарного шоу-бизнеса в достаточной мере нелепо, неудобно и смешно. Но отдельные индивиды упрямо помнят и даже настаивают на своем. И Гидон Кремер, конечно, из таких вот упрямых индивидов.

В артистическом мире у него репутация высокоточного и самонаводящегося, почти расчетливого интеллектуала — наверное, обидная ему, настаивающему на интуитивном и самоотверженном, едва ли не по-детски наивном подходе к искусству. В артистическом мире у него репутация совершенного, безупречного в деталях, почти холодного технаря — наверное, неприятная ему, упирающему на эмоциональное, чувственное, едва ли не спонтанное прочтение исполнителем замысла творца, читай — Творца. Мне, прохожему дилетанту, совершенно невозможно судить, кто ближе к истине в вопросе "каково быть Гидоном Кремером" — сам маэстро Гидон Кремер или не без ревности отслеживающий его непредсказуемую траекторию артистический мир. Но кто бы там ни был ближе, это не умаляет безапелляционности и убедительности кремеровского ответа, когда я спрашиваю его, считает ли он до сих пор — со всем своим опытом и по обе стороны "железного занавеса", и вовсе без "железного занавеса", после диктатуры пролетариата и во время диктатуры шоу-бизнеса и покупателя, — что музыка и впрямь способна менять человека, делать человека лучше?

— Да, — говорит он.

— Конечно, — говорит он.

— А может, — говорю я, — не надо ничего менять? Не надо ничего навязывать публике? А надо просто честно, профессионально отрабатывать свои деньги, давая публике то, за что она вам заплатила, потому что клиент в конце концов всегда прав? Это ведь господствующая сейчас точка зрения — везде, и в серьезной музыке тоже. Как вы-то к этой точке зрения относитесь, одним словом?

— Одним словом? — иронически повторяет Кремер. — Плохо. Плохо я к ней отношусь. Не верю я в это. Очень мне подозрительна эта точка зрения. Думаю, обосновывается она только меркантильным интересом продать публике побольше товару. Вот и всё.

* * *

Когда он говорит всё это, я ловлю себя на странном, не вполне уместном чувстве. Это легчайшее, почти неощутимое, но все-таки ощутимое раздражение. И я ловлю себя на нем не впервые. Я ощущаю это фантомное раздражение всякий раз, когда маэстро Кремер заговаривает о миссии артиста. И я наконец пытаюсь понять, откуда это раздражение берется. Это оказывается вовсе не сложно. Под этим раздражением скрывается — совсем неглубоко — банальная, пусть и не черная, зависть. Зависть к тому, кто обнаруживает и использует в нашем современном мире элитные опции, вроде бы этим миром не предусмотренные. Ведь всем нам доходчиво и в деталях разъяснили, как он устроен, наш современный мир. Этот мир умеет много гитик, он достаточно пластичен, он может предложить немало вариантов, путей, идей — но вот пути и идее служения в его социально успешном сценарии места нет. Для служения ведь необходим абсолют, а тысячу раз доказано, что никаких абсолютов не существует в нашем мире, он для этого слишком релятивистский и в своем релятивизме слишком безальтернативный. Самовыражение — еще куда ни шло, можно впихнуть процент любимого собственного "я" даже в циничную десятилетней давности пелевинскую формулу "творцы нам нахуй не нужны, криэйтором, Вава, криэйтором". Но какое уж тут служение, когда нечему, незачем и непонятно как служить, когда к этой горней категории апеллируют либо неудачники, которым ничего не светит, либо лжецы, которые ничего не стыдятся; а если о ней вдруг заговаривает человек успешный, востребованный и притом никак не могущий быть обвиненным в откровенном лицемерии, только и остается испытывать глухое раздражение от когнитивного диссонанса.

— Знаете, — говорит Кремер мягко, словно отвечая на мои не произнесенные вслух рекламации, — я до сих пор остаюсь "миражистом". Так меня давным-давно называла одна из первых моих девушек. Я часто не хочу, не люблю и не могу спускаться на землю. Не потому, что у меня ангельские крылышки. А потому, что мне нужно держаться за образы, за эфемерности — без этого не возникнет энергии, нужной, чтобы заниматься тем, чем я занимаюсь. Эта вот плодотворность, сугубо практическая необходимость иллюзии — это же не только творчества касается. Вообще жизни. Мне один мой друг, очень серьезный, хороший психиатр, сказал как-то: знаешь, общаясь с больными шизофренией и паранойей, я понял, что это они, мои больные, на самом деле реалисты. Ведь всё, чем живем мы, — это в итоге из области надежд, веры... из области эфемерностей. А реалисты — те, кто живет в ужасном мире, страшном мире, те, кто кончает с собой от этого мирового ужаса... Так вот. Быть реалистом и не сойти с ума, полагаю я, — это очень и очень трудно. Это требует больше всего сил. "Чем больше веры — тем больше риска", я часто себе повторяю эту цитату. И еще одну, которую очень любил Луиджи Ноно: "Странник, пути нет, но идти надо". Так написано на стене одного древнего монастыря в городе Толедо.

В этот момент я наконец формулирую для себя, в чем глубинная причина гидон-кремеровской охоты к перемене мест, всей этой жизни в поездах и самолетах, в отелях и концертных залах, без постоянной точки возвращения, — которую, уж конечно, он мог бы себе позволить, которую мог бы выбрать и обставить по собственному вкусу. Дело, кажется мне, даже не в том, что бездомный Гидон — это глобальный Гидон, что такая вот жизнь без ПМЖ — один из двух радикальных трендов, предлагаемых современным разомкнутым, пронизанным информационными технологиями миром: можно, оставаясь востребованным и успешным, жить где угодно и вообще никуда не ездить, — а можно, оставаясь востребованным и успешным, ездить куда угодно и вообще нигде не жить. То есть это, наверное, красиво, и модно, и даже верно — но не в этом дело. Просто Гидон Кремер, далеко не юный уже мужчина с большим советским и несоветским опытом, великий скрипач, обремененный мировой славой, сложным персональным прошлым и бесчисленными личными связями, человек со множеством кровей и несколькими, на выбор, родинами, точнее и лучше других уловил, как можно со всем этим весомым бэкграундом оставаться невесомым подданным абсолюта, безвизовым жителем страны музыки.

Для этого нужно как минимум отказаться от любого иного подданства и от всякого прочего ПМЖ. Нужно не иметь дома и жить в движении. Ни от чего не убегая и ни к чему не стремясь. Чтобы этот мир ловил тебя, но не поймал, потому что ты перемещаешься непредсказуемей и быстрее, чем этот мир приучен.

И еще — сущая мелочь — нужно быть готовым платить. Собой, само собой. Но также и теми, кто оказался достаточно близко, рядом.

* * *

— Вы не жалеете об упущенных возможностях? — спрашиваю я его. — О семье? О том, чтобы видеть своих детей каждый день, чтобы ощущать их как свое продолжение?

Это очередной разговор в движении, в транспортном средстве, следующем из точки А в точку Б, в автобусе, кружащем по развязкам где-то между артистическим мегаполисом Вена и артистической деревней Айзенштадт. Маэстро Гидон смотрит на меня вполоборота с соседнего сиденья, и вид у него довольно хмурый.

— Простите, если это слишком личный вопрос, — на всякий случай страхуюсь я.

— Любой вопрос личный, — говорит он медленно. — Всякий вопрос — это вторжение. Надо только понимать, как далеко ты готов позволить вторгнуться... — он несколько секунд молчит. — Я... да, я сожалею. Сожалею, что моя профессия, моя чрезмерная озабоченность своим делом не дали мне возможности, не дали мне пространства быть семьянином, быть родителем в той мере, в которой я сам же считаю это необходимым. Если у меня был выбор между тем, чтобы посвятить свою энергию делу — или этим вот обычным радостям и горестям жизни, то чаще всего... не всегда, но чаще всего... я выбирал дело. Так что я в долгу и перед своими детьми, и перед своими возлюбленными, которым я обещал много, но не смог дать всего, что обещал и что сам считал нужным.

Он молчит какое-то время.

— Знаете, я, — продолжает он, — всю жизнь искал соратницу. Я не говорю, что такова и должна быть миссия каждой женщины. Но лично я искал ту, с кем можно идти длинную дистанцию вместе. Может быть, я сам недостаточно хороший соратник для других. Я вижу свою ограниченность, неспособность отдать человеку рядом со мной то внимание, которое стоило бы отдать, — именно ему, может быть, а не работе. Но дело не в моем тщеславии и не в моем трудоголизме. Просто у меня есть чувство, что я обязан выбирать так...

Он снова молчит. И заканчивает, улыбаясь кривоватой улыбкой, которая вполне пошла бы умудренному и стойкому дворянину д'Атосу, каким его описал сочинитель Дюма:

— Может, это своего рода болезнь.

— И вы — говорю я, — не страдаете от последствий своего выбора — хотя бы в том смысле, что он предполагает огромную степень публичности, всегда на виду и в окружении посторонних людей?

— Страдаю, — соглашается Кремер легко. — Но я страдаю меньше, чем те, кто этой публичности жаждет. Я ее не жажду, я от нее по возможности ухожу, я не тусовщик по натуре, я не ищу выгоды и влияния… Уже не говоря о том, что я не пью, и потому у меня не очень получается налаживать отношения с сильными мира сего, с теми, кто мог бы мне помочь финансово: поддерживать "Кремерату", скажем. У меня нет тех манер или того таланта, которые нужны, чтобы заводить влиятельных друзей. Вот Слава Ростропович был великим гроссмейстером этого дела. Я говорю это не с осуждением — с восхищением. А я не умею. Ищу помощи — но какими-то скромными самодеятельными методами. Знаете, даже такой дистиллированно чистый человек искусства, как Святослав Теофилович Рихтер, понимал, что дела всегда делаются за столом. А у меня сплошь и рядом просто нет сил остановиться, сесть за этот стол, оторвать от себя те крохи личного времени, которые мне нужны, чтобы подготовиться к программе или пообщаться с Гиедре. А ведь даже люди, которые искренне хотят помочь, меценаты, — им нужно взамен к тебе как-то приобщиться, им нужен личный контакт… Я их не обвиняю за это, они в своем праве! Но вот меня на это не хватает.

— А у вас, — спрашиваю я, — есть внутренний список того, что вы еще не сделали, но очень хотели бы сделать? Каких-то событий или поступков, без которых вам не хотелось бы представлять свою жизнь как целое… но их пока не случилось?

Великий скрипач Кремер откидывается на сиденье и качает головой.

— Списка нет, — говорит он. — То есть иногда я думаю, конечно: надо вот это успеть, и это, и еще это… Но — списка нет. Сделано очень много. И не потому, что делалось по списку, а потому, что делалось из последних сил. Или от восторга. Или от крайней необходимости. Я недавно обнаружил на одном ресурсе в Сети — есть такой сайт, rakastava.com, — свою дискографию. Она даже не полная, там нет последних дисков… Но там такое количество моих записей, что сам я смотрел и не мог представить: как же я всё это успел! А что еще надо успеть? Посадить дерево? Я посадил дерево, нас как-то с “Кремератой” попросили… Дочки у меня замечательные, даром что обделенные моим вниманием. Я столько всего успел… Это не значит, что я не хочу успеть еще что-то. Но программы у меня никакой нет. Мне не нужен второй оркестр, как многим моим коллегам, — у меня нет таких амбиций. Мне не нужны звания, как многим моим коллегам, — у меня и таких амбиций нет. Мне не нужно стремиться к тому, чтобы мой следующий диск продавался лучше моего предыдущего, — я думаю, что это всё суета… Если есть какая-то цель… — он вдруг улыбается, — то эта цель — выспаться. Найти такое место, где можно немного расслабиться. И научиться это делать — расслабляться.

— В общем, — уточняю я, отметив про себя, что из классической, затертой триады — посадить дерево, вырастить ребенка и построить дом — у маэстро Гидона Кремера дом как-то выпал, — нет ничего такого, несделанного, что снилось бы вам по ночам?

— Нет, — говорит он уверенно. — Ничего мне такого не снится. Вот разве что покой. Но и он мне тоже не снится. Потому что я вообще плохо сплю.

* * *

Когда я уже улетел из Австрии в Москву, мне рассказали короткую историю. Израильская филармония объявила программу на следующий, 2011 год. В этой программе есть и Гидон Кремер: 18 мая он играет Бетховена. И одна русскоязычная юзерша вывесила эту программу в своем ЖЖ с комментариями.

После имени "Гидон Кремер" там написано: "Скрипач. Обалдеть, я не знала, что еще жив".

Я подумал, что это довольно логично. Все-таки, как ни крути, в нашем мире надежнее и проще занимать стационарную позицию. Обрастать контекстом, заводить влиятельных друзей, делать дела за столом. Тогда никто не удивится, что ты, надо же, еще жив. Даже если ты будешь делать вдесятеро меньше, чем Гидон Кремер, скрипач.

Но скрипач Кремер выбрал куда более сложную и жертвенную стратегию, зато — позволяющую иногда добиваться почти невозможного. Стратегию непрестанного движения.

Есть, знаете, такая хитрая ящерица, которая умеет бегать по воде. У нее специальные перепончатые лапки, и ее секрет в том, чтобы бежать очень-очень быстро. Если она остановится, то утонет. Но она никогда не останавливается.

По науке эта ящерица называется шлемоносный василиск, а еще — иисус.

...А Гидону Кремеру, который тогда как раз двигался примерно из Милана в Люцерн, тоже рассказали эту историю. Не про ящерицу, само собой, а про ЖЖ русскоязычной юзерши и про ее удивленную реплику.

И Гидон Кремер включил эту реплику в свое шоу.

КАРТА БОДРОВА

Утопия Сергея Бодрова: глобальный советский

(2011)

Для Сергея Владимировича Бодрова, русского режиссера и гражданина мира — от аризонской пустыни до Москвы, от Старой Европы до таиландского острова — на ближайшие пару лет основным портом приписки станет Голливуд. У Бодрова там крупнотоннажный проект с прицелом на мировой блокбастер — героическое фэнтези под эгидой Warner Bros. и Legendary, с большими звездами в главных ролях и бюджетом в сто миллионов долларов. Сергей Бодров, таким образом, оказывается одним из двух (второй — Тимур Бекмамбетов) режиссеров-россиян, рекрутированных в коммерческое кино в качестве реального игрока высшей лиги.

Бодров, на минуточку, не только автор "Кавказского пленника" и "Монгола", но и человек, в конце семидесятых сочинявший сценарии для всенародных советских хитов: "Баламут", "Любимая женщина механика Гаврилова"... Бодрову в июне стукнуло шестьдесят три года, хоть он и выглядит гораздо моложе.

Как ему удается то, что не удалось не только ни одному представителю его кинематографического поколения, но и практически никому из представителей нескольких последующих?

* * *

— А это, надо думать, кинозвезда? — интересуюсь я, глядя, как белобрысая девица в мятой майке и мятых джинсах украшает автографом неопознаваемый постер, протянутый ей почтительным джентльменом средних лет. Мы стоим в очереди в банальнейшую на вид кофейню "Intelligentsia", спрятанную на одной из тихих улочек лос-анджелесского района Венис, Венеция то бишь. Впрочем, Бодров еще по дороге предупреждал, что может быть очередь: "Интеллигенция" в чести у обитателей района с богемно-беспутной репутацией.

— А что? — Бодров пожимает плечами. — Может, и звезда. Не исключено. Сюда, например, Дауни-младший регулярно ходит кофе выпить с тех пор, как в Венисе поселился, так что...

В своей кепке-бейсболке, черных очках в пол-лица, кроссовках и темно-синем спортивном костюмчике без опознавательных лейблов Бодров тоже совершенно не похож ни на кого из тех, кем является. Ни на русского (даром что спортивный костюм — но это какой-то другой, неправильный спортивный костюм), ни на русского режиссера, ни на русского режиссера, снимающего в Голливуде фильм, где в главных ролях будут Джефф Бриджес и Джулиана Мур, а продюсерская амбиция (за проектом стоят те же люди, что делали "Темного рыцаря" и "Inception") подразумевает ни много ни мало захват территории, в перспективе вакантной после выхода финальной части саги о Гарри Поттере. Потому что "Седьмой сын", вольная экранизация первого из цикла романов британца Джозефа Делани "Ученик ведьмака" ("The Spook's Apprentice"), — это тоже история юноши с магическими способностями, "седьмого сына седьмого сына", проходящего через жернова воспитания и испытаний.

Очередь подходит, мы обретаем свои латте с барочной композицией из пены, садимся за столик, и я задаю Бодрову очередную косвенную вариацию на тему главного своего вопроса: скажите, как вам это удается, Сергей Владимирович? этот серфинг по гребню волны нескольких киноэпох: советской, перестроечной, постперестроечной? эти причудливые виражи с выходом через Азию в голливудскую премьер-лигу?

Бодров прихлебывает кофе и снимает темные очки, делавшие его похожим на героя абсурдистской комедии про шпионов.

— Это всё не просто так, а из-за "Монгола", — говорит он. — "Монгол" и в мире-то вообще произвел хорошее впечатление, а здесь особенно. "Монгол" ведь такой hand made — здесь уже не делают такое кино; делать постановку такого масштаба вручную, без компьютеров, — сложно и дорого. Это была безумная авантюра: мы начали снимать, потом встали, потому что не было денег, год подождали, нашли еще деньги, попросили всех участников процесса приехать, они приехали… — никто так не снимает, никто. Но на местных кинолюдей эта авантюра хорошее впечатление произвела. Америка — очень простая страна. С очень простым главным принципом: сделай что-то! Можешь что-то маленькое сделать, можешь — если можешь — большое… И если ты сделал, перед тобой открываются все двери. А дальше главное — не ошибиться. Я уже один раз проходил это — с “Кавказским пленником”. После него все двери тоже открылись, но я ошибся. Теперь вот — снова… Надеюсь, что не ошибаюсь. Но не играть не могу. Вообще, знаешь, это как с теннисом. Если ты играешь в теннис, ты можешь быть чемпионом Мухосранска, и это прекрасно, — но попробуй сыграть где-нибудь в другом месте! На Уимблдоне, в Париже, на австралийском Оупене… Голливуд — место, где играют профессионалы. Кто лучше, кто хуже, но все профи. Поэтому есть азарт. Если ты хочешь быть в этом деле — значит, ты хочешь сыграть здесь. Деньги — это уже потом, хотя деньги тебе платят, конечно, и хорошие. Но прежде всего — азарт.

* * *

В азарте Бодров знает толк на самом-то деле. Из-за азарта будущий режиссер в свое время с позором был изгнан с факультета электрооборудования летательных аппаратов. Рожденный в Хабаровске сын врачей, он поступил на это самое электрооборудование, перебрав реестр желаемых профессий — от лесника и пожарного до журналиста; для журналистики препятствием тогда показалось заикание (Бодров по сей день заикается), ну вот и выбрал летательные аппараты. Но уже в старших классах школы стал играть в карты на деньги, и всерьез. Доигрался до полноценной лудомании с практически криминальными последствиями: воровал, вспоминает он, чтобы вернуть долги; у собственной бабушки украл все сбережения... Картежная страсть вскрылась, Бодров вылетел из института, чуть не угодил в армию: сам пошел, хрестоматийно просился в десант, не взяли, чуть не загремел в стройбат; спасла его добрая докторша, изыскав в крепкой бодровской челюсти несуществующий дефект, фатально несовместимый со службой в рядах вооруженных сил. Лишь после этого с азартными играми он завязал почти наглухо. Серьезный рецидив случился единожды, в Штатах, когда уже признанный режиссер Бодров остановился на ночлег в лас-вегасской гостинице, а утром спустился в казино — и проиграл всё, что у него было. Но однажды картежный опыт пригодился: в 1989-м Бодров взялся за начатый и заваленный другим режиссером фильм "Катала" — и сделал редкий для расхлябанных перестроечных времен крепкий триллер с молодым и харизматичным артистом Гаркалиным в роли картежника-виртуоза; не иначе знание материала помогло.

Азарт — правильное, нужное слово в ответе на вопрос “как у него это получается?”. Покончив с азартными играми, Сергей Бодров не покончил ни с игрой, ни с азартом. Не отключил — напротив, вывел в штатный режим этот авантюрный двигатель своей натуры, а без такого двигателя не бывает таких биографий.

Не попав в голубые береты, пошел работать осветителем на “Мосфильм”, начал сочинять, рассказы взяли на легендарную 16-ю полосу “Литературки”, где подвизались тогда самые вольнодумные и острые перья империи, от Горина до Горенштейна, закончил сценарное во ВГИКе, работал корреспондентом “Крокодила” и объездил полстраны в кондовых и увлекательных “командировках по письму”, пробовал так и эдак со сценариями — пока один из них в 1978-м не поставил режиссер Роговой, автор супершлягерных “Офицеров”, и фильм “Баламут” не огреб шестидесяти-, что ли, -миллионную аудиторию, нечастую даже по тем временам...

У него было несколько браков. От одного из них родился сын Сергей, за свою короткую, яркую и страшно оборванную кармадонской лавиной жизнь ставший сначала Бодровым-младшим, а потом заставивший говорить об отце — Бодров-старший. Другой брак — с американкой Каролин Кавальеро — не дал кинематографического эха, пусть по времени и совпал с первыми бодровскими “заходами на Голливуд на бреющем”. А нынешний союз с талантливым режиссером

Гукой Омаровой следствием имеет несколько кинодетищ, включая недавнюю комедию "Дочь Якудзы", последнюю пока в бодровской фильмографии.

Взращенная еще в детстве, над книжками про путешествия, охота к перемене мест не покидает Бодрова и сейчас, придавая ему невиданную, прямо-таки раздражающую журналиста (не угнаться ведь!) мобильность: вот он в Лос-Анджелесе, — а вот уже в Москве, — а вот в Риме, обсуждает новый проект с художником-постановщиком Данте Феретти, — а вот во Владивостоке в компании с главредом "Новой газеты" Дмитрием Муратовым, Дмитрием Быковым и прочими интеллектуалами, — а вот в Аризоне, где прикупил в свое время задешево двадцать с гаком гектаров пустыни, — а вот в Таиланде, где мечтает построить когда-нибудь домик на острове, потому что "Таиланд — это моя страна, там всё мое: люди мои, еда моя, я там вообще другой человек, вот побреюсь еще наголо — и буду сливаться с толпой, языка-то я не знаю, но глаза у меня — азиатские!".

Однако на одних азарте и авантюрной жилке далеко не уедешь; вернее, далеко-то можно — но нельзя долго. Придирчиво разглядывая бодровскую биографию, я думаю, что вижу в ней не столько своенравный порыв таланта, сколько упорство гибкого профессионала, способного входить в одну реку дубль за дублем.

Такова, кажется мне, история его прерывистого романа с Голливудом.

* * *

Впервые Сергея Бодрова, с середины восьмидесятых ставшего не только сценаристом, но и режиссером, принесло на Запад большой культурной волной перестройки. Бодров тогда снял фильм "СЭР" ("Свобода — Это Рай") про мальчика-детдомовца, и фильм оказался неожиданно востребован по миру. О серьезном прокате в Штатах речи не было, но фестивальная машина втянула Бодрова со свистом. И тогда же на него обратили внимание голливудские менеджеры и сказали: хочешь работать — давай, какие проблемы? Но он отказался: "Я сразу понял, что здесь интересно, но всё надо начинать с нуля. А этого я не мог и не хотел". И вернулся в Россию, которая быстро перестала быть вначале советской, а потом и кинематографической: ранние девяностые, кинопровал. Тут Бодров со своей тогдашней женой-американкой снова отправился в Штаты, включился в работу — соучастие в сценарии, первые гонорары, новое ощущение: "Я понял, что могу это делать, что нет никаких недоступных секретов, никаких непреодолимых различий, что по сути всё то же самое".

Понял — но все-таки не остался: по-настоящему крупный успех случился у него позже и в России. "Кавказский пленник" (1996) — вольная вариация на темы Льва Толстого и первой чеченской кампании, собравшая призовой урожай в России и вне ее, номинированная на "Оскар", упрочившая (вслед за михалковскими "Утомленными солнцем", 1994) статус Олега Меньшикова как главной постперестроечной русской кинозвезды — и впервые выведшая в кинозвезды Сергея Бодрова-сына. То есть мелькнул он уже в отцовском “СЭРе” в эпизодической роли трудного недоростка, но тут-то была вторая главная роль, ставшая по факту первой! В “Кавказском пленнике” впервые обнаружилось то, что позже на все сто сыграло в “Брате”, — дьявольски убедительная органика Бодрова-младшего, позволяющая преодолеть общее проклятье постперестроечного кино. Как ни оценивай “Пленника”, а младшебодровский потерянного поколения гвардии рядовой Иван Жилин не был фальшив. Год спустя — у Балабанова, в личине праведного убийцы Данилы Багрова, в осыпающемся Питере, под упадническую патоку “Наутилуса” — этот удивительный талант не фальшивить в насквозь фальшивое время сделает Бодрова-младшего последним идолом бывшего СССР, мстителем, всеобщим страшноватым, но справедливым братом; взлет из безвестных типов в национальные архетипы, которого никто более не повторил. А его отца, Бодрова-старшего, маховик тогдашнего успеха раскрутит на первый серьезный штурм Голливуда. И перед ним впервые откроются шустрые лос-анджелесские двери мирового кинобизнеса, и он в них войдет, и сделает беспроигрышный, казалось ему, выбор — проект “Running Free”, трогательная и красочная история про мальчика и коня, рожденных для свободы в неудачные времена Первой мировой, но в удачных декорациях Черного континента.

И беспроигрышный выбор обернется беспримесным провалом.

* * *

— Вроде я не совсем был наивный... — произносит Бодров с кривоватой ухмылкой.

Мы бредем по четырехкилометровому Venice Boardwalk, от Санта-Моники с ее засветившимся в дюжине блокбастеров пирсом к Марине-дель-Рей, где студия снимает Бодрову симпатичную квартиру с видом на яхтенную гавань. Шпарит прямой наводкой калифорнийское солнце, солнечный накал нивелирован сильным холодным ветром с океана; ветер вздымает с широченного пляжа песок, солнце превращает песчаную взвесь в золотистую дымку; вечный природный фотошоп обрабатывает рекламный плакат Калифорнии, последнего фронтира американской мечты, где золото приисков сменилось на золото Голливуда, но осталось золотом.

Мы бредем, и Бодров излагает мне историю своей неудавшейся голливудской конкисты — не без смака; в полном соответствии с личным кинематографическим кредо рассказчика, а не теоретика, он неярко и неохотно отвечает на абстрактные вопросы (“Как-то я об этом не думал...” — постоянный рефрен), зато истории — о да, истории даются ему хорошо.

— Мне много чего предлагали после “Пленника”, разные сценарии, — говорит он. — Например, картину с Траволтой, там на авиабазе убивают дочку командира, и Траволта прилетает расследовать...

— “Генеральская дочь”, — реагирую я. — Ее потом Мактирнан снял. Который “Крепкий орешек”.

— Да? А я не знаю, я только книжку эту читал в самолете... Я отказался. Картину с Мерил Стрип предлагали — она там умирает от рака всю дорогу, разговаривают все одинаково, мрачно, нудно... Отказался. А тут — “Running Free” (“Свободный бег”). Африка, мальчик, лошади. А я лошадей обожаю, с детства езжу, хотел быть жокеем, но ростом не подошел — слишком высокий, жокеи же маленькие все... Никаких кинозвезд, голову никто морочить не будет... Оператор из Дании, замечательный, с Гильермо дель Торо работал, с Шоном Коннери... Художник-постановщик — Вульф Крюгер, живая легенда, суперпрофи... Бюджет двадцать пять миллионов, в Африке инфляция — и это как здесь, в Штатах, семьдесят. Город целый выстроили, что ни скажешь — всё р-раз, и сразу есть... Дрим-тим, условия — тоже мечта. И простая, прекрасная история: Африка, Намибия, там немцы, они привозят лошадей морем — работать на рудниках, медных и золотых. А это 1914 год, и начинается война. Немцев атакуют, английские самолетики бросают бомбы... Это всё правда, так всё и было. И немцы из глубины страны бегут на берег грузиться на суда. А лошадей оставляют. Некоторые лошади выжили, и до сих пор в Намибии можно встретить их одичавших потомков. И вот внутри этой большой Истории — маленькая: мальчик-сирота, работающий на конюшне, жеребенок, у которого мама умерла в плавании, и вот начинается война, жеребенок остается один среди взрослых лошадей, там один могучий черный жеребец его ненавидит и всячески обижает... И абсолютно всё понятно без слов: годы проходят, жеребенок вырастает в огромного скакуна, побеждает своего злобного врага-жеребца, ведет табун лошадей в горы — он знает, где найти воду... Всё как надо, история трогательная, всё роскошно снято, прекрасные пейзажи, все писают кипятком, студия довольна, я работаю с монтажером, который "Одиссею-2001" с Кубриком и первого "Чужого" с Ридли Скоттом монтировал, постпродакшн в Лондоне, год там сидим, есть специальный человек, который ищет разное лошадиное ржание и подкладывает его под картинку... не жизнь, а восторг, сказка, так я не работал никогда. И вот ты заканчиваешь картину, и всё всем нравится, и ты привозишь ее в Лос-Анджелес.

Он делает паузу: мы уклоняемся от зомби-близнеца Моргана Фримена, голого (из одежды — лишь плавки и спиральные браслеты на руках, и то и другое — фальшивого золота) и с радиоприемником на плече, из приемника хрипят горячие новости.

— Что происходит дальше? — продолжает Бодров. — Тест-скрининг, даже не в Лос-Анджелесе, а в какой-то полной жопе с кинотеатром и моллом, куда нас везут два часа: Лос-Анджелес, считают студии, — это не Америка, а вот эта жопа — она Америка, да; соль земли, те, для кого и делается кино. Пятьсот человек в зале — родители, дети... Смотрят фильм. Президент студии и десять человек его помощников тоже смотрят, самолично, так заведено. Тут же — маркетинг: людей опрашивают, анкетируют, подсчитывают... И 79,9% говорят: нам понравился фильм. Картина, говорят они, необычная — хотя чего там необычного?! — но да, нравится, после картины можно поговорить с детьми. Это не супербомба, но хороший, перспективный результат. И встает мальчик, восемь лет. И говорит: мне вообще картина понравилась, только почему лошади не разговаривают? И вдруг все люди со студии на меня смотрят квадратными глазами: слушай, а почему у тебя лошади не разговаривают?! Я говорю: слушайте, ну это же по-другому всё надо было снимать, придумывать ход, а теперь — зачем всё это, ведь 79,9 — нормальный результат?.. Нет-нет, говорят они, Сережа, нам бы вообще хотелось 83,3, мы всё сами сделаем, ты езжай в Лондон, мы разберемся. Маркетинг мне говорит: нет, не надо этого делать, они идиоты! Я снова к ним — мол, вот и маркетинг... Они мне: ну, Сережа, да что они понимают, они столько ошибок делают!.. И вот в Лондон присылают текст: читать невозможно, идиотизм. И начинается тягомотина, переделки, просят сценариста, он требует, чтобы ему заплатили отдельно, платить ему не хотят, текст переделывают шесть человек, и я понимаю, что всё, фильм убьют. Ну и пожалуйста — провал, чудовищные рецензии, никогда таких не было у меня. И не будет!

Бодров энергично мотает головой, а я думаю, что ученик советской киношколы, в возрасте под пятьдесят дебютирующий с голливудским проектом на двадцать пять миллионов и терпящий неудачу, — о да, это вполне вообразимый сюжет. А вот он же тут же, но уже в возрасте за шестьдесят, получающий под свою руку голливудский проект с бюджетом уже в сотню миллионов, — так вот этот сюжет куда более экзотический. Это что-то из оперы "людей длинной воли", всех этих упертых завоевателей, вечно рвущихся к последнему морю, вроде любимого Бодровым Чингисхана. Но идущий рядом со мной сдержанный, спокойно-ироничный космополит, напрочь лишенный всякого фанатизма и всякой упертости, совершенно не стыкуется с этим сюжетом про "он поставил себе цель и добился ее во что бы то ни стало"... Всё тот же вопрос: как у него это получается?

* * *

Потом, уже в Москве, я перебираю то, что знал о Сергее Владимировиче Бодрове прежде, и то, что узнал за эти несколько дней: факты и фактики, ощущения и проговорки; и, разумеется (с мало-мальски состоятельными персонажами иначе не бывает), одни фрагменты пазла плохо сопрягаются с другими, портрет видится собранным из сплошных противоречий, под каким углом ни глянь.

Он на вид чертовски спокойный, расслабленный тип — проживший, однако, куда как бурную и насыщенную биографию, периодически отправлявшую в нокдаун, а то и в нокаут, — не такова ли нелепая и страшная гибель сына, Сергея-младшего, в Кармадонском ущелье в 2002-м? Когда сын счастливо становится коллегой и учеником, вдруг превзошедшим тебя в славе и быстро нагоняющим в мастерстве (Бодров-старший и сейчас уверен, что "Сёстры", на удивление ладный режиссерский дебют младшего, были всего лишь разминкой, а вот из "Связного", снимавшегося в Кармадоне, могло выйти действительно сильное кино), а потом исчезает под тысячами тонн грязи, камней и снега, впору утерять бойцовский дух. Но Бодров сумел глухо уйти в работу, в неподъемного "Монгола", — успев, впрочем, попробовать и другие методы; как-то он рассказывал, что после гибели сына, не в силах изменить реальность, пробовал менять ее восприятие при помощи галлюциногенных грибов — и восприятие, утверждает он, действительно и более чем осмысленно менялось; впрочем, об этом своем опыте Бодров распространяться не любит, полагая его и слишком личным, и попросту не поддающимся вербализации.

Он живет очень быструю и насыщенную жизнь, умудряется держать себя в отличной форме и выглядеть лет на пятнадцать моложе своего возраста, теннис-велосипед-плавание, молочно-ягодные шейки не в ущерб красному вину, трогательное доверие к гомеопатическим лекарствам, гармонирующее с ездой на экологичной "тойоте-приус" с гибридным движком.

Он любит Азию, снимает про Азию, часто работает и живет в Азии, охотно и неосуждающе причисляет к ней Россию, трактует Чингисхана в частности и историю вообще по пассионарному евразийцу Льву Гумилеву — и вместе с тем зримо являет собой едва ли не самого естественного, ненатужно-стихийного западника, какого я встречал; а уж недоброжелатели Бодрова точно держат его за русофоба, снимающего очернительские опусы исключительно "на потребу Западу" и "для европейских фестивалей".

Он делает такое кино, горячим поклонником которого я никогда себя не числил: оно казалось мне крепким (за вычетом пары-тройки явных неудач) и холодноватым, лишенным того драйва, по которому мы привычно и отделяем творцов от ремесленников. Время спустя, однако, оказалось, что это кино можно пересматривать не кривясь и не зевая, — вроде тот еще комплимент, но много ли кому из одногодков "Кавказского пленника" можно его адресовать? Теперь же, когда свежие претенциозные работы знаменитых бодровских поколенческих соседей, от Соловьева до Михалкова, вызывают даже у тертых критиков вестибулярный шок и лингвистическое удушье, а Бодрова тем временем без помпы рекрутируют в элитный цех ручной сборки на фабрике голливудских блокбастеров, эта разница кажется еще наглядней.

Он, казалось бы, ходячее воплощение слова "профессионал" — ну вот как аристократ Алексей Юрьевич Герман воплощает мем могучего, иррационального авторского гения, так прошедший снизу всю карьерную лестницу: осветитель, сценарист, режиссер, — Бодров персонифицирует образ скромного технолога с набитой рукой, способного взяться за мелодраму, комедию, байопик: не “автор”, не творец — ремесленник-хамелеон. Сам себя профессионал Бодров при этом полагает дилетантом — именно дилетантизм, объясняет он мне, создает тот кусочек пустоты внутри, который можно и интересно заполнять чем-то новым. Кажется, он говорит это искренне, без кокетства.

У него имеется гражданская позиция — Бодров подписывал письма в защиту Бахминой и Ходорковского, вот и со мной не раз заговаривает о том, что сейчас всякому приличному мастеру культуры время определяться — с кем он; что его радует социальная активизация интеллектуалов вроде Акунина или Улицкой, и “Гражданина поэта” Быкова и Ефремова он смотрит с наслаждением и считает более весомым вкладом в воспитание гражданского духа, чем десяток митингов; что его печалит инертность молодых коллег, не могущих или не желающих отлить свой диагноз происходящего в России в жесткую и весомую форму искусства, что он бы и сам, не будь глухо занят в других проектах, снял бы нынче прямо политическое кино (тут Бодров даже прозрачно, хоть и без подробностей, намекает мне, что движется в этом направлении — и сослагательным наклонением дело не ограничится). И, однако же, в работе своей он всегда уходил от социальной конкретики в область универсально-человеческого, мифологически-обобщенного: не только в советские годы, когда многие толковые профессионалы скрывались в жанровую отдушину, но и сразу после, когда общественное громогласие сделалось хорошим тоном. Ведь даже и “Кавказский пленник”, конечно, не про реальную “первую чеченскую” с ее запредельной жутью, грязью и перекрестным предательством, но про что-то куда более вневременное и повсеместное, равно толстовское, киплинговское, гомеровское: когда сильный с сильным у края земли, и все победители и жертвы правы по-своему — и неправы одинаково... Всё это про миф, разумеется, про миф — и не зря это слово у Бодрова из самых употребимых.

* * *

— То, что я сейчас буду снимать, — говорит он, когда мы сидим в его офисе (неприметный дом в даунтауне Санта-Моники, кабинет бодровского продюсера из “Леджендари” с простым американским именем Бэзил Иванюк), — это в первую очередь зрелище, да. Но мне оно интересно тем, что по сути оно миф. Я люблю миф, мифологическую конструкцию — греческую, языческую, вечную. Миф ведь и требует зрелища, миф — это большая история, большие страсти, большие приключения, большое кино. Медея, убивающая детей, Одиссей, ищущий дорогу на Итаку... В “Седьмом сыне” меня привлекает возможность дать мифологическому сюжету адекватную форму. Потому и ведьмы... Мне не хотелось делать второго “Гарри Поттера”, хотелось что-нибудь более dark. Я вот задал себе вопрос касательно ведьм: вопрос о том, откуда берется Зло. О том, привнесенное ли оно, пришедшее к нам со стороны — или нет. Я думаю, нет. Это мы создаем Зло. Я уверен, что ведьмы — это те тысячи и тысячи невинных людей, что были сожжены в Средневековье, что под пытками признали свою вину в колдовстве и связях с Нечистым. И вот они возвращаются. И теперь — да, теперь они ведьмы. Мстящие за то, что с ними сделали, принявшие ту личину, которую им некогда навязали. Мне нравится, что мир этой истории — не черно-белый, что все по уши в дерьме, что всем надо расплачиваться за свои грехи. Мне нравится, что это история мифологическая. Миф в своей обобщенности, в условности своей вообще дает большую свободу.

Тут его прерывает звонок кого-то из продюсеров; на своем бодром, но фонетически разлапистом английском Бодров обсуждает проблему кастинга на роль молодого героя — какого мальчика брать: того, который только что сыграл в четвертых "Пиратах" с Джонни Деппом, того, который снялся в свежем проекте Тима Бертона, или еще какого-нибудь мальчика, не успевшего прыгнуть в суперстары? "С ними проблема в том, что они сходят с ума, — сообщает он доверительно, нажав отбой. — Вот только что ты с ним говорил, и он еще был нормальный. Но выходит картина, огромные сборы, слава — и всё, спекся, сдвинулся по фазе: я кинозвезда! И не только он сдвинулся, и, может, даже не столько, — но все эти люди вокруг, агенты, которые начинают ломить сумасшедшие деньги. Так что будем еще молодых смотреть, тех, кто пока не сошел с ума. Пусть после нашего фильма сходят. Будет уже не жалко".

Бодров ухмыляется и тащит меня в соседнюю комнату, где стопкой у стены свалены эскизы к будущему "Седьмому сыну": ведьма, висящая в ореоле пламени, как космический посадочный модуль в атмосфере, какие-то боевые медведемонстры в сбруе и ростом с баобаб, храм неведомого бога — компромисс между Ватиканом и звездолетом, сновидческий город, парящий над гаванью…

— Мне после "Монгола" огромные картины предлагают, — жалуется-хвастается Бодров, когда мы возвращаемся в кабинет Бэзила Иванюка. — Что-нибудь на сто пятьдесят миллионов. И говорят: снимешь за семьдесят? Я говорю: ну как я вам сниму за семьдесят, когда тут однозначно сто пятьдесят?! Они говорят: ну ты же снял картину, которая выглядит на сто, за двадцать!.. В Голливуде сейчас тоже все стараются снимать дешевле, все стали осторожнее — отголоски финансового кризиса… Но вот на этом проекте восемьдесят пять миллионов — этого мне достаточно. Тем более когда говорят: восемьдесят пять, если ты в итоге потратишь сто, все будут вполне довольны… Снимать будем в основном в Ванкувере — там огромные студии, и не все заняты, как в Лос-Анджелесе и Лондоне, плюс налоговые скидки, плюс еще очень красивая натура — горы, леса, — всё рядом; мы там выстроим наш город... Но еще будем снимать и где-то в Африке или Южной Америке. Нужна разная натура, чтобы создать пестрый и объемный мир. Я вот полюбил пустыню. Пустыня — в ней есть образ... Понимаешь? Я не могу ничего снять про русскую деревню. В ней грибы хорошо собирать, это да, но в лесу — в лесу ты нихрена не видишь. Пустыня, степь, пампасы — другое дело. Там вот он, маленький человек, — и вот оно, пространство, мир, вечность. А в лесу мира нет. Ты слеп. И образа визуального нет. Это ведь очень русская такая штука — ничего не видим и видеть не хотим. Максимум — просеку вырубим, потом зарастет она... Ландшафт и национальная психология ведь напрямую связаны, нет?

У него непростые и нелинейные отношения с национальной психологией и породившим ее ландшафтом, у этого страшного обладателя двойной репутации евразийца-гумилевца и русофоба-западника. И с тем синематографом, который выстраивают на месте павшего советского кино-Рима новые гунны и готы, — тоже непростые и нелинейные.

И тогда я снова возвращаюсь к разговору о другом кино — отчего же все-таки, спрашиваю, именно трижды проклятый антиглобалистами и интеллектуалами Голливуд по сю пору остается единственным поставщиком всепланетных хитов — не в одних же финансовых мощностях дело?

— Голливуд, — отвечает Бодров, и в его глазах вспыхивает огонек искренней увлеченности, — создавали иммигранты, в том числе евреи, приехавшие из России и Восточной Европы. Люди, плохо говорящие по-английски. И вот они увидели это самое кино. Простое, понятное зрелище, увлекательные истории, трогающие каждого. Универсальные. И они поняли, что в это можно вкладывать деньги. Они — авантюристы, лавочники, сборщики мусора, портные, кто угодно — стали это делать. Сначала на Восточном побережье, потом двинулись в Калифорнию, где хорошая погода, — а для кино это важно, тем более было тогда... Я изучал всю эту историю, мне были интересны биографии всех этих людей: Голдвинов, Мейеров... В двадцатые годы Лос-Анджелес был небольшим и сонным городом, и здесь киношникам не были рады, к ним относились как к цыганам из табора. Я читал в тогдашних газетах объявления в разделе сдачи жилья, там писали: "No pets, no movie people!". Это отношение изменилось в течение пяти-шести лет. Начался бум, началось производство, большие деньги, и киношников никто больше не приравнивал к кошкам и собакам. И этот бум — он продолжается до сих пор, кинопроизводство — один из прибыльнейших бизнесов, простодушные американцы всё так же любят кино — пожалуй, так любили его только еще в позднем СССР, но мы перестали, а они нет. И балаганная сущность этого искусства осталась прежней, как бы ни усложнялись формы и технологии. Это по-прежнему тот самый паровоз, который прибывает на станцию — и заставляет людей в зале распахнуть варежки в восхищении. А то, что паровоз теперь в 3D и что это не паровоз, а какой-нибудь космический крейсер, — это на сущность не влияет, согласись. В человечестве сохранилась потребность удивляться, желание смеяться, необходимость сопереживать. И американцы, понявшие интуитивно еще тогда, как работают истории, продолжают снимать лучшие истории на свете.

...Наверное, в этом искреннем восхищении коммерческой и творческой сметкой пионеров Голливуда и кроется ответ. Потому что заочные бодровские соперники присягали разному. Особенностям национального искусства; памяти детства, бархату и стали Родины; личному самораскрытию до донышка последнего сновидения; желанию срубить бабла, наконец, — самый скучный, но, кажется, самый распространенный на сегодня вариант. А Бодров присягнул тому катехизису, в котором записано, что кино — это балаган и бизнес; что люди должны получать от него удовольствие и платить за него деньги; что люди готовы платить деньги за поразительные, смешные, страшные истории; что вековой давности поезд и сегодня каждый день прибывает по расписанию.

Он присягнул этой идее — и это ни разу не сделало его лучше или одареннее других, но, кажется, сделало универсальнее.

Ну и везение, да. Куда же без везения.

* * *

Когда мы с Сергеем Бодровым сидим в его офисе, в кабинете продюсера Бэзила Иванюка, где по стенам развешаны дипломы за Неимоверные Достижения и Невообразимый Вклад, Бодров рассказывает мне про последний телефонный разговор с сыном. Сергей-младший был уже в Кармадоне, и речь у них с отцом зашла о Карлосе Кастанеде. Отец пожаловался на непереводимость: есть у Кастанеды такой важный образ, Warrior. Вот идет по пустыне некто — и вдруг упирается в высоченную, бесконечно уходящую в обе стороны стену. И если некто — обычный человек, он принимается идти вдоль стены в поисках двери, или, скажем, рыть подкоп, или вовсе поворачивает обратно. А если он Warrior, он берет — и просто перепрыгивает эту стену. И отец заметил, что буквального перевода — "воин" — совершенно недостаточно для выражения сущности такого необычного человека. А сын мгновенно откликнулся: ну как же, пап, это же проще простого. Избранный, само собой.

После этого отец и сын поговорили еще о чем-то, попрощались — и больше не разговаривали уже никогда.

Он рассказывает мне об этом, а я думаю, что Бодров-сын и впрямь мог оказаться этим самым Избранным, брезжило что-то такое за его стремительным взлетом на фоне общего обвала. А вот Бодров-отец, конечно, ни в одном глазу не Warrior.

Он не умеет перепрыгивать стены. Его дар, большой он или малый, совсем в другом.

Он в том, чтобы ощущать: большинство стен — неважно, между Западом ли и Востоком, Россией и Европой, советским и постсоветским, правым и левым, ретроградным и прогрессивным, высоким и низким, жанровым и интеллектуальным, авторским и коммерческим, “Мосфильмом” и Голливудом, — существуют исключительно у нас в голове.

И еще — в том, чтобы жить в соответствии с этим ощущением.

МИР ДЕЛИТСЯ НА МАГГЛОВ И ВОЛШЕБНИКОВ

Утопия Веры Полозковой: зарифмуй это (2012)

Для одних она — безоговорочный номер раз из всех "молодых поэтов" России. Для других — столь же безусловно дутая величина. Крайности — это вообще про нее: оценки — так полярные, страсти — так взрывные, активность — так бешеная. Стихов у нее сотни, подписчиков у ее блога — двадцать шесть тысяч[1]. Она получает литературные премии, играет в театре, светится в телеящике, выступает на "Нашествии", колесит с гастролями по стране, мотается в Индию, участвует в миллионе затей. Словом, много успевает — и многое успела: Вере Полозковой всего-то двадцать шесть.

— Жизнь — это творческий задачник: / условья пишутся тобой. / Подумаешь, что неудачник, — / и тут же проиграешь бой, / сам вечно будешь виноватым / в бревне, что на пути твоем; / я, в общем-то,

[1] К 2016 году – гораздо больше; так, на инстаграм Веры подписаны 50 тысяч, "ВКонтакте" — 125 тысяч подписчиков, и т.д.

не верю в фатум — / его мы сами создаем; / как мыслишь — помните Декарта? — / так и живешь; твой атлас чист; / судьба есть контурная карта — / ты сам себе геодезист.

Это театр “Практика”, День святого Валентина, последний прогон поэтического спектакля “Стихи о любви”. Вера Полозкова сидит по-турецки (на джинсовой коленке художественная прореха) на скупо освещенной сцене перед пустым залом и ровно, немножко устало читает свое шестилетней давности стихотворение. Бери выше, поэтический манифест — там дальше всё на том же градусе скорее стопроцентного серьеза, чуть закамуфлированного самоиронией, нежели наоборот: “Пусть это мы невроз лелеем, / невроз всех тех, кто одинок; / пусть пахнет супом, пылью, клеем / наш гордый лавровый венок. / Пусть да, мы дураки и дуры, / и поделом нам, дуракам... / Но просто без клавиатуры / безумно холодно рукам”. Не крутовата ли лирическая поза, не смешно ли эдак декларировать-то красивой и здоровой двадцатилетней девице, а уж первая строчка — “А факт безжалостен и жуток, / как наведенный арбалет: / приплыли, через трое суток / мне стукнет ровно двадцать лет” — вообще какой-то сам себе подмигивающий шевалье д’Артаньян: ах, много, сударь, осьмнадцать!.. Или не смешно? — в конце концов манифесты только желторотые и пишут, много о себе понимающие. И вообще мы как-то забываем, что поэзия — дело молодых, лекарство против морщин, почти как рок-н-ролл: ремесло, где в высшей лиге, в пантеоне временно бессмертных, на каждого великого старца приходится трое катапультировавшихся из профессии, а то и (сплюнуть через плечо) из жизни до тридцати, максимум — сорока.

В эту оценочную амбивалентность укладывается — "с нежностью Прокруста", ага, — вообще вся жизненная траектория Веры Полозковой, ее творческая биография и ее success story. Немножко вундеркинд — стихи пишет с пяти, на журфак МГУ поступила в пятнадцать, тогда же в подарок на день рождения получила свой первый, самоизданный (тиражом триста пятьдесят экземпляров) сборник. Первый настоящий сборник с кокетливым названием "Непоэмание" в 2008-м в своем "Геликоне" издал мэтр Александр Житинский, с Полозковой познакомившийся через ее блог, — Вера к тому моменту была уже востребованным и стремительно растущим фигурантом ЖЖ (завела блог в 2002-м), успешно участвовала в слэмах, приобрела репутацию первого поэта Рунета, армию восхищенных фанатов (в первую голову фанаток) и устойчивую группу убежденных ненавистников. Ну и дальше по нарастающей — вторая книжка ("Фотосинтез"), внимание критиков и собратьев по цеху, снисходительно-одобряющее или ядовито-уничижительное, интервью, теле- и радиоэфиры, слава "эстрадного поэта" — "что поделаешь, человек умеет читать стихи", заметил в 2009-м в Верин адрес коллега Дмитрий Быков, — и слава "девочки наизнанку", конвертирующей свою лирическую жизнь, поэтическую и личную, в непрерывное реалити-шоу в ЖЖ.

Премии — “Поэт года ЖЖ”, “Неформат”, премия Риммы Казаковой... Восторги: беспримесная свежесть, несравненная искренность, прорыв, vero4ka forever. Обличения: пошлость, банальность, вторичность. И — нечастые попытки спокойного профессионального разбора.

Да, отчетливый инфантилизм, надрывная лирика — слишком для девочек, слишком про мальчиков (“я ненавижу, когда целуются, если целуются не со мной”, и так далее), и самолюбование местами, и многословие часто, и наивный романтизм (“свобода же в том, чтоб выпасть из вертикалей, понтов и регалий, офисных зазеркалий, чтоб самый асфальт и был тебе пьедестал”, и тому подобное) — но и неожиданная гибкость, четкость, точность версификации, сильная и умная техника, неюношеская уверенность. Да, всеядность, перебор общих мест, реестр слишком явных влияний — но и несомненная узнаваемость собственного голоса, трезвость и резкость взгляда, даже когда взгляд фиксирует сугубые тривиальности. Да, но...

У самой неугомонной Полозковой между тем “да — но” менялись, и довольно стремительно. Она росла в жизни и в стихах (хотя теперь арбитры вкуса говорят, что растеряла свежесть, — правда, это говорят всегда и про всех). Она ссорилась с одними старшими товарищами (в том числе с теми, кто, как принято выражаться, “открывал ее дарование”) и заводила дружбу с другими (например, с режиссером и культуртрегером Эдуардом Бояковым, который сейчас явно занимает в системе ее творческих и жизненных координат важное место). Она решила наладить свои отношения с миром, начав с себя, для чего занялась йогой, села на диету — и окончательно превратилась в хрестоматийную русскую красавицу: рост за метр восемьдесят, широкие плечи, стать, стан, русая копна, глазищи, губищи, здоровый румянец, проступающий сквозь здоровый загар. Она высадилась на новых для себя плацдармах — сначала театральном, а потом и музыкальном. Об этом она рассказывает мне, когда мы сидим в кафе на Большой Никитской: что деньги теперь зарабатывает таким вот негаданным — концертным — способом, что собрала с друзьями и соратниками музыкальный состав положить свои тексты на музыку, не рок, не рэп, но что-то вроде, думала — на раз, ну ненадолго, а оказалось иначе. Записали пластинку, выступили на "Нашествии", а потом минувшей осенью были гастроли по клубам в двенадцати городах — самая большая аудитория была в Питере, девять сотен человек[1].

— Нереальная цифра для девочки, которая стихи приехала читать, — говорит она с удовольствием. — Мне вот кто-нибудь скажи: ну, телка выходит на сцену с чуваками, они играют, она стихи читает, — я бы точно не пошла.

Тут ей как раз приносят вареники с вишней, и поверх вареников она объясняет, что поэзия, увы, дискредитированное ремесло, прочно ассоцииру-

[1] К настоящему моменту всё это выросло в несколько полноценных программ-концертов и гастроли по всей России, десятки городов, и в каждом – полные залы.

ющееся в массовом сознании со скучными, сильно пьющими занудами-невротиками, — и не вполне последовательно цитирует Линор Горалик: мол, поэзия ровно такое же ремесло, как все прочие, не менее и не более важное для общества, и не стоит ее сакрализировать.

— Может, — осторожно говорю я, — штука все-таки в том, что меняется не столько само ремесло, сколько градус его социальной востребованности? Было время, когда поэзия оказалась включена в активный обмен веществ общества, и поэты стали рок-звездами, — а теперь не так, сместился фокус, вот и кажется, что в сухом остатке плохо одетые зануды-невротики?

— Слушай, если ты владеешь белой магией и можешь миры делать из слов — что ж ты не такой крутой, что можешь сделать себя социально востребованным, когда ты этого хочешь? Разве любая трансформация жизни не должна начинаться с тебя самого? Я не верю в талантливых людей, которые не в состоянии победить свои психозы, неврозы, аутические припадки и всю эту фигню, которая мешает им быть востребованными: ну и зачем тогда вся эта белая магия? У меня вызывают физическую аллергию люди, которые всю жизнь жалуются, что до них никому нет дела, хотя они самые крутые и талантливые. Чувак, может, стоит сделать что-нибудь с собой? Пойти купить свитер какой-нибудь человеческий, чтобы люди не отводили глаза, когда на тебя смотрят? Я понимаю, конечно, что банальности жуткие говорю, но всё же.

— Почему же у многих вроде бы талантливых людей не получается эти твои банальности осуществить? Что, скажешь, сами не хотят востребованности?

— Осознанности не хватает. Знаешь, вот одна восемь лет живет с чуваком, который ей изменяет, и очень от этого страдает, а другой годами ходит на ненавистную работу, а на самом деле — всё это явления одной природы и причины.

— Ну, это как раз понятно — люди часто не просто привыкают к своей несчастности, но и подсаживаются на нее, начинают получать даже что-то вроде удовольствия...

— Но тогда можно я не буду этому сочувствовать? Потому что это не вызывает у меня ни грамма симпатии вообще. Я много делаю для того, чтобы не быть жалкой. Это большой и осознанный труд, о'кей?

— А ты что, никогда в жизни не становилась заложником какого-то своего состояния, которое тебе самой не очень-то нравится?

— Да я всё время была заложником! Я нормальный честолюбивый подросток, который поступил на факультет журналистики в пятнадцать лет, — а все мои сокурсники были года на три-четыре старше, — и подвергался та-акому троллингу! Так что я прошла довольно суровую школу злословия. И моя мама, которая растила меня одна, до упора не понимала, чем я вообще занимаюсь. Вообще, знаешь, Роулинг очень круто угадала с магглами и волшебниками. Мир действительно делится на магглов и волшебников. Это не значит, что кто-то тут круче. Просто волшебник смотрит на то, как работает тостер, и теряет голову — но при этом может трансфигурировать. А маггл рассчитывает длину реечки, покупаемой в "Икее", исходя из количества куртоочек в активной носке, поэтому у него всегда всё помещается, но при этом он не может понять, почему одна книжка встает у него комком в горле, а другая вообще не торкает. И путем очень долгих опытов я поняла, что этим людям, магглам и волшебникам, нельзя жить вместе. Если ты волшебник — не пей, не дружи и не спи с ментом, юристом, продавцом, менеджером, маркетологом и любым другим человеком "тру-маггловских" занятий. Просто это разные породы, и будь, пожалуйста, готов к тому, что при какой угодно сильной любви на тебя рано или поздно посмотрят и скажут: слушай, а когда ты, наконец, работать пойдешь? И у меня в этот момент заканчивается всё. А мама — честный, умный, очень добрый маггл. Который родил меня в сорок лет и которому хотелось, чтобы всё было хорошо и правильно. Так что выдирались телефонные провода, по которым я подключалась к интернету и сидела там по восемь часов в день, и вообще много всего было…

Понимаешь, мне же очень много было нужно от жизни. И раньше любые отношения, в том числе любовные, воспринимались соперничеством. И с мамой: я поняла, что не могу и не хочу больше воевать — потому что нам осталось совсем немного времени вместе, и если я это время проведу в войне, то какой же я тогда сильный практик? И оказалось, что кончилась шкала, по которой мне всегда было с кем бежать. Я прибежала в какое-то место, где никто, кроме меня, не бегает. Я тогда очень четко поняла, что во мне для этой новой жизни, где нет постоянного потока безбашенного общения, тусовок до шести утра и прочего прекрасного наркотизирующего безумия, просто отсутствует структура. А я видела очень сильных практиков, которые в любом состоянии и в любой ситуации не теряют чувства направления, помнят, куда они шли. И сейчас я регулярно задаю себе этот вопрос: так, а кем же я хотела стать, когда вырасту?

— Вот ты выросла и стала как минимум человеком, у которого есть общепризнанный статус поэта, вдобавок он не зануда в плохом свитере, а красивая девушка в хорошем, блогер-тысячник и вообще, считай, звезда. Многим эта карьера кажется сногсшибательно успешной. Нет?

— Ну, я-то отлично помню это ощущение — когда мне каждые полчаса звонил кто-нибудь и спрашивал: ну вот, Вер, ты ведь не расстраиваешься, что такой-то очередной мудак про тебя то-то и то-то написал? И я говорила, конечно: не, не расстраиваюсь! Ага. А ведь я никогда ни у кого ничего не украла, не была ни продюсерским проектом, ни богатой папенькиной дочкой — я просто работала, занималась тем, что мне нравится, и всё. Я не понимаю, за что это было. Ведь мы же люди исчезающих профессий, мы поэтому должны держаться вместе, цеховая солидарность как минимум должна быть! Я вообще такой немного наивный филиппок, я со стороны пришла, у меня в роду сплошные строители да инженеры. И я помню — меня поразило, с каким сладострастием стали меня топить, девятнадцатилетнюю. Мне потом замечательный человек и критик Саша Гаврилов говорил, что в России это такой обряд инициации, немножко растянутый во времени.

— Форма дедовщины, стало быть?

— Ну да. И как бы если ты не умер, когда мы тебя купали в скипидаре и ядовитой слюне, то ОК, нет вопросов, добро пожаловать в племя. Наверное, отчасти поэтому я физически разлюбила читать тексты плохих людей. Стала испытывать к ним необъяснимое отвращение.

— Тексты плохих людей — это какие? То есть клинику давай вынесем за скобки, но вот Лимонов, например, которого я очень ценю, — он что, "плохой"?

— Лимонов... Неприятный. По-человечески, по-мужски. И вообще, когда понимаешь, какая на самом деле сила у слов, тебе больше не хочется ни читать, ни писать отвратительных и тяжелых книг. Сила у слов в умелых руках магическая. И начинаешь осознавать, как важно, чтобы эта магия была белой. Начинаешь восхищаться людьми типа БГ, потому что вот он — тот провод, по которому добро четко и бесперебойно поступает в мир.

— Постой, ты вот раз за разом ставишь знак равенства между человеком и тем творческим продуктом, который он выдает. Разве это так работает вообще?

— Но я действительно не считаю, что это какие-то абсолютно разные вещи. Вот, например, люди, живущие в интернете. Меня всегда поражало, как человек умудряется стать виртуальным гуру, оставаясь при этом обрюзгшим, лысеющим и не засыпающим без бутылки вискаря, потому что если ты такой сильный практик, то это же не может быть только в одном измерении! Меня поэтому и политические склоки не занимают: мне кажется, надо начинать с себя всегда. Маме хамить перестань — и станет лучше в стране, правда. На твоих глазах.

— Вер, ну это субъективный идеализм какой-то. Я давно стараюсь не хамить и знаю многих других, кто старается, и успешно, а в стране лучше как-то не стало.

— Но в моем персональном случае всё именно так. Просто если у человека становится всё в порядке, то он не может не начать делать это "всё в порядке" всем непосредственно окружающим его людям. И так по цепочке. Просто, может, общий уровень настолько катастрофический, что мы таким способом мало что меняем?

— Так я о том же: я сто раз слышал эту историю про "начни менять жизнь с себя", но даже если тут возникает "принцип домино", то он явно имеет ограниченный радиус действия. Пять процентов меняют жизнь с себя, остальные девяносто пять совершенно не в курсе.

— Но тогда наша первоочередная задача состоит в том, чтобы этих процентов стало пятнадцать. Двадцать. Я абсолютно стою на том, что человека ничему невозможно научить ничем, кроме как собственным примером.

— Да его, может, и не надо учить, а надо ему поменять содержание социального договора?.. Но, получается, вся эта тема митингов и новой социально-политической активности, Болотная, Сахарова и так далее — она не твоя совсем?

— Она не может быть не моя, потому что там все, абсолютно все мои друзья. Но в реальную эффективность происходящего я не очень верю. Не очень конструктивная фигня, хотя и эффектная.

— Ты не считаешь, что бывают ситуации, когда надо не договариваться, а именно что раскачивать лодку? Я сейчас даже не о реальном результате — он под большим вопросом, — а о выборе непозорной линии поведения?

— Слушай, ну вот я, по-честному, девочка, которая большую часть своего времени проводит за мытьем посуды и всем таким прочим. Я не очень понимаю во всем этом. Но когда я слышу все эти разговоры — мол, бесполезно договариваться с грабителем, который забрался в твой дом с дубинкой, мол, "настоящая власть у вас, а не у них", мол, надо навалиться, свалить и так далее... — меня это пугает. Правда. Я не могу представить себе свою жизнь в условиях гражданской войны. И никто из тех, что стоят сейчас с плакатами, не готов голодать и менять фамильное серебро на хлеб. Ну а в таком случае, ребята, вы не отвечаете за базар.

— А альтернатива какая? Не надо революцию, надо эволюцию? Тебе кажется, что эти вот медленные перемены в жизни страны идут в каком-то оптимистичном направлении?

— Ну, стилистически ведь жизнь меняется. Все-таки людей перестало интересовать исключительно выживание. Но почти никто по-прежнему не умеет и не очень хочет работать. Все эти революционные порывы были уже восемь тысяч раз, ну давайте сделаем хоть раз в жизни поумнее! А людей, которые готовы к осмысленному созиданию, к долгому и трудному движению небольшими шагами, к мучительному ремонту нашей обшарпанной жизни, — таких людей я наблюдаю, увы, очень мало. И в толпе на митингах — тоже. При том что толпа эта правда мне симпатичная и на удивление вменяемая. Но вот среди лидеров этих симпатичных ребят тебе лично кто-нибудь что-нибудь по-настоящему вменяемое предложил?

— Мне лично — скорее нет.

— Ну вот и мне тоже — нет. Пока это звучит скорее так: они там все мудаки, я пиздатый чувак, хочу умереть. Ну и что? Я вообще людей политики воспринимаю... по-пелевински: мне кажется, они, чтобы в это пространство попасть и там жить, перестают быть вполне людьми, как будто им кровь на машинное масло меняют... Я в принципе все составляющие стандартной человеческой мечты — богатство, слава, мировое господство — считаю ужасным, чудовищным испытанием. Я видела людей, которых деньги подрубили на корню. Я видела людей, которых слава превратила в зомби.

— Ну раз уж мы с митинга вернулись к персональной славе: ты-то сама не боишься стать заложником собственного желания нравиться, быть востребованной, успешной, звездой — а не лузером в плохом свитере?

— Конечно, иногда мне казалось, что я начинаю вестись на этот... груз ожиданий. Вот сидит кружок хороших людей, смотрит на тебя и говорит: ну давай, дай нам то, чего мы ждем! И я реагирую на это ненасытной шоуменской частью себя — ну что я буду отрицать, она у меня, конечно, есть, и публичная деятельность доставляет мне отдельный острый кайф. Но я хорошо понимаю, что если ты на этот кайф садишься, то через пять лет тебя уже фактически не останется. Я не могу и не умею уходить от этой опасности в полное одиночество, как та же Земфира. Я, в конце концов, экстраверт, я коллективное животное, мне нужно, чтобы была я, а вокруг куча единомышленников. Но в какой-то момент я с собой серьезно поговорила — и поняла, что в самом комичном факте славы нет ничего такого особенного. Что это ровно такой же инструмент, как всё остальное: как бабло, связи, возможности. Вопрос в том, как ты его используешь, и только.

— Хочешь сказать, что самодовольство — не твой грех?

— Самодовольство — это когда тебе никогда не был интересен никто, кроме тебя самого, и вот ты наконец вырастил себя окончательно охуенного. Но в мире есть масса вещей гораздо увлекательнее того, чтобы обставить себя мулатами с опахалами и девочками, которые обцеловывают тебе ножки. Я, конечно, стопроцентный эгоист и эгоцентрик, как любой поэт, но все-таки мне про людей гораздо интереснее, чем про себя. И еще: никто ведь не знает, какая адова печь у меня внутри работает, насколько ей всего мало и насколько ей всё "не то" и "не так". И от этого ощущения до звездной болезни, по-моему, несколько световых лет.

ПИСАТЕЛЬСКИЙ КУРС

Утопия Михаила Шишкина: другой посол Другой России (2014)

Книги Михаила Шишкина переведены на тридцать языков, у него есть премии "Большая книга", "Нацбест" и "Русский Букер", а сам он около двадцати лет живет в Швейцарии. Пережить всё это коллегам по цеху удается с трудом. Чем еще Шишкин не угодил русским писателям?

Из всех литературных претендентов на должность и.о. консолидированного русского Толстоевского XXI века у писателя Михаила Шишкина, определенно, лидирующая позиция. Западные рецензенты, правда, чаще поминают в сравнениях Чехова, Бунина и Набокова, но: а) стилистически это только комплимент, могучие старцы явно брали не филигранностью словесной выделки; б) рецензенты не забывают и о гуманистической мощи русского психологического романа, которую mr. Shishkin репрезентирует.

И в остальном, что называется, анкета безупречна. Пятидесятидвухлетний Михаил Шишкин —

сын подводника, ветерана Великой Отечественной, кавалера двух орденов Красного Знамени, и учительницы; внук репрессированного — деда по отцу взяли как "подкулачника" и угробили на стройках коммунизма силами зэка; крещен еще в детстве, в юности успел и проникнуться диссидентскими идеями, и поработать дворником (потом отучился на ромгерме в МГПИ и работал уже учителем); словом, прошел правильный путь к пикам литературной славы.

Он пишет богато и сложно организованную, щедрую на аллюзии, напоминающую обо всех драгоценных веках русской словесности разом многоуровневую прозу. На его счету несколько романов, собравших, пожалуй, максимально вообразимый премиальный урожай, — иностранные регалии вынесем за скобки, но в Отечестве "Взятие Измаила" принесло Шишкину "Русский Букер", "Венерин волос" — разом "Нацбест" и "Большую книгу", а последний на данный момент роман "Письмовник" — снова "Большую книгу"; вся, стало быть, козырная премиальная тройка в наличии. Шишкина перевели на три десятка языков и хорошо издают во множестве стран. У Шишкина берут интервью ведущие мировые медиа, если хотят разобраться в потайных движениях Загадочной Русской Души. И то, что он с середины 1990-х живет в Швейцарии, в Цюрихе, не портит, понятно, дела: Лев Николаич, может, и запирался в Ясной Поляне, зато был и граф, и барин, разночинный же Федор Михалыч всяческим Баден-Баденом не брезговал, и ничего, никаких претензий.

Тем эффектнее и эффективнее оказался последний шишкинский демарш. В конце февраля 2013 года писатель опубликовал открытое письмо, в котором отказывался представлять Россию на очередной Нью-Йоркской книжной ярмарке. И мотивировал это — весьма жестко — идейно-моральными соображениями, нежеланием сотрудничать с правящим режимом страны, где "власть захватил криминальный коррупционный режим, где государство является воровской пирамидой, где выборы превратили в фарс, где суды служат начальству, а не закону, где есть политические заключенные, где госТВ превращено в проститутку, где самозванцы пачками принимают безумные законы, возвращая всех в Средневековье". Вполне вроде бы частный, пусть и публично оглашенный, отказ вызвал внезапные медийные толчки баллов на девять по шкале Рихтера. Слова Шишкина транслировали русские и мировые новостные агентства, он попал на первые полосы и в топ-новости, Рунет сошелся стенка на стенку в беспощадном и эмоционально зашкаливающем холиваре, коллеги-писатели, тоже на ярмарки ездящие и что-то там представляющие, поддерживали (реже) или обижались (куда чаще). С этих тектонических явлений мы и начали разговор, отвлекающий Михаила Шишкина от радостного события в частной жизни: в августе у него родился сын Илья, первый от нового (третьего по счету) брака.

— Михаил, вы, когда писали свое открытое письмо, могли предположить такой накал страстей и масштаб реакции? Или это стало стопроцентным сюрпризом?

— Скорее сюрпризом. Но и не написать это письмо я не мог. Уже участие в предыдущей ярмарке было для меня большим компромиссом. Власть долгое время пыжилась поддерживать иллюзию вменяемости и возможности диалога, сотрудничества, но после декабря 2011 года она стала невменяемой. Всё, что власть творит, вызывает рвотный рефлекс.

— Но среди тех, кто воспринял ваш жест без восторга, были не только идеологические оппоненты, но и ваши единомышленники. Логика простая: во-первых, мы, отправляясь на литературные саммиты — пускай и за счет государства, — представляем не режим, а русскую литературу, живую при всяком режиме, да еще и получаем возможность что-то сказать внешнему миру об истинном положении дел. Во-вторых, вы, писатель Шишкин, ставите нас в незаслуженно идиотское положение — вот мы живем в России, пытаемся что-то сделать, не продаемся, а теперь вы, давно живущий в Швейцарии, своим жестом превращаете нас чуть не в коллаборационистов и пособников, а сами как бы единственный принципиальный русский литератор. В-третьих, это уж больно похоже на пиар-жест, от которого вы ничего не теряете, а приобретаете — не так мало: внимание титульных мировых медиа, например...

— Все люди, мнение которых мне важно, меня поняли и поддержали.

Писателей используют на международных ярмарках, чтобы поддержать имидж преступной системы, в которую превратилось Российское государство. Я не хочу играть роль человеческого лица режима с политзаключенными. Я не хочу, чтобы меня и мои книги использовали. Каждый для себя сам проводит черту, которую он не может перейти.

Реакция писателей, поехавших на ярмарку, мне понятна. Ольга Славникова прекрасно сформулировала в своем ответе на мое письмо: "На самом деле нас, российских литераторов, власть взяла в заложники". Бандиты взяли целую страну в заложники. Каждый опасается мстительной серой крысы, распределяющей деньги, в том числе на культуру: ведь у кого-то театр, у кого-то детский фонд, у кого-то молодежная литературная премия, у кого-то это единственная возможность поехать за казенный счет в Париж или Нью-Йорк, и т.д. и т.п. Увы, порыв негодования оказался направлен не против того, кто захватил заложников, а против того, кто независим от банды. Несвободные люди не могут простить другим их свободы. Я поступил по очень простому принципу: если можешь не связываться с преступной системой, не связывайся, не поддерживай ее.

Я очень рад, что мое письмо получило такое эхо и в России, и на Западе. Люди в Европе, Америке на самом деле имеют очень туманное представление о том, что происходит у нас. Интервью, статьи в западных СМИ дали мне возможность объяснить важные вещи о ситуации в России, повлиять на общественное мнение, ведь, кроме как о "Пусси", там почти ничего не писали об оппозиции. А что касается пиара, то мои книги переведены на тридцать языков не из-за письма, а из-за самих книг. Здесь обратная связь: только потому, что книги мои нашли читателей на стольких языках, обращение мое было услышано.

— Ну а почему вдруг именно сейчас такой решительный разрыв с "бандитами, взявшими заложников"? Не прошедшей весной? Ведь вроде вектор был давно ясен — да что там вектор, диагноз: примерно так всё и обстоит уже N лет. Разве что-то всерьез изменилось? Разве была какая-то поворотная точка?

— Диагноз был ясен всегда. Например, мое интервью, опубликованное 27 марта 2007 года в "Новых Известиях", было озаглавлено: "Писатель Михаил Шишкин: «В России государство — это главный враг, и его нужно бояться»". Но всегда хочется надеяться на что-то хорошее. Казалось, что и во власти есть вменяемые люди, они делают что-то для культуры, для литературы. Увы, события последних двух лет всё расставили по местам. Я тоже вместе со всеми ходил на протестные митинги. Вместо диалога с обществом власть в ответ повернулась к нам задом.

— В том самом письме была еще фраза: эта Россия — не моя Россия... А какой должна быть Россия, чтобы быть "вашей"?

— Правильная и желанная Отчизна — это страна, в которой для сохранения человеческого достоинства не нужно будет идти в герои или мученики.

В России ты или воешь с волками — или тебя загрызают. Это опыт, накопленный затравленными поколениями. Это чертов круг, который мы всё никак не можем разорвать. У нас в конце восьмидесятых — начале девяностых не получилось. Дай бог, получится у тех молодых, кто пришел сейчас.

— Я читал в прессе вашу дискуссию с Акуниным о судьбах Отечества... Оба спорщика принимали как некую данность давнюю концепцию, согласно которой основные русские беды оттого, что в России два разных народа: грубо говоря, просвещенная либеральная интеллигенция и сторонники жесткости и архаики. Но не кажется ли вам, что это не русский эксклюзив? Недавно вот Александр Генис довольно остроумно писал о том, что и в США тоже два народа, и упертый правый протестант с Библией на столе и винтовкой на стене ничуть не ближе нью-йоркскому интеллектуалу, чем русский мент русскому интеллигенту; разница только в способности американских "двух народов" принять некую базовую картину мира, расходясь во всем прочем. Собственно, и Акунин примерно к этому в вашем разговоре клонил. А вы в ответ упирали на информацию как единственную силу, способную превращать "не наш" народ в "наш". Как-то это наивно, нет? Информации-то на самом деле даже с перебором — и что?..

— Ну да, и в Швейцарии разница между профессором цюрихского университета и крестьянином в Эмментале, поверьте, немаленькая. Но ни самый упертый redneck из американской глубинки, ни самый дикий альпийский горец никогда в жизни не откажутся от своих гражданских прав и свобод, что и объединяет всех американцев или всех швейцарцев в нацию. Западная цивилизация держится на самоуправлении общества снизу, а русская — на начальнике. Когда рухнула тюрьма, в которой мы все родились, появилась уникальная возможность построить себе дом по любому чертежу. Что мы снова себе построили? Единственно знакомую населению "вертикаль власти". Ты начальник — я дурак. Я начальник — ты дурак.

И смена начальника ничего не даст. Перемена мест от параши к окошку оставляет неизменной суть общественных отношений: рабы не чувствуют ответственности ни за свою страну, ни за подыхающую природу, ни за свой город, ни за свою улицу, ни за свой подъезд. Раб идет во власть, чтобы стянуть и улизнуть. Самоорганизация общества возможна только среди свободных людей. В России нужно измениться людям. Роль библейской пустыни, по которой Моисей водил свой народ, в XXI веке играет ТВ. Как промывают желудки, нужно промыть мозги. Если в течение года по каналам центрального телевидения давать свободную информацию, люди изменятся.

Допустить свободное ТВ для власти — сделать себе харакири. Но совершить достойное самоубийство требует благородства чувств, верховные рабы на это не способны.

— А вам не кажется как, простите, писателю-гуманисту, что сейчас не только Россия, но и весь мир (условно западный как минимум) переживает мощный кризис гуманизма? Того традиционного набора “что такое хорошо и что такое плохо”, который как минимум с просветителей XVIII века был практически непреложен и для западного интеллектуала, и для русского интеллигента?

— От слов “писатель-гуманист” меня уже в советской школе тошнило. А если серьезно, то поживите в Америке или Европе и посмотрите, как обыкновенные люди делают ближним и дальним ежедневное конкретное добро — или лично, или через общественные организации, или еще каким-то другим способом, через фонды, пожертвования и т.д. и т.п. Этим живет общество — помощью слабому. И в этом суть государства, построенного таким обществом, — в охране прав слабых от сильных. А Россия — по-прежнему первобытная страна для сильных и очень поганое место проживания для слабых. И мы видим, как относится власть к попыткам людей самоорганизоваться для помощи, допустим, жертвам наводнения.

— Банальнейший из вопросов, но всё же: вас не тянет... ну пусть не вернуться в Россию, но приехать в нее надолго? Хотя бы чтобы более прямо включиться в текущую борьбу идей, и не только идей?

— Последние пару лет я больше времени провел в России, чем в Швейцарии. Ну это так, к сведению. Два года назад я женился, моя жена — москвичка. Так что чем и как живет Москва в последнее время, я знаю не из интернета. Конечно, я ходил на митинги, но больше пользы, очевидно, я приношу не ногами, а тем, что рассказываю о ситуации в России в статьях, в интервью, в газетах, на ТВ, на радио в Германии, Америке, Норвегии, Финляндии, Англии и многих других странах. Большинство людей на Западе ничего ведь в России не понимают, но хотят понять. Правительства всегда в негласном сговоре друг с другом. Законно избранный канцлер или президент, увы, всегда на очередном саммите пожмет руку нашему самозванцу. Я пытаюсь повлиять на отношение общества к режиму в России. В демократических странах это верный путь повлиять в конце концов и на политику правительств.

— И что вы, глядя и изнутри, и со стороны, думаете про "интеллигентский протест" последних лет?

— Протесты последних лет — это схватки. Не рукопашные, разумеется, а родовые. Страна пытается в очередной раз "родить" демократическое устройство общества. В семнадцатом году "младенца" придушила война. Начался такой хаос, что музам истории пришлось воспользоваться большевиками, чтобы восстановить порядок. Страну на несколько поколений отбросило в Средневековье.

Четверть века назад "роды закончились выкидышем". Выросшее в тюрьме население, оставленное вдруг без начальника, вернулось в конце концов в свои бараки, утешившись новым паханом.

И вот снова "ребенок созрел внутри и лезет". Третья попытка. На этот раз, мне кажется, может получиться. Большой войны пока нет. Появилось большое количество людей, готовых жить в самоуправляемом демократическом обществе вне парадигмы "дурак — начальник".

И важно, разумеется, знать, кто отец дитяти. Непорочных зачатий не бывает. "Семя" занесли в XVIII столетии гастарбайтеры из Европы. И семя это весьма живучее, а передается через слово. И в каждом рабском поколении снова и снова плодит идеи свободомыслия и чувства собственного достоинства.

Для победы в XXI веке не нужен ни булыжник, ни калашников. Оружием, которым был сокрушен изнутри несокрушимый Советский Союз, было обыкновенное домашнее видео. Проверенное оружие против любой диктатуры — неподконтрольная информация.

Люди ведь замечательны помимо всего прочего тем, что способны меняться. Миллионы тех, кто вчера отдал свои голоса за начальника, могут проголосовать на следующих выборах совсем по-другому, если снять их с информационной диеты, на которой держит страну ТВ.

И еще удивительно, как люди меняются даже физически. Посмотрите, какие прекрасные лица у тех, кто выходит на улицу защищать свое достоинство! Эти молодые красивые свободные люди — главное богатство страны, ее шанс. Власть их ненавидит и сделает всё, чтобы или затоптать их, или заставить уехать.

— То "возвращение мракобесия", о котором и вы в своем письме упоминали, и отечественные интеллигенты весь последний год говорят непрерывно... Насколько это всё всерьез? То есть "это тенденция", как в бородатом анекдоте, или просто некие сиюминутные судороги?

— И Каддафи, и Саддам демонстрировали свои бицепсы до самой последней минуты. А что им оставалось делать?

Нынешняя власть в России ведь и всегда была в параличе, когда речь шла о чем-то серьезном, а теперь, когда их по-настоящему прижало, — тем более. Каждый член "вертикали власти" делает только то, что, как ему кажется, должно понравиться начальнику. Отсюда все эти судороги.

Пытаясь понять их действия, мы поневоле ставим себя на их место, ищем в их телодвижениях какой-то логики, плана, пытаемся разгадать их грандиозный замысел борьбы с оппозицией. А там паника неумных людей, всю жизнь только пытавшихся угодить начальству и действительно не понимающих теперь, что делать.

— Ладно, будем считать, с политикой разобрались. Давайте о литературе хоть чуть-чуть. Какие жизненные обстоятельства (места, вещи, ситуации) помогают вам писать? И наоборот: у вас есть свой образ "писательского ада" — тотально некреативной ситуации?

— Да жизненные обстоятельства на писание никак не влияют. Тем более места́ или вещи. Текст ведь или приходит, или нет. И не спрашивает, где я, среди родных берез или в Аппалачах. Берет за шкирку и швыряет к столу. И не отпускает, пока я его не закончу. А вещи просто перестают существовать. И вообще: всё видимое становится прозрачным, невидимое — видимым, а все преграды вдруг упраздняются, вплоть до силы тяжести. Писание — это вид левитации.

А вот никакого специфического “писательского ада”, по-моему, вообще не существует. Приход текста — это счастье. В остальное время живешь ожиданием этого счастья, готовишься к нему, собираешь слова, истории, детали.

— А у русской литературы (это я всё равно опять в сторону политики, не обессудьте) в нынешнем перенасыщенном информацией и коммуникацией мире сохраняется ли какое-то реальное общественное значение? Она всё еще способна немножко менять жизнь, как это все-таки было и сто, и пятьдесят, и еще двадцать лет назад?

— Конечно. Литература — это кровеносная система человечества во времени, слова связывают нас со всеми, кто жил на этой земле до нас и кто придет после, на смену. “Реальное общественное значение” русской литературы, как и любой другой, в том, чтобы дать человечеству ухватиться за то, что нас связывает через века, за свою человечность, чтобы не утонуть в пустоте.

Литература, как любое искусство, вообще не должна заниматься политикой. Это для журналистов. Художник должен заниматься своим делом, тем, что не могут журналисты. Когда я слушаю бессмертную музыку Баха или Рахманинова, когда читаю строчки Толстого или Бродского, я сам в этот момент становлюсь немножко бессмертным. Вот в этом смысл искусства. И для этого была нужна литература сто лет назад и будет нужна всегда.

— Ну и напоследок совсем инфантильное спрошу. Но давайте честно — ведь всякий писатель в глубине души знает, какая у него есть сладкая профессиональная мечта: кто-то хочет написать свое “Преступление и наказание”, кто-то — свою “Лолиту”, кто-то — своего “Гарри Поттера”. Есть такая нереализованная, но тревожащая мечта у писателя Михаила Шишкина?

— Есть. Стать писателем. Странно, конечно, звучит. Сколько себя помню, я уже был писателем, даже еще ничего не написав. То есть в мои семнадцать я единственный это знал, никто больше. Оставалось только всем это доказать. И вот всю жизнь потратил на доказательство. А теперь тех людей, кому мне важно было это доказать, давно нет на свете. Сейчас у меня есть доказательства — книги, переводы, — но после “Письмовника” я ничего не пишу. И, может, уже ничего больше не напишу. То есть теперь, на этом конце жизни, всё наоборот — все знают, что я писатель, а я один, кто этого не знает.

В КОГТЯХ У СКАЗКИ

Маленькая вера: что у нас вместо религии и чем это кончится (2010)

Достаточно посмотреть на сборы кинотеатров, рейтинги телепередач и продажи книг, чтобы понять: сказка перестала быть просто развлечением для детей и сделалась главным жанром массовой культуры. Почему взрослые так полюбили сказку?

По экрану, как тарзан, накачанный анаболиками, скачет саблезубая белка. В своей вечной и бесплодной погоне за орехом — через геологичсские эпохи и бесконечный ряд сиквелов — белка репрезентирует десяток дряхлых мифологических сюжетов, из которых история о Сизифе, пожалуй, самая свежая. Моя пятилетняя дочка, которую мы с женой повели смотреть очередной "Ледниковый период", сопереживает белке, впрочем, как и все в зале — судя по громогласному свисту и восторженным воплям.

"Ну почему? — возмущается дочка, когда на экране возникают титры. — Почему, я хочу еще!"

“Потому что уже конец”, — говорю я наставительно.

И оглядываю зал.

Кроме нашей пятилетней дочки, в зале нет ни одного ребенка. Есть подростки, модные молодые пары, крепкие хозяйственники с пивными брюшками…

Детей — нет.

* * *

Эта короткая история хороша, потому что правдива, — но плоха, потому что из нее можно сделать неверный вывод, что дети разлюбили сказки. А это вовсе не так. Дети не разлюбили сказок. Сказки в последнее время полюбили взрослые — полюбили как никогда прежде.

За последнюю пару десятков лет сказка сделалась главным, бесспорно и беспрецедентно лидирующим жанром планетарного масскульта, потеснив мелодраму и детектив, боевик и фильм ужасов, комедию и триллер, не говоря уже о всяких мюзиклах и социальных драмах…

Самая популярная книга — цикл Джоан Роулинг про мальчика-волшебника Гарри Поттера, категория “от восьми и старше”. Лишь совсем недавно его потеснили “Сумерки”, серия Стефани Майер про вампиров, категория “двенадцать плюс”. Самый прибыльный фильм всех времен и народов — “Аватар” Джеймса Кэмерона.

Вообще в мировом топе самых прибыльных кинолент из тридцати первых позиций НЕ относятся к жанру чистой, беспримесной сказки — внимание — пять! Не считая "Титаника", это "Парк юрского периода" про оживших динозавров, "День независимости" про борьбу с мерзкими арахноидными инопланетянами, "Индиана Джонс" про поиски магического хрустального черепа индейцев майя и "2012" про недалекий конец света. Все остальные позиции заняты лентами, по сравнению с которыми перечисленные выше — чудо реалистического кинематографа. Упомянутые остальные размещаются в диапазоне от "Властелина колец" до мультика "В поисках Немо".

* * *

Тут вот что важно понимать: речь не о количественном (читай — финансовом) пике успеха, хотя и он налицо. Речь о том, что в какой-то момент где-то в ноосфере был преодолен принципиальный смысловой барьер, и теперь последствия этого преодоления проглядывают во всем. В том, что сказка востребована и сугубо взрослой аудиторией. В том, что она из области коммерчески прибыльной, но по статусу маргинальной переместилась в фокус внимания критиков, киноакадемиков, культурологов. В том, что история, которую профессор Дж.Р.Р.Толкиен сочинял для своих детей, полвека спустя заставляет одних взрослых экранизировать ее с бюджетом в сотни миллионов, а других — смотреть, всерьез обсуждать и номинировать на "Оскара".

Тут скептику впору кивнуть на последнюю оскаровскую интригу, когда в финале Кэтрин Бигелоу со своим натуралистическим "Повелителем бури" ("The Hurt Locker") обставила бывшего мужа Джеймса Кэмерона с его сказочным "Аватаром": помилуйте, не реванш ли реализма? Да нет, едва ли: то, что в данном случае отменно сделанная "взрослая" военная драма, бегло играющая на всех главных болевых точках американского общества, победила, представляется мне куда менее существенным, нежели то, что спорила она в финале именно с "детским" гибридом космической оперы и фэнтези, — и спорила на равных. А существеннее всего — что оба экс-супруга говорят об одном и том же: о соотношении свободной личности и имперской экспансии, о самоидентификации человека в условиях насильственного деления по принципу свой–чужой. "Детский" инструментарий сегодня используется для разговора о самых "взрослых" вещах — и принимается даже искушенной аудиторией всерьез, на правах равного: нужны ли более наглядные доказательства торжества сказки?

Торжество это и в том, как американские комиксы или японское аниме из подростковых и национально замкнутых феноменов сделались мультивозрастными и интернациональными (взять хоть мистический "Первый отряд", недавно придуманный русскими Шприцем и Климовым и нарисованный японцами: в нем мертвые пионеры-герои бьются с нацистскими черными магами из Аненербе, — у матерых интеллектуалов он вызвал, пожалуй, побольше энтузиазма, чем у целевых тинейджеров).

Торжество и в том, как главные тексты литературной классики переигрываются на сказочный лад, и в безумии популярных мэшапов: Анна Каренина оказывается андроидом, а королева Виктория — охотницей на демонов.

Масскульт — отличный лакмус. Рентген, демонстрирующий скрытые общественные тенденции. Так о чем же говорит нам неожиданная победа сказки над прочими жанрами?

* * *

Отгадка номер один лежит на поверхности и касается в первую очередь именно кино (ну и — в еще большей степени — индустрии компьютерных игр). Отгадка эта — в чудесах технологии. Мы наконец-то получили небывалую возможность предельно достоверно изобразить то, что раньше можно было только вообразить.

И тогда легко предсказать, что вскоре, избавившись от пережитка в виде очков, синематограф расслоится на плоский авторский, достояние эстетов, и на трехмерный аттракцион для масс. Дальше можно подумать и о вариативности зрительского первого лица — чтобы один и тот же сюжет можно было воспринять глазами Чужого и Хищника; Раскольникова и старушки; Гамлета и Фортинбраса.

А где смена точек зрения, там и интерактив: Чужого можно натаскать против Хищника, вместо старушки замочить Порфирия.

Эта перспектива, венчающая кино с компьютерной игрой, кажется фантастической — но на деле лежит уже в поле технического зрения. А пока этот дивный новый мир еще только вызревает в кремниевом чреве высоких информтехнологий, его грядущая мощь будет инвестироваться именно туда, где наиболее эффектно и эффективно чудесное, невообразимое, захватывающее дух.

То есть в сказку.

Отгадка номер два — тоже в "сумме технологий". В небывалой ситуации информационной сверхпроводимости, "спеленатости" огромного множества людей в единый "информкокон".

Когда-то телевидение пришло в мир, где славу зарабатывали долго и с трудом, и раздало по пятнадцать ее минут многим, очень многим. Интернет раздарил славу вообще всем желающим, но сократил хронометраж до пятнадцати секунд — дальше никто и смотреть не станет.

Старая проблема: как в условиях дефицита связи сообщить о себе аудитории? — сменилась другой: как в условиях изобилия связи зафиксировать на себе гиперподвижное внимание публики?

Разумеется, эта новая проблема относится прежде всего к мультимедиа и просто медиа. Но и к искусству — тоже. Потому что на него распространяются стандарты восприятия, вырабатываемые в общем инфополе.

И выходит, что искусство новейшего времени, если оно хочет быть массово востребованным, обязано соответствовать ряду критериев: яркость и увлекательность, а главное — простота и универсальность. Доступность индивиду с любым культурным и интеллектуальным багажом — или вовсе без оного. Искусство должно зацепить пресыщенный взгляд, не отпугнуть сложностью, успеть быстро и задорно проговорить что-то важное предельно простым и приятным языком.

* * *

Ничто не соответствует этим критериям лучше сказки, которая и есть один сплошной захватывающий, живучий, как вирус, архетип. Через напластования культуры, через всю ее неподъемную сложность, через перегной реальности лихим аллюром прорывается она к всеобщему, простому, легкоусвояемому, детскому...

То есть к нам. Ведь даже недолгая информационная революция это коллективное "мы" порядком изменила.

* * *

В начале девяностых я, постсоветский подросток, увидел в американском журнале рекламу: сногсшибательно красный спортивный "понтиак", снабженный надписью: “Эта машина — не для вас. Она для вашего inner child’а”.

За последующие годы идеология консьюмеризма расширила свои границы, и не только географические. Внутренний Ребенок окреп, отъелся, подкачал мышцу и практически уравнялся в гражданских правах со своим половозрелым носителем. Раньше на границе детского мира со взрослым стоял не только погранпункт, но и дотошная таможня. В первом выдавали паспорт со штампом о совершеннолетии, на второй приходилось вывернуть карманы и оставить свои детские ценности; протащить что-то можно было лишь контрабандой, использовать — с оглядкой и без свидетелей. Когда Внутренний Ребенок сделался полноправным субъектом, из детства разрешили везти что и сколько хочешь, лишь бы в пределах, дозволенных кодексом социальной адекватности. С момента, когда непереводимый термин kidult перестал нуждаться в специальных пояснениях, граница детского мира со взрослым выглядит принципиально иначе — никаких виз, никаких досмотров.

* * *

Сегодня кидалт, принципиально инфантильный взрослый, импортировавший из детства установки и вкусы, в том числе культурно-эстетические, — нормальное массовое явление не только в Нью-Йорке, Амстердаме или Барселоне, но даже в Москве, даром что климат не благоприятствует; я знаю таких, и знаю немало, и иногда думаю, что сам отчасти такой же. Думаю без восторга или ужаса, потому что кидалт — это не хорошо и не плохо, это просто данность: человек с синдромом Питера Пэна, взрослый, отказывающийся взрослеть; данность в том числе и рыночная, требующая адресного удовлетворения.

Но у мира невзрослеющих взрослых есть оборотная сторона. Это именно о ней говорят мне фантасты Сергей и Марина Дяченко, когда я пристаю к ним с вопросами — а к кому и приставать, как не к писателям, сочиняющим едва ли не лучшее на русском языке фэнтези и очень недурную социально-психологическую фантастику. "Понимаете, — говорят они мне, — с одной стороны, жизнь взрослого трудна и черно-бела, и хочется отдушины — чего-то цветного. Загнанный, утомленный взрослый хочет отдыхать и "детские думы лелеять". С другой стороны, в собственно детских и особенно подростковых культурных продуктах сейчас такой уровень жестокости, жесткости, напряжения, какой еще двадцать лет назад невозможно было представить".

Оборотная сторона, которую диагностируют Дяченко, — мир детей, не вполне по-детски воспринимающих действительность. Речь не о невнятных индиго, но о самых обычных детях, только с необычайно ранней социализацией.

Причина, собственно, всё та же — погруженность в тотальное общее инфополе.

* * *

Границы Детского Мира драматически съежились. И пока великовозрастный кидалт лелеет в себе заповедники детства, его неизбежно продвинутый отпрыск подключается к общему условно взрослому полю, и альтернативы этому нет. Очень скоро ваш подвзросток (нужен же нам хоть какой-то термин?), сохраняя все положенные черты детской психики, будет полноправным потребителем и соучастником той же информационно-культурной среды, что и вы, настроится на ее темпы, коды и частоты.

Объединенный рынок кидалтов и подвзростков — это очень, очень серьезно. Цивилизация невзрослых взрослых и детей-недетей нуждается в масскультурном продукте. Надо ли говорить, что и в этом рыночном кастинге проще и логичнее всего побеждает современная сказка — скрестившая взрослую мощь выразительных возможностей с по-детски доступной системой ценностей, универсальная, архетипичная, мульти-, а точнее — над- или подкультурная? "Гарри Поттер" или "Властелин колец", "Аватар" или "Сумерки" нивелируют различия и берут кассу: все там будем.

* * *

Понятно, почему сказка стала серьезным рыночным фактором, — но почему сказку стали воспринимать всерьез? А ведь стали: когда философы и публицисты ломали копья вокруг “Матрицы”, это еще можно было объяснять ее перекличкой с идеями Дебора и Бодрийяра. Но копья уже давно ломают вокруг философии “Гарри Поттера” или этики “Аватара”. Когда сказки номинировали на “Оскара” за спецэффекты, это гляделось логично, но почему их номинируют за режиссуру и как “лучший фильм”? Я ищу ответ на этот вопрос и, кажется, нахожу.

Вот Нила Геймана, лучшего писателя-сказочника наших дней (на его счету “Американские боги”, “Коралина” и “Звездная пыль”, он придумывал комиксы про Сэндмена и писал сценарий “Принцессы Мононоке” для Миядзаки), спрашивают в интервью: а сам-то он верит в паранормальные явления, в магию и всё такое прочее? “Я думаю, — говорит Гейман, — они просто заменяют нам что-то другое, в чем мы нуждаемся. Интересно, что сейчас мы теряем НЛО. Люди гораздо меньше интересуются летающими тарелками, чем раньше. Сначала были феи, потом люди перестали в них верить — и поверили в НЛО. Сейчас они теряют веру в будущее и в космос. Так что, может быть, скоро люди опять поверят в фей”.

* * *

Вот очередной Eurobarometer Poll — опрос, проведенный под эгидой Европейской комиссии, — показывает: Старая Европа всё больше отдаляется от традиционной религии. Однако отпавшие от церкви не спешат встать в атеистический строй, под знамена Ричарда Докинза и компании. В опросах они отвечают, что верят в "высшую сущность". В "дух". В "жизненную силу". Во Франции таких больше четверти (27%). В Британии — больше трети (до 40% "внеконфессиональных верующих"). В Чехии или Скандинавии — почти половина. А в Штатах, сообщает опрос Pew Forum on Religion and Public Life, примерно каждый восьмой (12,1%, а среди молодежи до тридцати лет показатель еще вдвое выше) тоже верит во что-то, чего не может внятно определить. Или — думает, что верит. Или — хочет верить.

Мне кажется, это и есть деталь пазла, которой недоставало.

Сказка занимает место, которое раньше было заполнено массовой религией, а теперь становится свободно.

* * *

Попробуйте описать современный мир своими словами.

Попробуйте сформулировать, что в нем изменилось на вашей памяти.

Рано или поздно, уверен, вы придете к тому, что сейчас попробую сформулировать я.

Мы живем в мире, пережившем (всё еще переживающем) банкротство или, как минимум, жестокую инфляцию всех ценностных иерархий. Политические системы координат дискредитированы, от фашизма до коммунизма; рыночная демократия, казалось, продержалась дольше, но хватило последнего кризиса, чтобы в ее адрес хлынул поток некрологов, и вряд ли это спроста. Религиозные догматы утратили силу: Бог остался в иконах, но всё меньше проецируется на каждодневный уклад жизни. Культурные табели о рангах отменены или не воспринимаются всерьез. Ключевые слова для описания наблюдаемого — “релятивизм”, “постмодернизм”, “относительность всего”. Ни одна из моделей, придающих жизни со всем ее подспудным трагизмом внятный и общий смысл, здесь и сейчас более не работает. Фабрика по выпуску надличностных ценностей закрыта на бессрочный обед.

Меж тем ни из чего не следует, что общественное животное гомо сапиенс вообще способно долго и комфортно существовать вне четких и общепринятых представлений о том, что такое хорошо и что такое плохо. И в отсутствие прочих моральных ориентиров проще всего обратиться к сказке.

Именно она заняла вакантное место в мире, пораженном дефицитом смыслов. Именно она — общедоступная, обаятельная — исподтишка говорит с массовым человеком о том, о чем молчат более серьезные инстанции. В силу этой несерьезности сказка стала суррогатом этической системы координат: она не требует от человека слишком многого, не требует прежде всего ответственности. Она нашептывает ему желанное ласковым тихим голосом, а он в своем непритязательном, невзрослом развлечении подспудно ищет ответы на экзистенциальные вопросы. Ответы, разумеется, паллиативные — как бы понарошку; но в релятивистском, насквозь относительном мире именно они наиболее логичны, не сказать — единственно возможны.

Я говорю об этом с Мишей Шприцем, одним из двух создателей аниме-проекта "Первый отряд", оживляющего с помощью сказочного инструментария советскую мифологию Великой Отечественной. "Конечно, — пожимает плечами Миша. — В некотором смысле мы живем в эпоху возврата к самым консервативным фундаментальным ценностям. Идеология отказалась от попыток представить обществу целостную картину мира, наука — пускай и не отказалась, но тоже давно не годится на роль нового, правильного заменителя всеобщей религии, какой она казалась век назад: предлагаемых ею картин мира слишком много, и все они слишком сложны, чтобы комфортно разместиться в голове массового человека. Мало кто в силах строить свое восприятие мира на основе, например, теории струн. Остается сказка, которая вовсе не пытается объяснить происхождение феноменов".

* * *

Всё вроде бы верно, и картинка получается стройная. Но вот что во всем этом меня тревожит. Торжествующая сказка — это лакмус, сигнал, флажок над опасной, грозящей обрушиться массивной областью ценностного вакуума.

Наличие универсальных и работающих систем ценностей есть признак здоровья цивилизации, а распад этих самых ценностных иерархий и систем обозначает как минимум ее уязвимость.

Торжество сказки, подменившей нам религию, науку, идеологию и многое другое, намекает о нездоровье организма в целом, подавая нам сигналы о подспудном кризисе.

Так может продолжаться довольно долго — но не бесконечно же. Раньше ли, позже — потенциальная уязвимость материализуется в реальную угрозу; кризис из подспудного станет грубым и зримым; и механизм самосохранения цивилизации потребует замены релятивистского ценностного суррогата на что-то более эффективное — и потому неминуемо более жесткое.

Тогда и закончится торжество сказки; и падет проклятый релятивизм, необязательная относительность всего и вся. И хотя сейчас, пока он правит, мало кто решится восславить его муторное, лишенное ориентиров царствие, не стоит забывать, что релятивизм есть еще и оборотная сторона максимальной свободы (вседозволенности, заметил бы внутренний циник). А оборотная сторона моральной четкости и однозначной непреложности ценностей есть еще и жестокость. Пускай ее и называют оправданной.

Но пока — пока на экране сказка, и титры еще не пошли.

* * *

По телеэкрану скачет саблезубая белка. Отчаянно прыгает в попытке достать орех — и не достает, конечно. Я жму на “стоп”. “Ну почему? — возмущается моя пятилетняя дочка. — Почему, я хочу еще!” “Это конец, видишь — титры?” — говорю я скучно и честно.

Сказочная белка то ли вмерзла в лед, то ли вклеилась в вулканический пепел. Ей не впервой. У сказочной белки еще многое впереди. Она готова пережить ледниковый период и глобальное потепление, справиться с ценностным вакуумом и перекосом системы координат, сладить с дюжиной крушений и перестроек — и снова оказаться в строю.

Она напоминает мне, что в любом, самом релятивистском мире, на пороге любых, самых смутных перемен все-таки есть вечные, безусловные ценности.

Взять хотя бы орех.

ИНДУСТРИЯ ОТВЛЕЧЕНИЙ

Вранье столетия: честная бедность как спецоперация богатых (2015)

Скажу вот как: на свете мало идей, в пропаганду которых вложено столько денег, сколько в пропаганду идеи, что не в деньгах счастье.

Или скажу еще вот так: каждый раз, когда вы закрываете окно в интернете, захлопываете журнал, выключаете телевизор с мыслью, что богатые тоже плачут, — богатые хохочут особенно заразительно, от души.

А вы скажете так: ну вот, приехали, и этот туда же, голимое левачество и конспирология, фу. Миром правят сионские мудрецы с уоллстрита, нет? Батенька, да вы трансформер? Рептилоиды среди нас? Зовите докторов.

А я тогда скажу: если вы параноик, это ведь не значит, что на вас не охотятся? Теория заговора непобедима — но не потому ли, что она верна? Только настоящий заговор должен быть предельно простым. Не требующим ежегодных секретных радений в подземной масонской ложе, переделанной из тайного бункера фюрера на случай астральной войны, под фуршет из христианских младенцев. Настоящий заговор должен быть молчаливым — и диктоваться каким-нибудь элементарным базовым инстинктом.

Например, самосохранения.

Ведь о чем, в сущности, говорит с нами Великая Мировая Желтая Пресса (превосходящая суммарной мощью любую госпропаганду — а иногда для удобства сливающаяся с ней во взаимовыгодном экстазе) во всех ее ипостасях — бумажных, электронных, аудиовизуальных? Ну, кроме того, что в деревне Икс инопланетяне похищают женщин для опытов, и недавно одна из них родила разумного тритона, а в городе Игрек поймали под мостом Гитлера с хвостом, а слепоглухонемая предсказательница Зет обещала в следующем году конец света.

Она говорит с нами о Жизни Богатых (и Знаменитых, и Влиятельных, и Сильных Мира Сего, и Элиты, и Избранных — всё это на самом деле одни и те же люди, объединенные по одному признаку: признаку Больших Денег). Она лезет в эту Жизнь — со всеми ее виллами, яхтами, бизнес-джетами, закрытыми вечеринками, звездными романами, тайными интригами и роковыми страстями; объективами папарацци, сливами спецслужбистских прослушек, цифровыми отмычками хакеров; лезет в нее — для нас. И, разумеется, часто получает по носу от охранников, судебных приставов или самих оскорбленных вторжением в частное Богатых и Знаменитых и Влиятельных и…

Это вечная и непримиримая борьба. Она же — борьба нанайских мальчиков. Поскольку у нее только один бенифициар. И напрасно всепланетный Ваня, Джон или Жан, теребя сосцы Мирового Таблоида ради новой порции последней правды, думает, что этот бенифициар — он, дерзко проникающий под покровы и в альковы. Вся эта гигантская машинка, Ваня, работает только для того, чтобы на твой сочащийся завистливым вуайеризмом запрос: а че у них там? — позвенеть заснятыми с расстояния в километр бриллиантами от Де Бирс, пошелестеть купленными копиями полицейских отчетов, а в итоге грустно ответить: а прикинь, у них там то же самое, что у тебя, Джон. Богатые, Жан, тоже плачут. Can't buy me love. Не в деньгах счастье. Вот смотри. Легендарный Футболист запил после того, как его бросила Знаменитая Топ-Модель, и спьяну разбил свой Феррари, и три месяца лечился в наркоклинике. А от Могущественного Банкира ушла Преданная Жена и отсудила у него полбанка, — когда узнала, что Банкир западает на Молоденьких и ходит к ним в Бордель. А Великий Промышленник заболел раком и почти умер, нет, вот только что совсем умер, мы первые сообщаем. А Загадочный Олигарх разъезжает по курортам с Эскорт-Девушками от обыкновенной застенчивости, потому что не знает, как познакомиться с Простой Девушкой, не Эскорт, и можно ли ей после знакомства верить, что она полюбила Его, а не Его Активы, вот и страдает, бедняга. И даже сам Великий Президент развелся с женой потому, что полюбил Прекрасную Гимнастку, только жениться на Гимнастке он всё равно не может, потому что он человек государственный, а ты вон развелся себе и женился на Нинке из соседнего отдела, и никто, заметь, не мешал. А теперь Миллиардер Рокфеллер, которому намедни стукнуло 99 лет, расскажет тебе, как важно много работать и жить насыщенной жизнью, чтобы протянуть столько же.

Всепланетный Ваня отваливается от газеты, компьютера или телеэкрана успокоенный и даже удовлетворенный. Его зависть, разумеется, не девается никуда — но теряет свою деструктивную классовую энергию, словно пуля уличного грабителя, увязшая в силиконовой груди светской красавицы. Ваня пришел сюда, чтобы узнать, насколько у Них всё Иначе, — а убедился, что у Них, по большому счету, Та Же Фигня. Его уже не так напрягают нюансы. Вроде того, что, когда его бросит Нинка, а он с горя запьет, то уволят его даже раньше, чем он разобьет свой купленный в кредит Фольксваген, так что платить штраф, проценты по кредиту и ипотеку за квартиру будет не с чего. Или что его, Ванина, первая Преданная Жена вдобавок к юмористическим алиментам с белой зарплаты могла бы отсудить у него максимум полбанки, так что пашет сейчас на двух работах. Или что — случись с Ваней та же незадача, что с Великим Промышленником, — итог у этих историй, разумеется, будет один (потому что даже Богатые и Знаменитые пока не живут вечно, хотя наука над этим работает), но вот все декорации финала окажутся очень, очень разными. Или, в конце концов, что Миллиардер Рокфеллер только что пересадил себе шестое по счету сердце, не считая двух почек, и это не сказать чтобы нивелирует полезность его советов, но означает, что Ваня вряд ли подтвердит их эффективность в свои 99.

Конечно, Ваня — сидящий одновременно во всемирной паутине и в родной локальной реальности — здесь не совсем в своей тарелке, у Вани когнитивный диссонанс. Как и в традиционных странах Третьего Мира, в сегодняшней России, не знающей, в какое именно прошлое открутить свои часы — то ли на "до 1985-го", то ли на "до 1917-го", а то ли и вовсе на "до 1861-го", — в цене именно демонстративное, подчеркнутое неравенство: иначе зачем вообще всё, если лох не цепенеет? Но индустрия отвлечений, иммунно-маскировочная система продвинутого капитализма, работает именно так. Чтобы последние, прорвавшиеся к запретному плоду, к подноготной и изнанке первых, сквозь все редуты, фэйсконтроли и охранные системы, обнаруживали там зеркальное отражение себя. Закомплексованных миллиардеров-идеалистов, виктимных ботанов-переростков, трогательных гиков, грезящих реализацией проектов, вычитанных в космических операх детства, — или уж совсем карикатурных придурков, заполняющих Инстаграм фотосессиями с телками и тачками, не вызывающих агрессии просто в силу гротескности. Намертво связанных условностями, изможденных жизнью на пределе, невротических банкиров и президентов. Несчастных, тяжко бухающих, непрерывно судящихся и добрых внутри суперзвезд на грани нервного срыва. Ведь при таком раскладе последним как-то и не обязательно стремиться стать первыми или слишком уж искренне их ненавидеть — зачем, если везде одна фигня, богатые тоже плачут и счастье, получается, действительно не в деньгах?

Хотя иногда мне кажется, что в этом и состоит временное (пока мир не готов к коммунизму) спасение человечества. Лицемерие, как известно, есть налог, который порок платит добродетели; и так ли важна правда, если налоги действительно высоки и платятся вовремя? Так асы нелегального шпионажа, внедренные в стан противника, для результативности в истинном качестве агентов вынуждены с утроенной энергией работать и в своем фальшивом амплуа, — и, получается, обычно приносят вражьей державе куда больше реальной пользы, чем внедрившему их отечеству.

Только вот: нам, обычным людям, чтобы понимать, как на самом деле обстоят дела в хитром мире Богатых и Влиятельных и Бла-бла-бла, нужны, разумеется, двойные агенты. Иначе никак, спросите хоть разведчиков.

Если на такой стартап найдется бюджет, я, пожалуй, готов.

БРЕМЯ БЕЛОГО

Зима далеко: непокоренная Арктика (2011)

Последние десятилетия XIX века и первые XX стали временем решительного штурма Арктики и Антарктики. Исследователи атаковали полярные шапки фанатично, будто крестоносцы — Иерусалим. Ледяной "последний фронтир" они воспринимали как поле славы и торжества всей своей цивилизации гуманизма и технического прогресса.

"Мы знали, что мы идем на риск. Обстоятельства против нас, и потому у нас нет причин жаловаться. Смерть уже близка. Ради бога, не оставьте наших близких!.." Это последняя запись, которую капитан военно-морского флота Ее Величества Роберт Фалкон Скотт сделал в своем дневнике 29 марта 1912 года.

Скотт и двое его товарищей, Уилсон и Бауэрс, умирали от холода, истощения, цинги и гангрены в занесенной антарктическим снегом палатке в 264 километрах от основной базы британской экспедиции и в двух десятках километров от перевалочного лагеря “Одна тонна”. Там их ждал запас еды, но добраться до него они уже не могли. Позади был покоренный Южный полюс — но там они стали вторыми: норвежец Руал Амундсен опередил их на месяц с лишним. Позади остались двое уже погибших на пути от полюса к берегу товарищей. Один, лейтенант Эванс, получил сотрясение мозга при падении на леднике и умер еще в феврале. Второй, капитан Оутс, отморозил обе ноги — и, чтобы не сковывать собой друзей, 16 марта выполз из палатки в буран, сказавши в лучших традициях черно-стоического британского юмора: “Пойду пройдусь”. Изможденные спутники искали его, но не нашли.

Скотт, начальник всей экспедиции и глава полярной партии, ушел последним, как подобает капитану. Когда в ноябре 1912-го поисковая группа обнаружила палатку с телами, Уилсон и Бауэрс были тщательно завязаны в спальные мешки, а сам Скотт в расстегнутой куртке лежал, подпихнув под плечо сумку с дневниками и закинув руку на тело Уилсона. Палатку обложили снежной пирамидой и поставили над ней крест из лыж: потом за годы и десятилетия усыпальница британцев исчезнет под слоями снега и льда, а в 2001-м один из исследователей-англичан предположит, что теперь она на глубине 23 метров постепенно сползает к морю Росса и сотни эдак через три лет отколется от материка с айсбергом. Тогда же, в 1912-м, еще один, более основательный памятник — крест из красного дерева, — установили на вершине антарктического холма Обзервер. Всякий, у кого было советское детство, помнит девиз молодых и отважных героев каверинских “Двух капитанов” — “бороться и искать, найти и не сдаваться”. Не всякий, однако, знает, что это цитата из “Улисса” Теннисона — “To strive, to seek, to find, and not to yield”, — и что именно она была вырезана на том красного дерева кресте.

Так была поставлена грустная точка в самой, пожалуй, драматической истории самого драматического периода полярных исследований, со второй половины XIX по первые десятилетия XX века. Применительно к Антарктике существует даже полуофициальное титулование — “героический век антарктических исследований”, с 1897-го по 1922-й, 16 экспедиций из 8 стран, включая маленькую Бельгию и экзотическую Японию, — но и на северной мерзлой маковке земного шара кипели страсти не менее предельные. Франклин и Крозье, Росс, Нансен, Пири, Амундсен, Шеклтон, Шарко, Жерлаш, Норденшёльд… На деле, любая из тех историй — жесточайшая драма, всегда готовая превратиться в трагедию, всякая экспедиция — балансирование на канате между героизмом и самоубийством, и список ли кораблей, на которых исследователи пробивались сквозь льды, поименный ли перечень самих исследователей, — сплошь и рядом читаются как мартиролог. “Падение в море”, “общее истощение”, “цинга”, “сердечный приступ”, “предположительно, провалился под лед”, “пропал без вести”. Даже искрометный галл Жан-Батист Шарко (сын знаменитого врача-психиатра Шарко, чьего имени общеизвестный душ), прошедший путь от дилетанта-энтузиаста до самого опытного мореплавателя-полярника Франции и в 1931-м заметивший не без рисовки: “Мой шестьдесят четвертый год я провел в «бочке» на ветру, но себя не насиловал”, утонул в 36-м, когда его корабль “Pourquoi pas?” (“Почему бы нет?”) был разбит штормом у берегов Исландии. Даже несгибаемый везунчик Амундсен, открыватель разыскивавшегося веками Северо-Западного прохода, покоритель Южного полюса и первый человек, побывавший на обоих, погиб в 28-м, когда на гидросамолете кинулся выручать своего друга-врага Нобиле, попавшего в катастрофу с дирижаблем “Италия”. Даже немногие счастливцы вроде Нансена или Пири, те, кого Арктика и Антарктика выпустили, позволили умереть на берегу, хранили на себе отметины их ледяных клыков. Любая из этих историй была драмой — просто так уж вышло, что в “полярной гонке” Амундсена и Скотта трагедия достигла высочайшего накала и штучного, Эсхил с Шекспиром позавидовали бы, сюжетного мастерства, заставив страдать живого триумфатора (“Я пожертвовал бы славой, решительно всем, чтобы вернуть его к жизни!” — Амундсен о Скотте) и превратив мертвых неудачников в эталон героизма, британского — и всемирного.

“Когда я думаю о Скотте, мне вспоминается странная история юноши, который свалился с ледника в Альпах и пропал без вести. Один из его спутников — ученый, который, как и все они, был тогда молод, — вычислил, что много лет спустя тело погибшего вновь появится в определенный день и в определенном месте. Когда этот день наступил, несколько свидетелей несчастья, успевших состариться, вернулись на ледник, чтобы проверить, исполнится ли предсказание. Тело погибшего действительно появилось. Мертвый остался столь же юн, как в тот день, когда покинул их. Так и Скотт со своими товарищами остается вечно молодым в огромной белой пустыне”, — писал сэр Джеймс Барри, баронет, литератор и драматург.

Ракурс слегка болезненный — да и чего ждать от человека, сочинившего историю про Питера Пена? — но точный. Сегодня разглядываешь архив Герберта Понтинга, фотографа-летописца экспедиции на барке “Terra Nova”, второй и последней антарктической эпопеи Скотта. Умиляешься черно-белым тюленям, пингвинам, экипировке полярников (мохнатые костюмы для экстремальных температур сделаны по эскимосским технологиям, для менее низких — перешиты из шерстяных одеял), сценкам чопорного и достойного быта в экспедиционном доме, отстроенном на мысе Эванса: “Мы создали для себя чрезвычайно привлекательное убежище, в стенах которого царит мир, спокойствие и комфорт”, — писал в дневнике Скотт, и вот викторианские джентльмены, спортсмены и патриоты, слушают граммофон или располагаются на прочных двухъярусных койках. Впечатляешься пейзажами. И надолго застреваешь на лицах. Это удивительные лица. Однозначные и чистые, таких сейчас не делают. На этих лицах только воля и вера — в разной пропорции, но только они. Особенности тогдашней фотографии, неспособной передать нюансы мимики и мелкой моторики, делавшей любого человека более монументальным, чем на самом деле? Наше знание о том, что будет потом? Да, вероятно, — но не только. Все те мелкие противоречивые страсти, что борются в каждом и в итоге формируют мимический рельеф, в этих людях и впрямь подчинены одной-единственной большой страсти, сглажены и облагорожены ей. Страсть достижения Абсолюта. Недостижимая иными способами цельность.

Сейчас, ретроспективно, вообще кажется, что растянувшийся на десятилетия полярный штурм, благородная авантюра, проявлял в частных лицах и национальных характерах исключительно лучшее. Британский спортивный дух и сдержанный, настоянный на презрении к смерти, юмор; американские упертость и мужество; галльская веселая, мушкетерская бравада; русские самоотречение и лихость, наконец — даром что Россия не отметилась в рекордных забегах к полюсам (в команде Скотта, к слову, были конюх Антон Омельченко и каюр Дмитрий Гиреев, но в финальном броске к Абсолюту они не участвовали), своих арктических свершений и трагедий у нее хоть отбавляй: от "Святой Анны" до папанинцев и челюскинцев... Разумеется, всё было не так просто. В самоубийственном соревновании за полярное первенство сходились и имперские амбиции государств, и личные — героев-исследователей.

Покорение Северного полюса вылилось в настоящую медийную войну между претендентами на звание короля горы, Пири и Куком: Пири утверждал, что был на полюсе 6 апреля 1909 года, Кук одновременно заявлял, что отметился почти годом раньше — 21 апреля 1908-го. Кипели общественные страсти: вначале публика отдавала предпочтение Куку и обливала презрением и пренебрежением Пири, потом Кука заподозрили в шарлатанстве, и Пири получил свое, стопроцентно же достоверного ответа на вопрос о первенстве нет до сих пор. Причем битва — и в этом случае, и во всех остальных — шла не только за абстрактный приоритет и славу, но и за совершенно конкретные деньги: гонорары за лекции, книги, статьи, субсидии на следующие экспедиции...

Норвежец Амундсен и итальянец полковник Умберто Нобиле на дирижабле "Норвегия" в 1926 году вместе пролетели над Северным полюсом — а после жестоко разругались: Амундсен обзывал Нобиле фанфароном, Нобиле заявлял, что Амундсен лентяй и пальцем о палец не ударил, так что вся честь свершения принадлежит исключительно ему, полковнику (что, однако, не помешало Амундсену ринуться спасать уже генерала Нобиле, когда тот разбил новый дирижабль "Италия" в следующем арктическом полете, — и погибнуть самому).

Да и с "полярной гонкой" Скотта и Амундсена всё было так же неоднозначно. Человек больших способностей и огромного тщеславия, Амундсен мечтал о том, чтобы быть первым на Северном полюсе; однако успех американца Пири поставил крест на его чаяниях. На покорение Южного полюса вперед британца Скотта Амундсен переориентировался втайне. Антарктическую экспедицию на знаменитом паруснике "Фрам" планировал его покровитель и друг Нансен, однако вынужден был отказаться от планов (последней каплей стала болезнь жены) — и предоставил "Фрам" Амундсену, который якобы собирался осуществить на нем 4-5-летний дрейф по Северному ледовитому океану. О том, что истинная цель Амундсена — Южный полюс, все, включая Нансена, узнали уже после отплытия "Фрама". Для Скотта же наличие соперника стало неприятным сюрпризом и вовсе непосредственно в Антарктиде. Верный джентльменскому духу, гордый бритт Скотт решил не корректировать своих планов ввиду вновь открывшихся обстоятельств, — так что дальше началась схватка логистик и подходов. Скотт делал ставку на мотосани, малорослых и выносливых маньчжурских лошадей (британцы называли их "пони") и, главное, человеческую волю к победе, — поскольку-де в суровых полярных условиях правильно мотивированный сапиенс становится наилучшей тягловой силой (так что в последний момент численность полярной штурмовой группы изменилась с четырех человек на пять — при прежних выкладках по провианту и снаряжению; многие считают это решение одной из причин неудачи Скотта). Амундсен ставил на ездовых собак и трезвый расчет: в норвежской команде даже не было профессионального врача, зато были тщательно обученные собаки, которых к тому же предполагалось бестрепетно убивать по мере продвижения — чтобы кормить их мясом еще необходимых собратьев. В логистической битве победил норвежец. Мотосани Скотта оказались ненадежны и скоро вышли из строя, "пони" не оправдали надежд, требовали обильного корма и быстро дохли, человеческого ресурса хватило для героического бессмертия, но недостало для выживания. План Амундсена, между тем, сработал на пять — был выигран месяц, все люди остались живы, а сорок одну погибшую или застреленную самими полярниками собаку можно было списать на неизбежные потери. В сухом остатке, помимо первенства — порядком осложненные британо-норвежские отношения (к полярным рекордам великие державы относились серьезно), личные драмы родных и близких не вернувшихся с холода англичан, благоприобретенные комплексы Амундсена и постоянно меняющиеся позднейшие оценки. Скотта сперва произвели в "архетипические британские герои", потом — в конце XX века — подвергли жесткой критике за неразумность и авторитаризм, потом — в начале XXI века — вроде бы отпустили ему все грехи по новой, списав неудачу на уникально неблагоприятное стечение обстоятельств. Амундсена простили за хитрость быстрей — он всё доказал дальнейшей жизнью и смертью.

Штука, однако, в том, что сами герои Арктики и Антарктики и впрямь куда острее разделяющих их национально-государственных и личных противоречий ощущали некую высшую общность: общность Миссии. "Для исследователя… приключение составляет лишь малоприятное отвлечение в его серьезных трудах. Он ищет не возбуждения чувств, а знаний в области неведомого… всем исследователям приходилось переживать приключения. Приключения волнуют и возбуждают исследователя, и вспоминает он о них с удовольствием. Но он никогда не пускается в погоню за ними. Для этого труд исследователя слишком серьезен", — писал карьерист и авантюрист Амундсен в мемуаре, бесхитростно и, кто ж спорит, очень серьезно озаглавленном "Моя жизнь" (проще и серьезней названа разве что "Исповедь" Блаженного Августина, и это правильная — в плане религиозно-учительного созвучия — система координат). Пафос понятен вполне: полярники "героического века", что на крайнем Севере, что на крайнем Юге, сколь угодно страстно стремясь в душе к спортивным рекордам, на первое, второе и третье места всё равно ставили новое знание, пользу для науки. Одно не противоречило другому у людей, ощущающих себя авангардом, спецназом грядущего, подвижниками в христианских терминах — или прогрессорами, сказали бы читавшие Стругацких. "Крайний" — вот что было важно: передовая войны за Будущее. Гордая собой позитивистская цивилизация технического и — мнилось тогда в неразрывности — морального прогресса справляла праздник рационального захвата мира. Достижение (полюса ли, небывалых ли научных результатов) логично влекло за собой постижение, а оно равнялось освоению — правильному использованию и позитивному переустройству. Застолбить за собой Арктику или Антарктику, изучить механизм размножения пингвинов и сыграть на ледяном панцире в футбол (и тем, и другим баловалась экспедиция Скотта), с высокомерной антропологической благожелательностью проинспектировать жизнь каких-нибудь прозябающих в дикости эскимосов. Дальнейшее — понятно: употребление достигнутого и постигнутого к вящей славе обретшего, наконец, разум и единственно верный вектор развития человечества. Киплинговское “бремя белых”, добровольный крест колонизаторов-цивилизаторов, воспринималось буквально, перемножаясь на белизну полярных снегов и льдов. Роберт Пири, атакуя Северный полюс, специально озаботился тем, чтобы на верхушке планеты он встал единственным белым. Не оттого, что Пири был расист: он беспокоился о бесспорности первенства — а “дикари-эскимосы” в зачет не шли, им ведь до нас еще расти и расти, не правда ли?

Самоотверженные полярники были упорны: уже вовсю бушевали Первая, а за ней и Вторая мировая бойня, сводя пафос вертикального развития человеческого рода к нулю, всё к той же неизбывной гекатомбе, к кровавой сваре между ощерившимися племенами, — а они продолжали штурмовать ледяные шапки земшара на своих суденышках, со своими лыжами, упряжками и мотосанями. Такими, верно, и надлежит быть настоящим носителям Миссии, рыцарям-храмовникам, видящим свет высшего идеала и взыскующим Гроба Господня или Святого Грааля, даже когда тьма заслоняет идеал от всех остальных. И неудивительно, что великий арктический исследователь Нансен стал первым комиссаром Лиги Наций, прообраза позднейшей

ООН, по делам беженцев: кто же, если не он, мог выступить высшим моральным авторитетом и носителем милосердия в смутные годы краха империй и социальных революций? Сам же пафос экспансии "цивилизации прогресса" пережил на урезанном пайке жесточайшие кризисы этой самой цивилизации, затаившись в ее экстремальных, окраинных областях. Такими областями оставались Арктика и Антарктика — до того момента, когда их знамя перенял Космос. Символично, что последние амбициозные проекты покорения Северного полюса — на подводной лодке, коль скоро все остальные способы (по водной глади, ледяной тверди и воздуху) реализованы, — осуществлялись американцами в 1958-1959-м: сразу за ними были Спутник, Гагарин, лунная программа НАСА. Вектор экспансии был перенацелен с планеты Земля вовне.

Человечество, однако, пока что предпочло "уйти в себя" — если уж брать уровень технологий, то в развитие виртуальных коммуникаций. Внешняя экспансия захлебнулась — и в Космосе, и, даже прежде, в арктических областях. Полярный миф вначале съежился на практичном Западе — и еще несколько десятилетий продержался в Советском Союзе: футуристический по изначальной природе советский проект просто по закону компенсации, чтоб соблюсти баланс между прошлым и будущим, активно востребовал самую кондовую героико-мифологическую архаику. И советские дети еще в восьмидесятые наравне с житиями святых космонавтов зачитывались хроникой дрейфа папанинской станции “СП-1” или переводными “Полярными морями” Жоржа Блона, пока взрослые думали уже о совсем других материях. С крахом СССР дарвинистский практицизм окончательно восторжествовал и здесь, и теперь все, включая заинтересованных детей, в курсе, что ближняя коммерческая перспектива и Космоса, и Крайних Севера и Юга — в дорогостоящем туризме (впрочем, в случае как минимум арктического шельфа есть еще и потенциальная нефтянка и прочий досужий ресурсный промысел, который уже сегодня начинают делить загодя).

Но иногда — хотя бы перебирая черно-белые фотокарточки экспедиции на “Терра Нове” — ощущаешь вдруг, что прав был сэр Джеймс Барри: прав той правотой, какой вообще бывает права литература или поэзия в сличении с политикой, социологией, идеологией или технологией. Как бы ни мутировали представления о путях развития человечества, о том, что правильно и что ценно, вдруг являющийся нашему взору полярный миф оказывается всё так же юн и прекрасен, пускай его героизм и отчаянность, его благородство и пассионарность и запаяны теперь в глыбу прозрачного льда, через которую нам не пробиться, если не наступит очередной глобальный климатический перелом. Так уж обстоит дело в этом краю сверхнизких температур и медленного — привычный нам год идет за одни, разделенные на полярный день и полярную ночь, сутки, — времени. Здесь всё хранится вечно, ничто не портится: ни полюс, ни подвиг.

Фея и я

Вместо послесловия

Все мы, как известно, немного троглодиты и не чужды магического сознания. Одно из свойств коего — любовь к ритуалам. В частности, новогодним зарокам. Люди постоянно обещают себе (а иногда, если хватает глупости, окружающим) начать с нового года новую жизнь. Бросить курить; бросить пить; бросить жену и уйти к любовнице; бросить любовницу и вернуться к жене; бросить обеих — и в библиотеку; сменить работу; пойти в спортзал; завести собаку; отправиться путешествовать; написать великий русский роман или супердоходный международный мегабестселлер; короче — измениться.

Некоторые потом действительно так поступают. Это уникумы, титаны духа, глыбы воли. О них написаны учебники истории и глянцевые журналы. Зароки, данные остальными 99,9% населения, при-

* Статус в фэйсбуке за день до операции по поводу злокачественной опухоли пищевода. Госпиталь Шаритэ, Берлин, 4 января 2016 года.

вычно отправляются в облачное хранилище кармических отходов. Объем которого, по счастью, практически безграничен.

И вот я, безусловно, принадлежу к этим 99,9% безвольной размазни. Но я неплохо устроился. Мне, чтобы начать в наступившем 2016-м новую жизнь, не обязательно демонстрировать чудеса целеустремленной пассионарности. За меня это сделают завтра (вероятно, прямо с утра) тевтонские онкохирурги из клиники Шарите.

Заметим, это не первый случай, когда я спихиваю черную работу на других. К примеру, у многих индивидов поумней и поталантливей меня уходит полжизни, если не вся, чтобы как-то прочухать свои (частной личности, единицы, которая вздор, которая ноль, голос которой тоньше писка) истинные отношения с Государством, как-то продраться к неприятной правде через наведенные галлюцинации, которые любое Государство генерирует для своих граждан в режиме нон-стоп. А мне эту услугу любезно и задешево оказало некогда мое маленькое государство Латвия, наделив чудо-паспортом негражданина, космического чужака-alien'а, подданного ничего. Нет, поначалу-то я обижался, злился, переживал, как отринутый ухажер. Но быстро понял, что моя фиолетоворожая, цвета пропитого ханыги, паспортина — не символ унижения, не признание в особой нелюбви, а сертификат реальности, констатация истинного положения дел. Причем вовсе не только моих. Просто остальным повезло меньше, им придется додумываться самим.

Так и сейчас все заботы возьмут на себя мой добрый профессор доктор Крайс и его команда — отчекрыжив мне серым утром вторника две трети родного пищевода, а желудок вытянув в нечто, формою напоминающее рога изобилия на щедрых барельефах сталинских здравниц города Сочи (рабочей же вместимостью, увы, более схожее с вафельным рожком для мороженого). Прощай, стало быть, излишества, да и не-излишества — до нескорого свиданьица, здравствуй, дивная новая жизнь. Которая на поверку, как всегда, лишь сгущение и доведение до предела принципов старой, то есть обычной. Сказано же нам, что любая жизнь есть ряд вычитаний, в конце которого вычитают и самоё тебя. А до этого момента хочется, конечно, верить, что каждое вычитание также и приносит что-то взамен. Что-то эдакое важное, полезное. Так ведь учат нас мудрые книги, вроде трудов Паоло Коэльо.

Вот к слову. Дочь моя Александра Альсанна, в просторечии Барсук, к двенадцатому году жизни распрощалась, скрепя сердце, с (внимание, дальше спойлер) верой в Деда Мороза. А еще до того явно поставила крест на реальности Зубной Феи, этого импортного троянского пегаса, которого мы сдуру пустили в свою семейную мифологию, и он (она, оно) стал требовать своей кровавой жертвы в приблизительном эквиваленте пяти евро за каждый заныканный под подушку молочный зуб. Утрата веры в Зубную Фею, однако, вслух Барсуком коварно признана не была. Все всё понимали, и тем не менее утром Александра Альсанна театрально подбоченивалась и выдавала трагическим мхатовским вокалом в пространство:

— Эта Зубная Фея совсем обленилась! Она третью ночь подряд оставляет мой зуб под подушкой! Когда она уже его заберет?!

Ну, куда деваться. Срабатывало.

И вот я тут тоже размечтался вслух. В самом деле, почему у зубов фея есть — а у других, так сказать, частей организма нету? Чего бы не быть, скажем, Пищеводной Фее? В конце концов, зубов вон сколько, они мелкие, да еще и молочные, неокончательные, не эксклюзивные вообще, что сразу снижает ценность лота. А пищевод — он ого-го какой, здоровенный, что твой гренадер. И уникален в высшей степени. И не регенерирует нихрена. Так что было бы глубоко справедливо и политкорректно, если бы Пищеводная Фея мне его, это, ну как-то… компенсировала.

— Вообще-то, — говорит мне резонно жена, Аня Старобинец, — Пищеводная Фея тебе уже все утраты покрыла по высшему разряду. Деньгами вот, собранными на операцию. Авансом.

— Ну, — расстраиваюсь, но не сдаюсь, — авансом как бы не совсем то. Нет элемента приятного сюрприза. Может, мне еще что-то полагается? Я готов даже положить мой пищевод под подушку!

Аня, которую моя склонность к юмору тупому и черному, как кошмар расиста, в этой ситуации несколько нервирует, горестно морщится. Финита.

А теперь я сижу один в палате №16 клиники Шарите, с видом на вертолетную площадку, где то приземляется, то взлетает желтый эмердженси-вертолет. И думаю: о чем бы я мог попросить мою Пищеводную Фею, если бы я в нее верил — точнее, верил бы, знал, как моя дочь, что и впрямь есть обладающий широкими возможностями Некто, готовый выполнить эти вот фейные обязанности?

Попросил бы, конечно, чтобы увидеть, как вырастет не только одиннадцатилетний Барсук, но и брат ее Пингвин, Лев, стало быть, Саныч, которому всего-то восемь месяцев. Чтобы, глядишь, уже и внуки там какие-нибудь. И чтобы дописать тот сценарий сериала, который мы с Аней писали, пока, как в анекдоте про ковбоя в баре, всё не началось. И написать еще десяток хороших сценариев. И — обещал же — одну уже совсем додуманную книжку. И другую, еще не совсем додуманную. И третью, о которой пока вообще ноль представления. И еще побывать в куче мест, где всегда очень хотелось, но так и не довелось пока — хотя мог ведь, конечно, мог. И вернуться в те любимые места, где уже бывал, — и в которые, когда тебе сорок, уже временами тянет сильней, чем в те, где не был. И да, еще обязательно…

А не жирно ли тебе будет, интересуется виртуальная фея. Жирно, конечно, соглашаюсь я. Но, как заметил однажды Довлатов, у Бога добавки не просят.

Так что я лучше сразу, сейчас.

Александр Гаррос

Непереводимая игра слов

18+

Содержит нецензурную брань

Заведующая редакцией Елена Шубина

Художник Андрей Бондаренко

Редактор Алексей Портнов

Художественный редактор Елисей Жбанов

Корректоры Максим Кривов, Ольга Грецова

Компьютерная вёрстка Елены Илюшиной

http://facebook.com/shubinabooks

http://vk.com/shubinabooks

Подписано в печать 07.07.16
Формат 84x108/32.
Усл. печ. л. 28,56.
Тираж 2 000 экз.
Заказ № 5670.

Общероссийский классификатор продукции
ОК-005-93, том 2; 953000 – книги, брошюры

«Баспа Аста» деген ООО
129085 г. Мәскеу, жұлдызды гүлзар, д. 21, 3 құрылым, 5 бөлме
Біздің электрондық мекенжайымыз: www.ast.ru
E-mail: astpub@aha.ru

Қазақстан Республикасында дистрибьютор және өнім бойынша арыз-талаптарды қабылдаушының өкілі «РДЦ-Алматы» ЖШС, Алматы қ., Домбровский көш., 3«а», литер Б, офис 1.
Тел.: +7 (727) 251 5989, 90, 91, 92, факс: +7 (727) 251 5812, доб. 107
E-mail: RDC-Almaty@eksmo.kz
Өнімнің жарамдылық мерзімі шектелмеген

Отпечатано с электронных носителей издательства.
ОАО "Тверской полиграфический комбинат", 170024, г. Тверь, пр-т Ленина, 5.
Телефон: (4822) 44-52-03, 44-50-34, Телефон/факс: (4822) 44-42-15
Home page - www. tverpk.ru Электронная почта (E-mail) - sales@tverpk.ru